WILDCARD

› **Título original:** *Wildcard*
› **Dirección editorial:** Marcela Luza
› **Edición:** Melisa Corbetto con Erika Wrede
› **Coordinadora de arte:** Marianela Acuña
› **Diseño:** Cecilia Aranda sobre maqueta de OLIFANT
› **Arte de tapa:** CREAM3D, WACOMKA
› **Diseño de tapa:** Theresa Evangelista

www.vreditoras.com

México: Dakota 274, Colonia Nápoles
C. P. 03810, Del. Benito Juárez, Ciudad de México
Tel./Fax: (5255) 5220-6620/6621 · 01800-543-4995
e-mail: editoras@vergarariba.com.mx

Argentina: San Martín 969, piso 10 (C1004AAS) Buenos Aires
Tel./Fax: (54-11) 5352-9444 y rotativas
e-mail: editorial@vreditoras.com

Primera edición: febrero de 2019

ISBN: 978-607-8614-25-7

Impreso en México en Litográfica Ingramex, S. A. de C. V.
Centeno No. 195, Col. Valle del Sur, C. P. 09819
Delegación Iztapalapa, Ciudad de México.

SAGA WARCROSS

LIBRO DOS

MARIE LU

TRADUCCIÓN:
JULIÁN ALEJO SOSA

PARA PRIMO,

QUE SIEMPRE ME FORTALECE.

En otros titulares: numerosos cuarteles de policía alrededor del mundo están alcanzando el tercer día consecutivo de tener una multitud abrumadora a sus puertas. El famoso líder criminal Jacob "Ace" Jagan caminó hacia la estación de policía del octavo distrito de París esta mañana y se entregó a las autoridades en lo que fue un gesto sorprendente que ha dejado a muchos con la boca abierta. En los Estados Unidos, dos fugitivos en la lista de los diez más buscados por el FBI fueron hallados muertos, ambos incidentes se declararon suicidios. Hasta aquí el informe matutino.

–THE NEW YORK TIMES DIGEST
INFORME MATUTINO

▼

En mi sueño, estoy con Hideo.

Sé que es un sueño porque estamos en una cama blanca en lo alto de un rascacielos que nunca antes había visto, dentro de una habitación completamente de vidrio. Si miro hacia abajo, puedo ver los cientos de pisos inferiores, un patrón de techo-suelo, techo-suelo que se extiende hasta perderse en algún punto en la distancia, hasta las profundidades de la Tierra.

Quizás ni siquiera haya tierra firme en absoluto.

Si bien los suaves rayos del amanecer se abren paso a nuestro alrededor, ahuyentando el tenue tinte azul de la noche para bañar nuestra piel con un brillo del color de la mantequilla, aún se puede ver con claridad un manto imposible de estrellas en el cielo como una lámina dorada y blanca de brillantina. A lo lejos, se eleva el paisaje de una ciudad interminable, cuyas luces son el espejo de las estrellas en el cielo, persistentes hasta verse ocultas tras la columna de nubes en el horizonte.

Es demasiado. El infinito está en todas direcciones. No sé hacia dónde caer.

Y luego, los labios de Hideo se posan sobre mi clavícula y mi confusión se evapora en una nube de calidez. *Él está aquí*. Llevo mi cabeza hacia atrás y abro la boca, dejando caer el cabello y posando mis ojos sobre el techo de vidrio y las constelaciones en lo alto.

Lo siento, susurra como un eco en mi mente.

Niego con la cabeza y frunzo el ceño. La razón de su disculpa no la logro entender, y sus ojos lucen tan tristes que no quiero recordar. *Algo no está bien. Pero ¿qué es?* Tengo una sensación en mi interior que me advierte que no se supone que deba estar aquí.

Hideo me acerca hacia él. La sensación se intensifica. Miro la ciudad a través del vidrio, preguntándome si tal vez esta escena onírica no luce como debería, o si son las estrellas en el cielo las que me hacen detenerme. *Algo no está bien...*

Mi cuerpo se tensa al entrar en contacto con el de Hideo. Frunce el ceño y pasa su mano por mi rostro. Quiero aceptar su beso, pero un movimiento al otro lado de la habitación me distrae.

Hay alguien parado allí. Una figura con una armadura negra de pies a cabeza, sus facciones ocultas detrás de un casco oscuro.

Lo miro. Y todo el cristal estalla.

DISTRITO SHINJUKU

Tokio, Japón

UNO

Ocho días para la ceremonia de cierre
de Warcross

Alguien me está mirando.

Puedo sentirlo; la inquietante sensación de que me sigue una mirada penetrante a mis espaldas. Me eriza la piel y, a medida que me abro paso entre las calles empapadas de Tokio para encontrarme con los Jinetes de Fénix, volteo a cada rato. La gente camina a toda prisa en un flujo constante de paraguas coloridos y trajes de negocios, zapatos de tacones y largos abrigos. No puedo dejar de imaginar que todos sus rostros abatidos me siguen con la mirada, sin importar hacia dónde me dirija.

Quizás es la paranoia que dejan tantos años de ser cazadora de recompensas. *Estás en una calle muy transitada*, me digo a mí misma. *Nadie te está siguiendo*.

Han pasado tres días desde que se activó el algoritmo de Hideo. Técnicamente, el mundo debería ser más seguro ahora. Cada persona que haya usado los nuevos lentes de contacto de Henka Games, aunque sea solo una vez, debería estar ahora bajo el completo control de Hideo y ser incapaz de romper las leyes o herir a otra persona.

Solo quienes todavía utilizan los lentes en su fase beta, como yo, no se vieron afectados.

Por lo que, en teoría, no me debería preocupar si alguien me está siguiendo. El algoritmo no les permitirá hacerme daño.

Pero incluso con esto en mente, me detengo para observar la larga hilera que rodea una estación local de policía. Debe haber cientos de personas. Todos ellos están entregándose a las autoridades por todo lo ilegal que hayan hecho, desde negarse a pagar una multa de estacionamiento hasta un pequeño hurto; e incluso, asesinato. Ha sido así desde hace tres días.

Mi atención se centra ahora en una barricada policial al final de la calle. Están desviándonos hacia otra manzana diferente. Las luces de algunas ambulancias destellan en las paredes, iluminando un cuerpo sobre una camilla en el interior del vehículo. Con solo ver a los oficiales señalando hacia el tejado de un edificio cercano puedo entender qué es lo que está ocurriendo. Otro criminal debió haber saltado a una muerte segura. Suicidas como estos han estado apareciendo por todas partes en las noticias.

Y yo ayudé a que todo esto ocurriera.

Trago saliva ante mi malestar y me alejo. Todos parecen tener una expresión vacía sobre sus rostros. No tienen idea de que hay una mano artificial en sus mentes, doblegando su libre albedrío.

La mano de *Hideo*.

El recuerdo es suficiente para detenerme en medio de la calle y cerrar los ojos. Cierro y abro los puños, incluso si mi corazón se acelera ante su nombre. *Soy una idiota*.

¿Cómo puede ser que pensar en él me llene de asco y deseo al mismo tiempo? ¿Cómo puedo mirar horrorizada esta hilera de personas bajo la lluvia afuera de una estación de policía, pero aún sonrojarme al pensar en el sueño donde estoy en la cama de Hideo, con mis manos sobre su espalda?

Terminamos. Olvídalo. Abro los ojos y sigo adelante, tratando de contener la ira que azota mi pecho.

Para cuando ingreso en los cálidos corredores de un centro comercial de Shinjuku, la lluvia comienza a caer como una sábana irregular, ofuscando el reflejo de las luces de neón sobre el pavimento resbaladizo.

Sin embargo, todo esto no detendrá las preparaciones para la próxima ceremonia de cierre de Warcross, la cual marcará el fin de los juegos de este año. Con mis lentes beta, puedo ver las calles y aceras marcadas de un color escarlata y dorado. Cada distrito de Tokio está marcado de esta forma, con sus calles pintadas del color de los equipos más populares de la zona. Por arriba, un majestuoso despliegue de fuegos artificiales virtuales atraviesan el cielo oscuro con estallidos de colores. Como el equipo favorito del distrito Shinjuku son los Jinetes de Fénix, los fuegos artificiales adquieren la forma de un fénix que asciende con su cuello en llamas, listo para dar un grito de victoria.

Cada día de la siguiente semana, los diez mejores jugadores del campeonato de este año serán anunciados alrededor de todo el mundo, luego de la votación de todos los seguidores de Warcross. Esos diez jugadores competirán en un torneo final de las estrellas durante la ceremonia de cierre, y así disfrutarán de un año de fama como las celebridades más grandes del planeta, para luego volver a jugar la siguiente primavera en el juego de la ceremonia inaugural. Como aquella que logré hackear e interrumpir una vez, aquella que condenó mi vida para siempre y me hizo llegar adonde estoy ahora.

La gente en la calle está vestida de gala, lista para la votación de los diez mejores jugadores de este año. Veo a algunos disfrazados de Asher con el atuendo del campeonato en el "Mundo blanco"; otros vestidos como Jena, y algunos como Roshan. Incluso, hay personas que continúan debatiendo fervientemente sobre la final. Era obvio que alguien había hecho trampa; dados los poderes que habían entrado en juego.

Y sí, claro, yo lo había hecho.

Configuro el rostro que cubre el mío como una máscara y dejo que mi cabello arcoíris se asome por debajo de la capucha roja de mi abrigo. Mis botas de lluvia salpican sobre el suelo húmedo de la acera. Llevo un rostro virtual aleatorio sobre el mío, para que, de esta forma, todo aquel que lleve las viejas gafas o los nuevos lentes de contacto del NeuroLink me mire y vea a una completa extraña. Incluso para aquellos que no los utilizan, la máscara debería cubrir lo suficiente como para mezclarme entre el resto de las personas con máscara en la calle.

–¡*Sugoi!* –grita alguien al pasar y, al voltear, noto a un par de niñas con los ojos abiertos, asombradas, riendo entre dientes por mi cabello. La traducción aparece en mi visión–: ¡Guau! ¡Buen disfraz de Emika Chen!

Hacen un gesto para tomarse una foto conmigo y les sigo el juego, levantando las manos con un gesto de V de victoria. *¿Ustedes también están bajo el control de Hideo?*, me pregunto.

Las niñas inclinan sus cabezas en agradecimiento y se marchan. Acomodo la patineta eléctrica sobre mi hombro; pretender ser yo misma es un buen disfraz temporal, pero para alguien que está acostumbrada a acechar a otros, no dejo de sentirme extrañamente expuesta.

¡Emi! ¿Ya estás aquí?

El mensaje de Hammie aparece delante de mí como un texto blanco traslúcido, interrumpiendo mi ansiedad. Esbozo una sonrisa casi instintivamente y apresuro el paso.

Casi.

¿Sabes? Habría sido más fácil si hubieras venido con nosotros.

Vuelvo a mirar hacia atrás sobre mi hombro. Definitivamente habría sido más fácil, pero la última vez que estuve en el mismo lugar que mis compañeros, Zero casi nos mata con una explosión.

Ya no soy una Jinete oficial. La gente comenzará a hacer preguntas si nos ven salir a todos en grupo esta noche.

Pero estarías más segura si lo hicieras.

Estoy segura si no lo hago.

Casi puedo escucharla suspirar. Me envía la dirección del bar nuevamente.

Nos vemos pronto.

Atravieso el centro comercial y salgo por el otro extremo. Aquí, todo el colorido de Shinjuku cambia por completo y es reemplazado por las lúgubres calles del distrito de Kabukichō, la zona roja de Tokio. Me pongo más tensa. No es un área *insegura*; no a comparación del lugar en el que vivía en Nueva York; pero las paredes están recubiertas con pantallas incandescentes en las que se publicitan los servicios de chicas hermosas y atractivas, chicos con peinados extravagantes y otros carteles más oscuros que no quiero entender.

Modelos virtuales con muy poca ropa esperan en las puertas de los bares, haciéndoles señas a los transeúntes para que ingresen. Me ignoran por completo al notar que soy extranjera de acuerdo a mi perfil, y centran toda su atención principalmente en los japoneses más adinerados que por aquí deambulan.

De todas formas, acelero el paso. Ninguna zona roja en el mundo es segura.

Me adentro en una calle angosta en los límites de Kabukichō. *Callejón Pis*, ese es el nombre de este laberinto de pequeñas calles. Los Jinetes lo eligieron para la reunión de esta noche ya que se encuentra cerrado a los turistas durante la temporada de Warcross. En las diversas entradas y salidas de los callejones hay guardaespaldas serios esperando con sus trajes elegantes que ahuyentan a todo transeúnte curioso.

Me quito el disfraz por un segundo para que puedan ver mi identidad real y uno de ellos hace un gesto de reverencia con su cabeza antes de dejarme pasar.

A ambos lados del callejón hay bares de sake y puestos de yakitori. A través de cada una de las puertas de vidrio empañadas, puedo ver a los otros equipos que están de espalda reunidos frente a las parrillas humeantes, discutiendo fervientemente en relación a las proyecciones virtuales sobre las paredes en las que se muestran entrevistas con los jugadores. El aroma a la lluvia fresca se mezcla con la esencia del ajo, miso y carne frita.

Me quito el abrigo y lo sacudo antes de guardarlo en mi mochila. Enseguida me acerco hacia el último puesto. Este bar es un poco más grande que los otros y se encuentra en un callejón cerrado al paso en ambos extremos. La entrada está iluminada por una hilera de farolas rojas alegres, en donde algunos hombres de traje esperan en posición estratégica a su alrededor. Uno de ellos nota mi presencia y se hace a un lado, dándome el paso hacia el interior.

Paso por debajo de la farola e ingreso a través de una puerta corrediza de cristal. Me veo envuelta por una cortina de aire cálido.

¡Ingreso al Midnight Sense Bar!

+500 pts. Puntaje Diario: +950

Nivel 49 | B120.064

Me encuentro de pie en una habitación acogedora con varios asientos alrededor de una barra, en donde el chef del lugar sirve algunos tazones de ramen. Al verme, se queda quieto.

De pronto, todos los presentes comienzan a saludarme.

Están Hammie, nuestra Ladrona, y Roshan, nuestro Escudo. Asher, el Capitán, se encuentra sentado en uno de los banquillos con su silla de ruedas elegante replegada detrás de él. Incluso Tremaine, quien técnicamente juega para la Brigada de los Demonios, está aquí. Tiene los codos sobre la barra y me saluda con un gesto de su cabeza al verme por detrás del vapor que emana su tazón. Está sentado lejos de Roshan, quien juguetea con un rosario sobre su muñeca y hace todo el esfuerzo posible para ignorar a su exnovio.

Mi equipo. Mis amigos. La inquietante sensación de estar siendo observada sigue presente mientras los reconozco, uno por uno.

Hammie me saluda desde lejos. Me acerco con gusto hacia el banco vacío a su lado. El chef coloca un tazón de ramen delante de mí y se marcha para darnos privacidad.

–Toda la ciudad está celebrando –musito–. La gente no tiene idea de lo que Hideo ha hecho.

Hammie comienza a recoger sus densos rizos en un rodete tenso sobre su cabeza. Luego, señala con su barbilla la pantalla virtual en la cual pasan imágenes de la final.

–Llegas justo a tiempo –responde–. Hideo está por hacer su anuncio.

Miramos la pantalla mientras Hammie me sirve una taza de té. Se puede ver una sala de prensa llena de reporteros que apuntan en dirección a un estrado masivo, esperando la llegada de Hideo. Kenn, el Director Creativo de Warcross, y Mari Nakamura, la Directora de Operaciones, ya se encuentran allí, hablando entre sí por lo bajo.

La sala en la pantalla de pronto estalla en una conmoción justo cuando Hideo sube al estrado. Se arregla la solapa de su chaqueta de gala una vez y se une a sus compañeros, a quienes les aprieta la mano con su gracia cuidadosa y tranquila.

Incluso verlo a través de una pantalla me hace sentir tan abrumada, como si acabara de ingresar al bar. Lo único que veo es al muchacho que conozco de toda la vida, el rostro que me he detenido a observar en los puestos de periódicos y en la televisión. Clavo las uñas sobre el mostrador, tratando de no mostrar lo avergonzadamente débil que me siento.

Hammie lo nota y me dedica una mirada compasiva.

–Nadie espera que lo superes –comenta–. Sé que está tratando de conquistar el mundo y todo eso, pero vaya que ese traje lo hace ver tan bien como un modelo de Balmain.

–Estoy aquí –se queja Asher.

–Nunca dije que quería *salir* con él –le aclara Hammie, dándole una palmada en la mejilla.

Vuelvo a mirar la televisión, en donde Hideo y Kenn hablan por lo bajo, lo cual me lleva a preguntarme cuánto saben Kenn y Mari sobre los planes de Hideo. ¿Acaso toda la empresa estaba planeando esto? ¿Es posible mantener semejante secreto? ¿Será que tantas personas formarían parte de este espantoso plan?

–*Como todos sabrán* –comienza Hideo–, *durante la Final del campeonato de este año se activó un truco, beneficiando de esta manera a un equipo, los Jinetes de Fénix, por sobre el otro, el equipo Andrómeda. Luego de revisar el asunto con nuestro equipo creativo* –hace una pausa para mirar a Kenn–, *parece que este truco no fue activado por uno de los jugadores, sino por alguien externo. En tal sentido, hemos decidido que la mejor manera de resolverlo es realizar una revancha entre el equipo Andrómeda y los Jinetes de Fénix dentro de cuatro días a partir de la fecha de hoy. Esto será seguido por la ceremonia de cierre cuatro días más tarde.*

De pronto, miles de voces inundan la sala al oír las palabras de Hideo. Asher se reclina hacia atrás y mira con el ceño fruncido hacia la pantalla.

–Bueno, así será –nos dice–. Una revancha oficial. Tenemos tres días para prepararnos.

Hammie se lleva una bocanada de fideos a la boca.

–Una revancha oficial –repite, aunque no hay ningún rastro de entusiasmo en su voz–. Esto no ocurrió nunca en la historia de todos los campeonatos.

–Habrá mucho odio hacia los Jinetes de Fénix allí afuera –agrega Tremaine. Ya se podían escuchar algunos gritos de "¡Tramposos!" desde los otros bares.

Asher se encoge de hombros.

–Nada que no hayamos enfrentado antes. ¿No es cierto, Blackbourne?

El rostro de Tremaine está en blanco. El entusiasmo de un nuevo juego se desvanece a medida que pasamos más tiempo mirando la pantalla. La revancha no es la gran noticia. Si tan solo esos reporteros supieran lo que Hideo está haciendo con el NeuroLink.

Estoy cansado del horror que existe en el mundo, me había dicho. *De modo que haré que se acabe a la* fuerza.

–Bueno –interviene Roshan, frotándose la mano sobre su rostro–, si Hideo está molesto por algo de lo que ha ocurrido en los últimos días, no lo está demostrando.

Tremaine está concentrado en algo invisible, moviendo las manos en el aire frente al bar. Hace algunas semanas, me habría enfurecido si estaba en la misma habitación que él. Sigue sin ser mi compañero favorito y sigo esperando que me llame princesita Durazno de nuevo, pero, por el momento, está de nuestro lado. Y nos servirá toda la ayuda que consigamos.

–¿Encontraste algo? –le pregunto.

–Conseguí algunas cifras sólidas sobre cuántas personas tienen los nuevos lentes –se reclina hacia atrás y deja salir un suspiro–. Noventa y ocho por ciento.

Podría cortar el silencio como a un pastel. Noventa y ocho por ciento de todos los usuarios ahora se encuentran bajo el control del algoritmo de Hideo. Recuerdo las largas hileras de personas, la cinta policial. Pensar en la escala inmensa de esto me hace sentir mareada.

–¿Y qué hay del otro dos por ciento? –se atreve a preguntar Asher.

–Está compuesto por todos los que aún utilizan los lentes en fase beta –le explica Tremaine–, y quienes no los cambiaron todavía. Esos están a salvo por ahora –mira alrededor del bar–. Nosotros, por supuesto, y algunos jugadores oficiales, ya que tuvimos acceso a los lentes beta antes de que saliera la versión final. Asumo que gran cantidad de personas en el Dark World. Y una pequeña porción de toda la población mundial que no utiliza para nada los NeuroLinks. Eso es todo. Todo el resto está atrapado.

Nadie quiere agregar nada. No lo digo en voz alta, pero sé que no podemos quedarnos con los lentes beta para siempre. En las calles hay rumores de que esos lentes descargarán un parche que modificará su algoritmo el día de la ceremonia de cierre de Warcross.

La cual ocurrirá en ocho días.

–Nos quedan siete días de libertad –agrega Asher finalmente, enunciando las palabras que todos estábamos pensando–. Si quieren robar un banco, ahora es el momento.

–¿Alguna novedad sobre el algoritmo en sí? –le pregunto a Tremaine.

Niega con la cabeza y despliega una pantalla para que todos podamos ver. Es un laberinto de letras destellantes.

–No puedo encontrar siquiera el más mínimo rastro de él. ¿Ven esto? –se detiene sobre un punto en un bloque de códigos–. ¿La secuencia de ingreso principal? Debería haber algo allí.

–Estás diciendo que es imposible que haya un algoritmo aquí –agrego.

–Estoy diciendo que es imposible, sí. Es como observar una silla flotar en medio del aire sin ningún cable que la sostenga.

Es la misma conclusión a la que llegué durante las últimas noches de insomnio. Las había pasado buscando en cada grieta del NeuroLink. Nada. No logro descifrar cómo es que Hideo está implementando su algoritmo.

–La única forma de acceder a él es a través del mismísimo Hideo –suspiro.

En la pantalla, Hideo responde algunas preguntas de la prensa. Su rostro luce serio, su compostura, serena, y su cabello, perfectamente desalineado. Como siempre. ¿Cómo puede estar tan tranquilo? Me inclino hacia delante, como si los pocos momentos que tuvimos juntos en nuestra breve relación hubieran sido suficientes para poder ver sus pensamientos.

El sueño de anoche aparece una y otra vez en mi mente, y por poco no puedo sentir sus manos recorriendo mis brazos desnudos, con una expresión destrozada. *Lo siento*, me había susurrado. Y luego, la oscura silueta que me observaba desde un rincón de la habitación. Los cristales estallando a nuestro alrededor.

–¿Y qué hay de ti? –pregunta Tremaine, dándome una palmada que me saca del sueño–. ¿Tienes alguna novedad de Zero? ¿Lograste contactar a Hideo?

Respiro hondo y niego con la cabeza.

–No he contactado a nadie. No por ahora.

–De verdad no estás considerando la oferta de Zero, ¿no? –agrega Asher, posando su cabeza sobre una mano, mirándome con cautela. Es la misma expresión que solía darme como Capitán, siempre que percibía que no seguiría sus órdenes–. No lo hagas. Es obvio que es una trampa.

–Hideo también era una trampa, Ash –interviene Hammie–. Y ninguno de nosotros la vio venir.

–Sí, bueno, pero Hideo nunca intentó explotar nuestro dormitorio –musita Asher–. Miren, por más que Zero de verdad quiera que Emi se una a él para detener a Hideo, debe haber algunas condiciones. No es exactamente un ciudadano ejemplar. Su ayuda puede traer más problemas de lo que vale.

Tremaine descansa su codo sobre el mostrador. Todavía no estoy acostumbrada a ver una expresión genuina de preocupación en su rostro, pero es reconfortante. Un recordatorio de que no estoy sola.

–Y si nosotros dos trabajamos juntos, Em, podemos evitar la ayuda de Zero. Debe haber pistas de Sasuke Tanaka en algún otro lado.

–Sasuke Tanaka desapareció sin dejar ningún rastro –añade Roshan. Su voz tranquila interviene en la conversación mientras enrolla algunos fideos en sus palillos chinos.

–*Siempre* hay un rastro –le contesta Tremaine, con una mirada furtiva.

Asher interviene antes de que la situación entre Roshan y Tremaine se torne más incómoda.

–¿Qué tal si mejor contactas a Hideo primero? Dile que

te enteraste de que su hermano aún está con vida. Habías mencionado que él creó todo esto, Warcross, el algoritmo, por su hermano, ¿no es así? ¿Acaso no haría nada por él?

En mi cabeza, podía ver a Hideo mirándome. Todo *lo que hago, lo hago por él.* Me había dicho eso hacía solo algunas semanas, en el vapor de las aguas termales, mientras admirábamos el destello de las estrellas al nacer.

Incluso en ese momento, había estado planificando su algoritmo. Sus palabras tenían un nuevo significado ahora, por lo cual me encojo en mi interior, sintiendo cómo el calor de ese recuerdo se endurece hasta convertirse en hielo.

–*Si* Zero en verdad es su hermano –comienzo.

–¿Insinúas que no lo es? Todos lo vimos.

–Solo digo que no estoy segura –revuelvo los fideos dentro de mi tazón, incapaz de despertar mi apetito.

Hammie inclina la cabeza, pensativa, y puedo notar los engranajes de su mente de ajedrecista trabajando duro.

–Puede ser alguien que robó la identidad de Sasuke. Podría tratarse de alguien que intenta quitar a la gente de su camino usando el nombre de un muerto.

–Una identidad falsa –murmuro. Estoy de acuerdo. Conozco bien el término, dado que yo misma lo he hecho antes.

–Emi no puede decirle a Hideo algo tan grande sin que no sea verdad –añade Hammie–. Quién sabe cuál será su reacción. Necesitamos más pruebas primero.

De pronto, Roshan se levanta. Su silla se desliza hacia atrás, haciendo un chirrido insoportable contra el suelo. Lo miro enseguida y noto que nos da la espalda, mientras se encamina hacia la salida del bar.

–Ey –lo llama Hammie–. ¿Estás bien?

Se queda quieto y voltea.

–¿Bien con qué? ¿Con que todavía estemos aquí sentados, hablando con tecnicismos sobre cómo Emi debería arrojarse a una situación que muy probablemente le termine costando la vida?

Nos quedamos todos en silencio, dejando las palabras merodear en silencio por el aire. Nunca antes había oído ira tan real en la voz de Roshan, y no se siente bien.

Mira a sus compañeros de equipo antes de dejar sus ojos posados sobre mí.

–No le debes nada a Hideo –me dice suavemente–. Hiciste el trabajo por el que te contrataron. No es tu responsabilidad indagar más en esto, en el pasado de Zero o lo que ocurrió entre él y Hideo, o incluso en lo que planea hacerle a Hideo.

–Emi es la única que… –comienza Asher.

–Como si te hubieras preocupado alguna vez por lo que ella necesita –lo interrumpe Roshan, lo cual me hace esbozar una expresión de sorpresa.

–Roshan –dice Asher, mirándolo con cautela. Pero él presiona sus labios con más fuerza.

–Mira, si el equipo de Zero aún intenta detener a Hideo, deja que él lo haga. Deja que lo resuelvan entre ellos dos. Apártate de todo esto. No tienes que hacerlo. Y ninguno de nosotros debería convencerte de otra cosa.

Antes de que pueda responder, Roshan voltea y se encamina hacia la noche, al exterior. La puerta se cierra detrás de él con un golpe seco. A mi alrededor, los otros sueltan un suspiro inaudible.

Hammie mueve la cabeza de lado a lado cuando la miro.

–Es porque él está aquí –musita, señalando a Tremaine con la cabeza–. Ignora a Roshan.

Tremaine se aclara la garganta, incómodo.

–No está equivocado –dice finalmente–. Respecto al peligro, me refiero.

Me quedo mirando el espacio donde estaba Roshan y recuerdo el rosario que llevaba sobre su muñeca. Delante de mí, puedo ver el último mensaje de Zero en la bandeja de entrada, con las letras tan pequeñas y blancas, esperando.

Mi oferta sigue en pie.

Hammie se reclina hacia atrás y se cruza de brazos.

–¿Por qué *sigues* con esto? –me pregunta.

–¿Acaso el destino del mundo no es razón suficiente?

–No, hay más que eso.

–Es todo por mi culpa; yo estuve directamente involucrada –digo, casi enfadada.

Hammie no se echa hacia atrás por la severidad de mis palabras.

–Pero sabes que no es así. Dime, *¿por qué?*

Vacilo, no quiero responder. En una esquina de mi visión,

veo el perfil de Hideo con un halo verde alrededor. Está despierto y en línea. Es suficiente para querer conectarme con él.

Odio seguir sintiéndome atraída hacia él. Después de todo, todos tenemos a esa persona por la que no podemos evitar estar obsesionados. No es que no haya disfrutado esa aventura durante las pocas semanas que duró. Y además...

Es mucho más que una aventura o una recompensa u objetivo. Estará aferrado para siempre a mi historia. El Hideo que se apoderó de la libertad del mundo es el mismo que sufrió la pérdida de su hermano con tanto fervor que le dejó un mechón plateado en su cabello oscuro. El mismo Hideo que ama a sus padres. El mismo que me sacó de la oscuridad y me animó a soñar con cosas mejores.

Me niego a pensar que es solo un monstruo. No puedo verlo hundirse de esa manera. Debo seguir porque necesito encontrar a ese muchacho otra vez, ese corazón que se encuentra enterrado bajo sus mentiras. Debo detenerlo para salvarle la vida. Su mano fue la que una vez me ayudó a emerger. Ahora, yo debo hacer lo mismo.

}{

Para cuando salimos del bar, ya es más de medianoche y la lluvia torrencial se tornó una leve neblina. Aún hay algunas personas caminando por la calle. Los primeros dos jugadores estrella fueron anunciados y sus imágenes virtuales ahora aparecen bajo cada farola de luz de la ciudad.

HAMILTON JIMÉNEZ de EE.UU. | JINETES DE FÉNIX
PARK JIMIN de COREA DEL SUR | SABUESOS

Hammie apenas mira las imágenes de sus mejores movimientos que se reproducen bajo las farolas.

–Deberías regresar con nosotros –dice, echándole un ojo a la zona.

–Estaré bien –aseguro para calmarla. Si alguien me está siguiendo, es lo mejor para que tampoco sigan a mis compañeros.

–Es Kabukichõ, Em –insiste, y le respondo con una sonrisa irónica.

–¿Y? El algoritmo de Hideo está activado en cada una de estas personas. ¿De qué hay que preocuparse?

–Muy graciosa –responde Hammie, levantando una ceja.

–Mira, creo que no es buena idea que viajemos juntos. Sabes que eso nos hace un blanco fácil, sin importar el algoritmo. Te llamaré cuando esté de regreso en mi hotel.

Hammie nota la decisión en mi voz. Sus labios se mueven frustrados, pero asiente y comienza a caminar.

–Sí, más te vale –me dice volteando sobre su hombro mientras me saluda con una mano al marcharse a toda prisa.

La veo alcanzar al resto a medida que se acercan a la estación de metro, en donde los espera un auto privado. Trato de recordar cuando no eran famosos, esa primera vez que llegaron a Tokio y se sentían lo suficientemente invisibles como para tomar el metro. Cuando quizás también se sentían solos.

Una vez que desaparecen entre la lluvia, me marcho.

Estoy acostumbrada a viajar por mi cuenta. Aun así, mi soledad ahora se torna más pesada, hace que el espacio a mi alrededor se sienta más vacío sin mis compañeros a mi lado. Coloco las manos en los bolsillos y trato de ignorar a un modelo virtual que me esboza una sonrisa y me invita a uno de los clubes de esa calle.

–No –le respondo. Se desvanece de inmediato y reaparece en la entrada del club en busca de otro cliente potencial.

Coloco el resto de mi cabello debajo de mi capucha y sigo caminando. Hace solo una semana, probablemente habría estado caminando con Hideo a mi lado, con su brazo sujetándome por la cintura y su abrigo sobre mis hombros. Quizás, incluso, él estaría riendo por algo que dije.

Pero ahora estoy aquí sola, oyendo los pasos solitarios de mis botas que salpican los charcos de agua sucia en la calle. El eco de la lluvia sobre los letreros y carteles sigue distrayéndome. Suena como los pasos de alguien más. La sensación de estar siendo observada se vuelve a apoderar de mí.

Un zumbido estático vibra en mis oídos. Me detengo en una intersección y muevo la cabeza de lado a lado hasta que el ruido se detiene.

Nuevamente, miro hacia el ícono verde de Hideo en mi visión. ¿Dónde está ahora? ¿Qué está haciendo? Pienso en contactarlo, en desplegar su avatar delante de mí, mientras la pregunta de Asher merodea en mi cabeza. ¿Qué tal si le comento sobre la conexión de Zero con su hermano? ¿Estaría mal hacerlo para ver qué ocurre, incluso cuando no estoy del todo segura?

Presiono los dientes, molesta conmigo misma por buscar excusas para oír su voz. Si me distanciara un poco más de él y tomara todo esto como un trabajo, quizás dejaría de querer estar cerca suyo.

El zumbido de la estática vuelve a sonar en mis oídos. Esta vez me detengo y escucho con atención. Nada. Solo que ahora hay algunas personas en la misma calle que yo, cada una es una silueta indescriptible. *Quizás alguien está intentando acceder a mi cuenta.* Inicio un análisis de mi sistema NeuroLink para asegurarme de que todo está en orden. Textos verdes aparecen delante de mi visión y todo luce normal.

Hasta que comienza a realizar un diagnóstico de mis mensajes.

Frunzo el ceño, confundida, pero antes de poder examinarlos con detenimiento, todo el texto se desvanece de mi visión y lo reemplaza una simple oración.

Sigo esperando, Emika.

Se me eriza la piel. Es Zero.

DOS

Giro en todas direcciones sobre la acera, mirando cada silueta que pasa por la calle. Los reflejos coloridos sobre el pavimento se difuminan en la humedad de la noche. En un instante, todos los postes de luz lucen como personas, y cada pisada distante suena como alguien que se encamina directo hacia mí a toda prisa.

¿Está aquí? ¿Era él quien me estaba vigilando? En cierta medida, esperaba ver una figura conocida caminando detrás de mí, con el cuerpo cubierto por una armadura y el rostro tapado por un casco negro opaco.

Pero no hay nadie.

–Solo pasaron algunas noches –digo en voz baja, mis palabras se transcriben en un mensaje de respuesta–. ¿Alguna vez se te ocurrió que la gente necesita tiempo para pensar?

Te di tiempo.

La ira comienza a apoderarse de mi miedo. Presiono los dientes y empiezo a caminar más rápido.

–Quizás esta es mi forma de decirte que no estoy interesada.

¿De verdad no lo estás?

–Para nada.

¿Por qué no?

–Quizás porque trataste de asesinarme.

Si te quisiera muerta, ya lo estarías.

Otra sensación de escalofríos me recorre la espalda.

–¿Quieres que acepte tu oferta? Porque no estás haciendo un muy buen trabajo.

Estoy aquí para avisarte que estás en peligro.

Está jugando conmigo, como siempre. Pero algo en su tono me hace congelar del miedo. Pienso que quizás está engañando mis defensas para revisar mis archivos, para revisarme a *mí*. Una vez robó los Recuerdos de mi padre. Podría hacerlo otra vez.

–El único peligro que he enfrentado eres *tú*.

Entonces se ve que no has estado en el Dark World últimamente.

De pronto, la Guarida del Pirata aparece a mi alrededor. El cambio abrupto me hace dar un pequeño salto de sorpresa. Hace un segundo, estaba parada en las calles de una ciudad; ahora estoy bajo la cubierta de un barco pirata.

Tremaine tenía razón; un gran número de personas en el Dark World deben estar utilizando los lentes beta, dado que el algoritmo de Hideo jamás los dejaría llegar tan profundo. El barco está atestado de avatares, todos ellos reunidos alrededor de un cilindro de cristal en el centro de la Guarida. La pantalla muestra la lotería de asesinatos.

Siempre la primera opción, ¿no?

Miro la lista. Algunos nombres me resultan familiares; líderes de pandillas y jefes de la mafia, políticos y algunas celebridades. Pero luego…

Ahí estoy yo. **Emika Chen**. En el primer puesto y con una

recompensa de cinco millones de billetes a un lado de mi nombre.

Cinco millones por mi muerte.

–Tiene que ser una broma –es lo único que logro decir.

La Guarida del Pirata se desvanece tan rápido como apareció, dejándome parada nuevamente en las calles de Kabukichõ.

Los mensajes de Zero comienzan a llegar más rápido ahora.

Dos asesinos se acercan a esta calle.
Te alcanzarán antes de que puedas
llegar a la estación de trenes.

Cada músculo de mi cuerpo se tensa. He visto lo que ocurre con los que terminan en esa lista; y por un precio tan alto, los asesinatos casi siempre son efectivos.

Por un segundo, me encuentro deseando que el algoritmo de Hideo estuviera afectando a todo el mundo. Pero me deshago enseguida de semejante pensamiento.

–¿Cómo sé que no los enviaste tú? –susurro.

Pierdes el tiempo. Ve hacia la derecha
en la siguiente intersección. Ingresa al
centro comercial y dirígete al sótano.
Habrá un auto esperándote en la calle opuesta.

¿Un auto? Entonces, después de todo, no estaba siendo paranoica. Me había estado observando, quizás hasta había calculado el camino que tomaría una vez que me separara de los Jinetes.

Miré a mi alrededor, frenética. Quizás Zero me estaba mintiendo y estaba jugando uno de sus juegos. Revisé mi directorio para llamar a Asher. Si los otros aún se encontraban cerca, quizás podrían venir a buscarme. Ellos…

No logro terminar la idea. Un disparo roza mi cuello por detrás, e impacta contra la pared.

Una bala. Un *disparo*. Me abarca una repentina sensación de terror.

Me arrojo al suelo. En el otro extremo de la calle, un transeúnte grita y corre, dejándome completamente sola a la vista. Miro por sobre mi hombro tratando de buscar a mis acechadores, y esta vez, veo una sombra que ingresa a un edificio en medio de la noche. Otro movimiento al otro lado de la calle llama mi atención. Comienzo a gatear con mis pies.

Un segundo disparo.

El pánico comienza a apoderarse de mí, amenazando con dejar toda la cordura de lado. Los sonidos llegan a mí como si estuviera bajo el agua. Como cazadora de recompensas, ya he escuchado disparos antes, los estallidos de las balas de la policía contra paredes y cristales; pero toda la intensidad de este momento es nueva. Yo nunca había sido el blanco.

¿Acaso Zero los envió? Pero fue él quien me advirtió que corriera, quien me dijo que estaba en peligro. ¿Por qué haría eso si es él quien me está atacando?

Tienes que pensar.

Me pego contra la pared, arrojo la patineta al suelo y salto sobre ella. Al entrar en contacto con mis pies, la patineta comienza a moverse hacia adelante soltando un zumbido agudo. Zero me había dicho que en la siguiente calle habría un auto esperándome. Me agacho sobre la tabla para poder tomarla por ambos lados con las manos y avanzar hacia el final de la calle.

Pero enseguida otro disparo pasa muy cerca de mi pierna, rozándola apenas, e impacta en la patineta. Otro hace que una de las ruedas se afloje.

Me arrojo de la patineta al notar que esta comienza a desviarse hacia la pared y ruedo en el suelo, para luego ponerme de pie, pero mi calzado se traba en una grieta sobre el pavimento. Tropiezo. Oigo unas pisadas detrás de mí. Mis ojos se cierran con todas las fuerzas, incluso aunque esté luchando por ponerme de pie nuevamente. Esto es todo; en cualquier momento, sentiré el calor abrasador de una bala que atraviesa mi cuerpo.

–Por la esquina. Vamos –giro la cabeza hacia un lado al oír la voz.

Agachada a mi lado en la oscuridad hay una chica con una gorra negra sobre su cabeza. Tiene lápiz labial negro y los ojos grises y fríos como el acero, posicionados sobre las siluetas sombrías de la calle. En su mano lleva una pistola y unas esposas negras. Por un momento, me parece notar que las esposas son reales hasta que veo que emanan un destello azul virtual que me hace comprender. Está totalmente tranquila, sin siquiera expresar la más mínima expresión de molestia en su rostro.

No había nadie junto a mí hacía un segundo. Es como si se hubiera materializado allí frente a mí.

Sus ojos titilan hacia mí.

–*Muévete* –las palabras salen como un látigo.

Esta vez, no vacilo. Comienzo a correr a toda prisa por la calle.

Mientras lo hago, ella se levanta y se dirige hacia uno de mis asesinos encapuchados. Camina con tanta calma que parece escalofriante; incluso cuando el atacante levanta su arma para apuntarle a ella, ella también lo esquiva. Para cuando el asesino le dispara, ella dobla su cuerpo hacia un lado, esquivando las balas a medida que ella levanta la suya. Dispara a su atacante con movimientos borrosos y veloces. Llego a la esquina y volteo justo en el momento exacto en el que su bala impacta contra el hombro de mi atacante, quien cae hacia atrás.

¿Quién demonios es esta chica?

Zero nunca había mencionado a alguien más que trabajara para él; quizás no tenía ninguna relación con él. Incluso, podría tratarse de una de mis atacantes y está tratando de despistarme aparentando ser mi salvadora.

Llego al centro comercial. Me encuentro caminando a toda prisa entre una multitud sorprendida en dirección a las primeras escaleras. *Sótano*, la palabra se repite en mi mente. En la distancia, oigo la sirena de la policía en la calle de la que provengo. ¿Cómo llegaron tan rápido?

Luego, recuerdo al peatón que había gritado y huido al oír el primer disparo. Si estaba usando los nuevos lentes afectados por el algoritmo, su reacción debió haber activado el NeuroLink para contactar a la policía. ¿Es posible eso? Parecería ser una nueva herramienta que agregó Hideo.

No es sino hasta llegar al final de la escalera y atravesar la salida de emergencia que me encuentro con que la chica de ojos grises, de alguna forma, está corriendo a mi lado. Mueve la cabeza de lado a lado cuando nota que estoy por abrir la boca para hacerle una pregunta.

–No hay tiempo. Apresúrate –me ordena, cortante. Y, sin pensarlo, le hago caso.

Mientras avanzamos, analizo en silencio la información que puedo obtener de ella. Hay muy poco. Al igual que yo, parece estar trabajando con una identidad falsa, ya que los numerosos perfiles que aparecen a su alrededor se ven vacíos y engañosos. Se mueve muy decidida, con tanta intensidad y seguridad que sé que ya ha hecho este tipo de cosas antes.

¿Como qué? ¿Como ayudar a alguien que está siendo cazada a que se ponga a salvo? ¿O engañar a alguien para llevarlo a una muerte segura?

Hago una mueca de dolor ante ese pensamiento. No es una apuesta que me arriesgaría a perder. Si trata de separarme de su otro rival cazador o algo similar, entonces necesitaré encontrar una buena oportunidad para escaparme a toda prisa.

El sótano del centro comercial está distribuido de la misma manera que los puestos de cosméticos en un centro comercial de Nueva York, excepto que aquí están llenos de todo tipo de postres decorados con mucha elegancia. Pasteles, mousses, chocolates; todo tan bien presentado que lucen más como joyas que comida. Las luces son más tenues ya que toda la sección se encuentra cerrada por la noche.

Corro por los pasillos oscuros detrás de la muchacha. Se acerca a uno de los exhibidores de pasteles y golpea el vidrio con su codo con todas sus fuerzas, haciéndolo estallar en mil pedazos.

Comienza a sonar una alarma.

Satisfecha, se acerca hacia el exhibidor roto y toma un pastel de chocolate en miniatura adornado con algunos copos dorados. Lo sacude para quitarle trozos de vidrio y se lo lleva a la boca.

–¿Qué estás haciendo? –le grito, por encima del ruido.

–Liberando el camino –me contesta con la boca llena de comida. Sacude su mano impacientemente hacia el techo–. La alarma ahuyentará a algunos.

Sujeta la pistola con más fuerza y levanta su otra mano para hacer una serie de gestos en el aire. Una invitación aparece en mi visión.

¿Conectar con [null]?

Dudo por un momento antes de aceptar. Unas líneas de neón doradas aparecen frente a mí, guiándonos a través de un camino que ella ha fijado.

–Síguelo si me pierdes –dice por detrás de su hombro.

–¿Cómo te llamo? –le pregunto.

–¿De verdad importa?

–Si alguien me ataca y nos separamos, sabré qué nombre gritar para pedir ayuda –al decir esto, voltea hacia mí y me regala una sonrisa.

–Jax –responde.

Una figura escarlata aparece en mi visión, escondida detrás de una columna en el otro extremo del lugar. Jax voltea su cabeza en esa dirección sin aminorar la marcha.

–Abajo –me advierte. Levanta el arma y dispara.

Me arrojo al suelo al ver el destello del arma de Jax. La otra persona devuelve el disparo de inmediato, haciendo que las balas estallen contra las columnas y rompan otro exhibidor de vidrio. Casi me quedo sorda. Jax se sigue moviendo con la misma intensidad que antes, pero esquivando la línea de fuego a cada rato, mientras apunta de costado con su arma a la altura de su hombro y dispara. Entretanto, corro hacia ella con la cabeza baja.

De pronto, una bala casi la alcanza, lo cual la fuerza a cambiar de lado y pasar el arma sin esfuerzo alguno de una mano a la otra. Dispara nuevamente.

Su bala da en el blanco esta vez. Oímos un grito de agonía y, cuando volteo para observar más allá de los exhibidores, veo colapsar a una figura recubierta por un halo rojo. La línea dorada que guía nuestro rumbo nos indica que debemos girar a la derecha, pero antes de hacerlo, Jax se acerca a toda prisa hacia la figura que yace en el suelo.

Apunta su arma directo a la persona y hace otro disparo efectivo. El asesino convulsiona una vez con mucha violencia y queda tendido en el suelo.

Se acabó en un instante, pero el sonido del disparo aún persiste en mi cabeza, como la roca que irrumpe en la tranquilidad de un estanque, repitiendo el recuerdo una y otra vez. Puedo ver la sangre salpicada en la pared y el charco rojo expandiéndose por debajo del cuerpo. La herida en su cabeza.

Mi estómago se revuelve con violencia. Es demasiado tarde como para detenerlo, por lo que simplemente me arrodillo y vomito toda la cena en el suelo.

Jax me hace poner de pie rápidamente.

–Cálmate. Sígueme –inclina la cabeza y me hace señas para que me mantenga en movimiento.

En mi mente, la sangre salpica la pared una y otra vez. *Lo mató con tanta facilidad. Está acostumbrada a esto*. Pienso en irme, pero Jax *en verdad* me defendió y no intentó asesinarme. ¿Acaso hay una mayor recompensa sobre mi cabeza si me llevan con vida?

Miles de preguntas aparecen en la punta de mi lengua, pero me fuerzo a seguirla, mareada. No oigo nada, salvo el eco de nuestras botas sobre el suelo. Se oyen las sirenas de la policía y las ambulancias, aún deben estar en la escena del tiroteo arriba, y quizás alguien ya encontró el cuerpo que Jax dejó.

Los segundos parecen horas, hasta que finalmente llegamos a nuestro destino; las líneas doradas terminan frente a un armario.

Jax escribe un código en el cerrojo de seguridad en la puerta. Se pone verde, emite un único pitido y se abre para nosotras. Me apura para que ingrese.

La habitación luce como un armario común y corriente, repleto de cajas de madera y de cartón apiladas hasta el techo. Jax se recuesta sobre un mostrador y recarga su arma.

–No puedo sacarte por la salida principal –me explica–. Hay una barricada de policías bloqueando el camino hacia el auto. Tomaremos este camino.

El auto. Quizás en verdad está con Zero.

Me acurruco en un rincón y cierro los ojos con fuerza. Aún tengo la garganta impregnada de un gusto ácido. El eco del disparo mortal continúa sonando en mi cabeza. Dejo salir un suspiro largo y tembloroso, y trato de recobrar la compostura con los ojos sobre la pistola de la muchacha, pero mis manos siguen temblorosas, no importa qué tan fuerte cierre los puños. No logro ordenar mis pensamientos adecuadamente. Cada vez que lo intento, se desmoronan.

Jax me ve luchando por mantenerme en pie. Se detiene, da un paso hacia atrás y me levanta la barbilla con su mano enguantada. El cuero está manchado de sangre. Me quedo quieta por un momento, preguntándome cómo puede estar tan tranquila y decidida luego de haberle disparado a alguien en la cabeza. Me pregunto si este es el momento en el que me quiebra el cuello como una rama.

–Oye –fija su mirada en mí–. Estás bien.

–Ya lo sé –balbuceo y me alejo de su mano.

–Bien –al oír mi respuesta, se lleva la mano hacia su espalda y toma otra pistola de su cintura. Me la arroja sin decirme nada y la tomo como puedo.

–Dios mío –digo impulsivamente, sosteniendo el arma frente a mí con dos dedos–. ¿Qué rayos se supone que haga con esto?

–¿Disparar cuando lo necesites? –sugiere. Sigo con la mirada vacía hasta que pone los ojos en blanco y me quita el arma de las manos. La vuelve a llevar a su cintura y toma su propia arma, a la cual le quita el cartucho–. ¿Qué? ¿Nunca has disparado un arma antes?

–No una real.

–¿Nunca viste a nadie morir? –pregunta y muevo la cabeza de lado a lado, con frialdad–. Creí que eras una cazadora de recompensas.

–Lo soy.

–¿No sueles hacer ese tipo de cosas?

–¿Qué? ¿Asesinar gente?

–Sí. Eso.

–Mi trabajo es atraparlos *con vida*, no hacerles agujeros en la cabeza –la oigo colocar un cartucho nuevo a su pistola–. ¿Es mi turno de preguntar qué está ocurriendo? ¿Zero te envió?

Jax guarda su pistola recién cargada en su estuche. La mirada que me dedica es casi de compasión.

–Escucha. Emika Chen, ¿cierto? Claramente no tienes idea de en qué te estás metiendo –sin perder el ritmo, toma un cuchillo del interior de una de sus botas y continúa–.

Estabas cenando con los Jinetes del Fénix esta noche, ¿no es cierto?

–¿Has estado espiándome?

–Estaba *cuidándote* –aclara Jax mientras camina hacia el otro lado del armario, en donde hace a un lado una pila de cajas y deja al descubierto una puerta discreta que luce solo como un rectángulo delgado contra la pared. Toma un cuchillo y lo clava con cuidado en las grietas–. Dime que no tengo que explicar todo.

–Mira, ¿por qué no empiezas por explicarme qué demonios acaba de ocurrir y seguimos desde allí? –me cruzo de brazos. Es una manera fácil de ocultar mi temblor y de hacerme sentir cierta comodidad. Mostrarle mis debilidades a esta muchacha parece ser algo bastante peligroso.

–Acabo de salvarte del que sería tu asesino –me dice Jax, señalándome con el cuchillo–. Zero te advirtió de ellos.

Oír esa confirmación de su parte me hace sentir que el miedo abarca todo mi cuerpo. Me paro derecha contra la pared.

–Entonces, ¿él te envió a buscarme? –le pregunto y asiente con la cabeza.

–Me atrevería a decir que algunos de esos cazadores están trabajando juntos, dada la forma en que se colocaron a cada lado de la calle y cómo se desplegaron en el sótano de este lugar. Tampoco serán los últimos. Varios te estarán buscando siempre que tu cabeza tenga un precio tan alto en la Guarida del Pirata.

Camina hacia mí y suelta un trozo de metal en mi mano.

–Sostén esto –luego, regresa hacia la puerta y continúa trabajando con el cuchillo sobre la pared. La miro, congelada.

–¿Por qué me quieren muerta?

–¿Acaso tu conexión con Hideo Tanaka no es razón suficiente? –resopla una vez al notar que su cuchillo se queda atascado–. La gente piensa que todo lo que salió mal en los juegos de este año es porque lograste irrumpir en el juego de la ceremonia inaugural y por tu aventura con Hideo. También hay rumores que dicen que eres tú quien hizo trampa durante la partida final, como un acto de rebeldía por haber sido apartada de tu equipo –se encoge de hombros–. Y bueno, no están equivocados.

–¿La gente me quiere *muerta* por eso? –la ira comienza a apoderarse de mí.

–Hay cientos de apostadores allí afuera que probablemente perdieron mucho dinero en la final. No importa. Tendrás asesinos a tus pies por un largo rato, por lo que te sugiero que permanezcas cerca de mí –logra desatascar el cuchillo y lo presiona con todo su cuerpo en otra grieta.

Zero. Es la primera vez que oigo que alguien además de Hideo sabe de su existencia.

–¿Por qué te envió? –se quita la gorra negra, dejando al descubierto su cabello corto plateado, y me mira.

–¿Por qué otra razón? Para evitar que termines llena de balas. Y, por cierto, de nada –comienzo a sentir un hormigueo por mis brazos y piernas. Zero no me mintió al advertirme, después de todo. ¿O sí?

–No, quiero decir, ¿qué es lo que *haces*? –le pregunto y hace una pausa para mirarme.

–Solo una asesina puede detener a otro asesino, ¿no es cierto?

Una asesina. No debería sorprenderme, no después de haber presenciado lo que acaba de hacer, pero luego recuerdo la Guarida del Pirata en el Dark World, en donde asesinos en potencia observan los números de la lotería con tanta paciencia y tranquilidad como la muerte misma. Quizás Jax es una de ellos. Trago saliva.

–Entonces, trabajas para Zero. ¿Eres parte del equipo que intentó sabotear Warcross? –considera la pregunta pensativamente antes de responder.

–Puedes decir eso. Ambos somos Blackcoats.

Blackcoats.

Frunzo el ceño, pensando en los grupos ocultos en las sombras con los que me había cruzado en el Dark World. Hay nombres más importantes, claro; los Demoledores; Anonymous, que ya todos conocen; y grupos más pequeños que aspiran ser conocidos.

Pero los Blackcoats no son un nombre con el que esté familiarizada, en lo absoluto. No tengo idea de cuán grandes o pequeños son, lo que hacen o cuál es su propósito. En mi mundo, eso los hace mucho más peligrosos. No están aquí para hacer campañas publicitarias, sino para hacer daño real.

–Nunca oí de ellos –le contesto y se encoge de hombros nuevamente.

–No esperaba que lo hicieras. Si los conocieras, sospecharía más.

–¿Y qué tal si no quiero?

–¿Si no quieres qué?

–¿Qué tal si no quiero saber más? ¿Si no quiero ir contigo?

Esta vez, una pequeña sonrisa aparece en el rostro de Jax, transformando por completo su expresión en algo más siniestro. De pronto, se me ocurre pensar que estoy atrapada en la misma habitación que una asesina profesional.

–Entonces, márchate –me dice, señalando la puerta con la cabeza.

Se está burlando de mí, poniendo a prueba la seguridad de mis palabras. En un momento de terquedad, me dirijo hacia la puerta y tomo el picaporte, lista para abrir e irme por donde vine. Una parte de mí espera recibir un disparo por la espalda, atravesándome y dejándome tendida en el lugar.

–Si quieres morir esta noche –agrega casualmente por detrás de mí. Por mucho que odio hacer esto, sus palabras me dejan fría–. Zero estará decepcionado si te pierde, pero nunca ha forzado a nadie para que trabaje con él contra su propia voluntad. Sal por esa puerta y serás tan libre como un cadáver. Es tu elección.

Hay cazadores al otro lado de esta puerta, esperando a que salga a la luz tenue del sótano… y hay una asesina aquí conmigo, una que dice querer ayudarme a escapar.

Mis manos se cierran con mayor fuerza sobre el picaporte. Jax tiene razón. No duraré ni dos segundos allí afuera sola, enfrentándome a quién sabe cuántos cazadores desconocidos, todos dispuestos a reclamar su recompensa. O, puedo apostar todo ahora, con alguien que dice pertenecer a unos tal Black-coats que, a pesar de todo, me salvó la vida y, hasta ahora, parece interesada en seguir así.

Presiono los dientes y me fuerzo a soltar el picaporte. Luego, volteo hacia ella.

–Esto no es una elección –le contesto–. Y lo sabes.

–Es mi trabajo –se encoje de hombros–. Zero te espera y prefiere que estés entera –finalmente, se oye un chasquido sutil de la puerta y me hace señas con una mano–. Dame esa cosa.

Le arrojo el trozo de metal que me había entregado hacía unos momentos, y observo cómo lo coloca en la rendija en donde su cuchillo había accionado algo. Brilla de un color verde suave. La puerta hace un leve chasquido y se abre para revelar un pasadizo subterráneo polvoriento que luce como si no hubiera sido utilizado desde hace mucho tiempo. Algún túnel del metro sin terminar y abandonado hace varios años. Hay escaleras al final, que llevan hacia una luz suave. El auto que Zero mencionó debe estar esperándonos allí.

–¿A dónde me estás llevando? –le pregunto sin moverme.

Jax toma su arma y descansa la empuñadura sobre su hombro. Me quedo mirándola con mucha cautela.

–¿Confías en mí?

–En verdad, no –digo.

–Bueno, eso responde mi siguiente pregunta –y, en un instante, Jax apunta su arma hacia mí y dispara.

TRES

Experimento lo que ocurre a continuación por partes.

Un dolor abrasador se apodera de mi cuello por el disparo de Jax. El mundo a mi alrededor se borra y el golpe seco al colapsar contra la pared retumba dentro de mí. Un sobresalto de pánico invade mi cuerpo adormecido.

Me drogó.

El pensamiento lucha por salir a flote entre las aguas densas de mi mente inundada. Coloco los ojos sobre Jax al acercarse. *¿Qué me has hecho?* Trato de pedirle una explicación. Pero mi cuerpo entero se siente como si estuviera hecho de goma, incluso aunque estuviera despierta, me encuentro cayendo hacia un lado hasta terminar tendida en el suelo, mirando las botas de Jax. El latido rápido de mi corazón comienza a sentirse en mis oídos.

¿Estoy soñando?

No, estoy despierta. Puedo ver lo que ocurre a mi alrededor, aunque parece que todo está ocurriendo en un túnel, dado que los bordes de mi visión están completamente nublados.

Lo siguiente que recuerdo es sentir mi brazo sobre los hombros de Jax; a ella arrastrándome por el túnel hacia un taxi negro. La esencia leve a cuero nuevo comienza a impregnar el ambiente. Jax me mira. Desde mi perspectiva, su rostro está nadando entre un mar de luces.

–Estarás bien –me dice con tranquilidad–. No recordarás esto mañana por la mañana.

Mi cabeza cuelga débil hacia uno de los lados a medida que el auto comienza a moverse entre los caminos sin terminar del túnel. Rayos de luz tenue iluminan algunas partes oscuras del pasadizo, lo cual me hace recordar los destellos grises sobre la tela negra de los asientos. Lucho por recordar la ruta. Mi corazón comienza a mantener un pulso arrítmico, frenético.

¿Puedo almacenar un Recuerdo? Trato de desplegar el menú y entablar una conexión con Hammie o Roshan –con quien sea–, pero mi mente está demasiado adormecida como para hacer que eso suceda. *Ayúdenme*. Intento en vano enviar un mensaje. *Ayuda*. Quiero gritar el nombre de Jax mientras la miro, pero aún me siento flotando en el aire, con la lengua tensa e inmóvil.

Mi nivel cambia al salir del túnel hacia la noche, en donde, de pronto, estamos rodeados de edificios de oficinas que se alzan a cada lado de la calle como árboles sobre un camino. Se elevan como seres vivos inquietantes.

¡Bienvenida al distrito Omotesando!

+150 pts. Puntaje diario: +150

¡Subiste de nivel!

Nivel 50

Mi determinación cambia momentáneamente al notar los cambios en el color del cielo. A diferencia de Shinjuku, en donde los colores escarlata y dorado de los Jinetes de Fénix tiñen todo, el equipo favorito de Omotesando son los Dragones de Invierno; razón por la cual, el cielo aquí está teñido de un color azul y dorado anaranjado. Los postes de luz están recubiertos con pancartas coloridas, sobre las cuales hay versiones virtuales de los jugadores de los Dragones.

Jax se inclina para revisarme. Apenas observa las celebraciones y, cuando lo hace, mira con estoicismo, sin mucho interés. Mientras, yo sigo luchando para mantener la vista en ella, aunque mis pensamientos caigan en la oscuridad.

Mis pesadillas están llenas de rostros. Está la expresión oscura de Jax al apuntarle el arma a un humano y jalar el gatillo frente a su cráneo. Está Hideo, susurrando mi nombre a mi oído, con marcas oscuras sobre sus ojos de tanto fruncir el ceño, con su cabello sobre mí al inclinarse.

Y luego, está Zero. Un misterio. Solo lo puedo ver por las formas que he conocido, una armadura negra rodeada por un halo rojo y de facciones completamente desconocidas detrás de un casco negro, mientras se encuentra sentado frente a mí con las manos juntas. Me está diciendo que corra.

No sé por cuánto tiempo viajamos en el taxi hasta que finalmente se detiene detrás de un edificio.

Jax abre la puerta de mi lado y me ayuda a bajar. Volteo debilitada hacia ella mientras intento mover los brazos y piernas, pero lo único que logro sentir levemente son mis pies arrastrándose sobre el pavimento. Jax tiene su brazo alrededor de mi cintura para mantenerme de pie, mientras le dice algo a la gente que se encuentra frente a la puerta corrediza del edificio. Luce como un hotel.

–Estuvimos de fiesta toda la noche –le dice con una voz cantarina a la persona que se encuentra en la entrada. Quiero gritar que está mintiendo, pero ya es demasiado agotador utilizar todas mis energías para mantenerme de pie. El mundo gira.

Recuerda esto. Recuerda esto. Pero incluso ese mismo pensamiento se desvanece de mi mente en el instante. Mi visión se nubla cada vez más, y a medida que lucho para que eso no suceda, más difusa se hace. Termino centrándome en Jax. Corre su mano por su cabello y me dedica una mirada despreocupada.

Adentro, están el elevador y luego un pasillo. Antes de desvanecerme por completo, oigo a Jax anunciar nuestra llegada.

–Dile a Zero que ella está aquí.

CUATRO

Cinco días para la ceremonia de cierre de Warcross

Oscuridad. Dos voces.

–Debería haber despertado al mediodía. Le diste una dosis muy fuerte.

–Creí que podría lidiar con ello.

–Dejémosla dormir, entonces.

Las luces débiles sobre mi rostro me hacen entrecerrarlos para ver mejor.

Giro sobre la cama y me acurruco. ¿Dónde estoy? Algunas

imágenes pasan por mi cabeza; sueños, quizás, pero lúcidos, borrosos de una forma que no puedo explicar. Hago una mueca de confusión.

¿Había un taxi? *Un auto negro. Un túnel de metro abandonado. Un distrito de colores*. Mi corazón comienza a latir furioso. Me recuesto por un momento, deseando que se detenga hasta poder volver a respirar con normalidad. Luego, abro los ojos. La luz naranja del amanecer se desparrama sobre mis sábanas, recuperando gradualmente el foco, a medida que regresa la vista.

Un momento; no es el amanecer. Es el atardecer.

Cierro los ojos, desorientada. Me recuesto en una cama dentro de una lujosa habitación desolada de hotel, con un tapiz gris y blanco y algunas paredes completamente lisas.

Los recuerdos comienzan a venir lentamente hacia mí. Los asesinos. El túnel del metro. La imagen de Jax parada sobre mi perseguidor. El disparo.

Los Blackcoats.

Y luego... ¿qué? Lo último que recuerdo es a Jax apuntándome con el arma directo a mí.

Me drogó. Estoy segura de eso. Quizás fue para asegurarse de que no recordara nada sobre el lugar al que estábamos yendo o qué camino tomamos para llegar aquí... Y aquí estoy, recostada en una habitación extraña con lagunas en mi memoria.

Me levanto. Aún estoy vestida con la misma ropa que llevaba anoche. Me reviso en busca de alguna herida, pero, sin contar algunos magullones y la inflamación en el cuello, estoy bien. El momento de pánico comienza a cambiar hacia una premonición que invade mi pecho. Miro la luz tenue que ingresa por la ventana.

Me toma un momento comprender que tengo docenas de mensajes sin leer de los Jinetes, cada uno más frenético que el anterior. Me hace fruncir el ceño, confundida. ¿Por cuánto tiempo estuve desaparecida si están tan preocupados? ¿Han oído algo sobre los disparos cerca de donde habíamos estado cenando? Debe estar en las noticias, a menos que Hideo también pueda controlar eso de alguna manera. Vacilo por un momento, preguntándome si debería decirles a mis compañeros de equipo lo que realmente ocurrió antes de enviar una respuesta rápida y tranquilizadora.

Estoy bien, no se preocupen.
Perdí la señal por un momento. Hablamos luego.

Y me quedo congelada cuando leo el último mensaje sin leer. Es una invitación seguida de una imagen englobada por un halo verde suave y destellante.

Hideo está llamándome. Pidiéndome que me conecte con él.

Mi corazón sube hasta mi garganta.

¿Qué quiere? ¿Es posible que sepa lo que me ocurrió, a pesar de estar usando los lentes beta? Miro alrededor en la habitación, en busca de alguna señal de que me estén espiando. Pero no hay ninguna cámara en el techo.

No atiendas.

Sé que no debería.

Pero aun así levanto una mano hacia adelante y acepto la invitación que flota en mi visión. Me arrepiento de inmediato. Quizás la droga que Jax utilizó en mí disminuyó mis inhibiciones y atacó mi sentido común. Pero ya es demasiado tarde. No lo veo enseguida, pero por medio de nuestra nueva conexión puedo sentir un leve goteo de sus emociones.

Son un enrollo de ansiedad y miedo.

Emika.

Me quedo sorprendida. La voz de Hideo suena en mi mente con su invento de mensaje telepático. Ya debería estar acostumbrada, pero incluso luego de algunas semanas, su voz me atraviesa como lo hizo la primera vez que hablamos por teléfono. Entrecierro los ojos, más furiosa conmigo misma que con él.

¿Por qué me llamas?, le pregunto.

Tú *me llamaste*.

Despierto de inmediato. ¿Lo había hecho? Debió haber pasado mientras estaba drogada, quizás como un reflejo inconsciente. Ahora tengo un leve recuerdo de haber intentado llamar desesperadamente para pedir ayuda. Al parecer, había decidido llamar a Hideo.

Hago una mueca de dolor. ¿Acaso no podía haber llamado a Hammie o a Roshan? ¿A *cualquiera* de los demás Jinetes? ¿Mi primera elección tenía que ser Hideo?

Bueno, fue un accidente, le explico.

¿En dónde te encuentras? No sentí nada más que pánico en tu voz. Pediste ayuda. Y luego te desconectaste.

Su voz es tan abrumadora que casi me hace querer terminar la conexión de inmediato. Luego recuerdo que puede sentir mis emociones. En cambio, un cierto rastro de preocupación en sus emociones me atraviesa, seguida de una ráfaga de inquietudes. El nombre de su hermano se balancea en el borde de mi mente, listo para decirlo; el pensamiento es tan fuerte que casi lo envío. Con gran esfuerzo, lo recupero.

Estoy bien.

Estás bien. Suena dubitativo al repetir mis palabras.

Hay una pausa al otro lado y, un segundo después, mi entorno cambia. Me encuentro sentada en un sillón blanco frente a una terraza al aire libre, mirando las luces relucientes de la ciudad desde un balcón iluminado por una fogata circular de piedras. Sea donde sea que esté, no es la casa que conozco, ni siquiera son las instalaciones de Henka Games. Es la propiedad más lujosa que jamás vi en toda mi vida, con vista a una ciudad que no reconozco. Columnas con estilo barroco se elevan hacia el cielo, acompañadas por cortinas de seda a cada lado de la puerta que da al balcón. Algunos arbustos podados con elegancia adornan el sitio. Desde algún lugar en la distancia puedo escuchar el rumor de algunas voces y el tintineo de la cristalería, el sonido de una fiesta.

La silueta oscura de Hideo se encuentra en la terraza al aire libre, recostado contra la barandilla de piedra. La luz tenue ilumina el contorno de su cuerpo.

Mi sueño. Su mano sobre mí. Sus labios en mi piel.

En vano, trato de evitar que mis mejillas se sonrojen.

Me toma otro momento notar a la joven mujer que se encuentra a su lado. No la conozco, pero en la oscuridad, puedo notar que es delgada y tiene el cabello largo ondulado a la altura de los hombros, acompañando un vestido brillante y reluciente. Se reclina sobre Hideo, pasándole la mano por su brazo mientras le susurra algo al oído con una sonrisa.

Enseguida, una sensación de amargura comienza a apoderarse de mis venas antes de poder controlarme. ¿Quién rayos es y por qué está acariciando a Hideo?

¿Y por qué demonios me importa? De todas formas, todo lo nuestro está roto. ¿Acaso es una sorpresa que alguien más esté intentando llamar su atención?

Hideo no se recuesta sobre ella. En cambio, le esboza esa sonrisa amable que había llegado a conocer muy bien, y murmura algo que la hace quitar la mano de su brazo. Inclina la cabeza al oírlo y le devuelve la sonrisa, para luego marcharse del balcón. Su tacón de aguja golpetea rítmicamente contra las cerámicas del suelo.

Hideo voltea su atención hacia mí sin prestarle atención a la muchacha. No luce como alguien capaz de controlar la mente de casi todo el mundo. No luce como la razón por la que todos podríamos perder nuestra libertad de pensamiento. Ahora mismo, es la persona de la que me enamoré, de carne y hueso, dolorosamente humano, y me mira como si lo estuviera haciendo por primera vez.

Siento algunos rastros de celos provenir de él, lo cual me hace pensar que, desde su perspectiva, luzco como si estuviera en la cama de alguien más. Me permito tener ese momento de satisfacción.

–¿Dónde te encuentras ahora? –musito. Mira por un momento sobre su hombro hacia la brillante ciudad detrás de él.

–Singapur –contesta–. Tengo que tratar algunos asuntos financieros.

Asuntos financieros, tratos multimillonarios. Probablemente, esté esperando que le pregunte en qué clase de fiesta se encuentra o quién es la mujer que acaba de irse, pero no le daré el gusto.

–Bien –digo con superioridad–. Asumo que te encuentras bien.

–¿Qué fue lo que te pasó? –finalmente me pregunta.

Sus palabras son frías y distantes, pero un torrente de sus emociones inunda mi mente. Alegría, al verme de nuevo. Ira. Frustración. Miedo, por mi seguridad.

Por un breve momento, quiero decirle que lo extraño; que sigo soñando con él todas las noches; que no puedo soportar darle la espalda, incluso ahora.

Pero luego, la realidad de nuestra situación regresa y mi propio temperamento se destapa.

–Nada, estaba a punto de abandonar esta conexión –se acerca a mí hasta que solo se encuentra a algunos pocos centímetros.

–Entonces, ¿por qué sigues aquí? –me pregunta.

Ha pasado mucho tiempo desde que escuché la frialdad en su voz; el tono que utiliza cuando habla con extraños. Comprender eso me golpea con más fuerza de lo que esperaba.

–No tienes derecho a estar enfadado conmigo.

–No lo estoy. Simplemente no quiero verte. ¿No es eso lo que quieres?

–Más de lo que piensas –le respondo.

–Estás cazándome, ¿no es así? –murmura. Sus emociones de pronto cambian hacia la incertidumbre, el recordatorio de que hay una pared separándonos. Me mira de reojo–. Es por eso que me buscaste, ¿no es cierto? Estaba todo planeado. Era mentira que necesitabas ayuda. Es parte de tu cacería.

–*¿Sospechas de mí?* –le digo, enfadada–. ¿Debo recordarte lo que estás haciendo?

–Ilumíname –responde con frialdad.

–¿Es en serio? Ya debes haber oído hablar sobre las largas filas en las estaciones de policía; has visto el material de la gente suicidándose. ¿Nada de eso te da escalofríos?

–De que los *proxenetas convictos* cometan suicidio, de que los *asesinos sin juzgar* se entreguen. Mientras tanto, la tasa de crímenes reportados durante la última semana se ha desplomado –los ojos de Hideo están inmóviles, severos–. Ahora, ¿de qué intentas convencerme?

Me está confundiendo y eso solo hace que me enfade aún más.

–No deberías tener ese poder.

–El algoritmo es imparcial.

–Tú me *engañaste*. Me hiciste creer que estaba trabajando para ti para hacer algo bueno.

–Eso es por lo que estás más enfadada. No por el algoritmo, sino por *esto* –baja su cabeza, cierra los ojos por un momento y los abre enseguida–. Tienes razón. Debería habértelo dicho antes, y lo siento. Pero sabes la razón por la que hago esto, Emika. Abrí mi corazón para ti.

–Fue tu elección, no la mía –replico–. Es como si pensaras que te debo algo.

–¿Eso es lo que crees? –dice con astucia. Una advertencia–. ¿Que utilicé mi pasado para seducirte? ¿Porque quería algo de ti?

–¿Y no es así? –repregunto. Mis palabras suenan con severidad–. ¿Por qué te abriste a mí, de todas formas? Era simplemente otra cazadora de recompensas en tu nómina. Solo otra muchacha en tu vida.

–Nunca le conté a nadie sobre mi pasado –me confiesa–. Tú lo sabes.

–¿Cómo puedo creer lo que estás diciendo ahora? Quizás lo que le ocurrió a tu hermano es algo que le cuentas a toda chica que quieras llevar a tu fuente de aguas termales.

Puedo notar enseguida que fui demasiado lejos al dejar que esas palabras salieran de mi boca. Hideo hace una mueca de dolor. Trago saliva, repitiéndome a mí misma que no debo sentirme mal por haber replicado de esa forma.

–Terminamos con esto –dice con voz grave–. Sugiero que no pierdas el tiempo tratando de contactarme otra vez.

Se desconecta antes de que pueda responder.

La habitación, las luces destellantes de la ciudad y la silueta azul oscura de Hideo se desvanecen abruptamente, y el sillón blanco en el que me encontraba sentada cambia a las sábanas blancas de seda de mi cama. Me percato de que estoy temblando, con la frente caliente, brillando por el sudor.

No debería haberlo dicho. Pero lo único que quiero hacer cuando estoy enojada es abrir la herida más profunda que puedo encontrar. De todas formas, no debería importarme, ¿o sí? Si la distancia de su tono me lastima, es simplemente porque no estoy acostumbrada. Porque estoy exhausta. Han ocurrido demasiadas cosas durante el transcurso del día y, con la breve presencia de Hideo, de pronto estoy tan agotada que lo único que quiero hacer es hundirme en la cama hasta desaparecer.

Muevo la cabeza de lado a lado, y luego me dirijo al baño. En el espejo, veo un magullón oscuro en un lado de mi cuello. Debe ser por el disparo de Jax. Me lo friego cuidadosamente antes de voltear e ingresar a la ducha.

El vapor del agua caliente despeja un poco mi cabeza. Quizás fue tonto de mi parte pensar que podía sacar a Hideo del rumbo que tomó. En todo caso, mi conversación con él solo confirmó lo poco dispuesto que está a colaborar. Está cegado de lo que ocurre alrededor del mundo y eso significa que está moviéndose a toda marcha para asegurarse de que el dos por ciento restante de la población también esté atrapado por su algoritmo.

Pronto, eso me incluirá a mí.

Debo detener a Hideo. Antes de que sea demasiado tarde para traerlo de regreso. Me lo repito a mí misma, trato de sentirme convencida, hasta que el agua comienza a arrugar las puntas de mis dedos.

Para cuando salgo, los efectos tardíos de la droga parecen desaparecer, y comienzo a notar una sensación de alerta en lugar de pánico. Camino hacia la cama con una toalla envuelta sobre mí y despliego el menú. Sé que estoy en un hotel en Omotesando, pero eso es todo. No hay nada en la habitación o el edificio que me diga algo de los Blackcoats. Aunque tampoco esperaba que lo hiciera.

Pasa una hora hasta que finalmente me llega una invitación para conectarme con alguien que no tengo entre mis contactos.

Estoy a punto de aceptarla, pero se despliega antes de que pueda hacerlo. Me quedo congelada, sujetando la toalla más cerca de mí. ¿Acaso alguien invadió mi NeuroLink?

–Estás despierta –reconozco la voz de Jax. Siento una mezcla de alivio e incomodidad al oír sus palabras.

–¿Me estás espiando?

–Solo noté que tu barra de estado se puso verde –suena con el mismo acento que la recuerdo.

–¿Dónde estoy, exactamente?

–En un hotel, claro. Probablemente, deberías quedarte aquí por un tiempo, al menos hasta que ya no estés en el primer lugar de la lotería.

–¿Por qué me drogaste ayer?

–Hace dos días. Has dormido durante todo un día.

¿Perdí *un día*? Cierro los ojos. Entonces, esa no es la puesta de sol luego de la noche en la que Jax fue a buscarme. Con razón los Jinetes estaban tan preocupados.

–¿Por qué lo hiciste, Jax? –insisto. Luego de mi discusión con Hideo, no estoy con ganas de jugar.

–Relájate. Necesitaba traerte aquí sin hacer una escena. Mencionaste que no confiabas del todo en mí, y yo tampoco podía confiar en que no intentarías atacarme en el auto. Podría haberte tapado la cabeza con un saco, pero no quería asustarte más.

Hago una mueca de completa sorpresa.

–Claro, porque *dispararme* no era algo que me asustaría.

–Estás bien. Ahora, vístete –me responde, suspirando.

–¿Por qué?

–Porque Zero está subiendo para verte –al oír eso, todo mi sarcasmo se detiene. La idea de que Zero esté viniendo a mi habitación me hace sentir miedo, por lo que me encamino hacia el baño antes de que Jax pueda decir otra palabra.

–Estaré lista –musito.

Me pongo una muda de ropa nueva que encontré doblada con cuidado en el closet de la habitación. Luce completamente fresca y me queda un poco grande.

Verme en el espejo, toda de negro, me recuerda lo extraño que se siente todo ahora, lo mucho que me adentré en la colmena y cuán improbable es que salga de esta; miro hacia otro lado, deseando que mi ropa vieja no estuviera arruinada por la sangre y el humo.

Me encuentro alisando mi nueva camiseta cuando oigo un golpecito suave en la puerta, seguido de silencio. Vacilo por un momento.

–Adelante –digo, sintiéndome extraña al darle permiso a una persona cuando en realidad soy yo quien está aquí contra mi propia voluntad.

La puerta de la habitación se abre y se cierra, seguido por el sonido de unas pisadas sobre el tapete. Está aquí. Respiro profundo una vez más. Mi corazón no deja de acelerarse, pero al menos no sale expulsado por mi boca.

Y así, salgo para encontrarme con una persona que ya se encuentra sentada en una silla junto a la ventana, esperándome.

CINCO

En realidad, hay tres personas

Jax se encuentra de pie junto a una silla, con la mano descansando de forma casual sobre la empuñadura de su pistola. Luce relajada, pero sus ojos grises me siguen sin pestañar y soy consciente de que, si quisiera, podría levantar el arma y asesinarme antes de que consiga decir algo.

Sentada en la silla que se encuentra a su lado hay una señora más grande con anteojos, su cabello con canas atado en un rodete cuidado que combina con su ropa elegante. Una leve y agradable esencia a perfume se cierne en el aire a su alrededor. Tiene el tipo de rostro que le pertenece a un estudiante; ojos alerta, boca controlada y una mirada que me estudia por las cosas que no digo. Con las manos juntas sobre su regazo, me esboza una sonrisa compasiva al notar que la estoy mirando.

Pero es la tercera persona, cuya sola presencia domina la habitación, quien me hace congelarme del miedo.

Se recuesta hacia la pared con los brazos cruzados casualmente sobre su pecho y con una pierna sobre la otra. Su rostro ya no está escondido detrás de un casco negro y, en lugar de una armadura, lleva un simple suéter negro y pantalones oscuros, acompañando unos zapatos brillantes. Pero sus gestos son inconfundibles.

Uno de los lados de su boca se levanta para esbozar una sonrisa.

–Bueno, Emika –dice Zero–. Bienvenida.

La primera vez que me crucé con él, no era más que un fragmento de código, un error en la matriz de Hideo encargada de hacer funcionar todo Warcross. Y la primera vez que vi su versión virtual, estaba parado en medio de la Guarida del Pirata en el Dark World, rodeado de personas que se ocultaban detrás de nombres falsos y avatares monstruosos exagerados.

Incluso en ese entonces, él se destacaba del resto. Entre tantas figuras monstruosas, él era una silueta esbelta, oscura con su armadura, tan silenciosa y sin remordimientos como la noche misma. Aún puedo recordar el miedo que sentí al ver su figura virtual, el dolor que sentí al cerrar las manos y clavarme las uñas contra las palmas.

Ahora me quedo boquiabierta al ver su rostro al descubierto.

Es como ver a Hideo en un sueño.

Luce más joven por unos pocos años y tiene facciones un poco más duras y feroces. Aun así, inmediatamente puedo notar el parecido entre ambos, sus ojos y cabello negro, y puedo reconocer con facilidad en él al pequeño niño del Recuerdo reconstruido de Hideo.

En un panorama más normal, luego de un día más normal, probablemente luzca como un extraño atractivo que cualquiera podría encontrar en la calle, la clase de muchacho que nunca tuvo problemas para conseguir una cita o hacer amigos, el tipo de persona que no habla mucho pero que llama la atención de todos cuando lo hace. Pero aquí hay algo incómodo sobre él que no puedo discernir. Mientras que Hideo tiene una mirada penetrante, los ojos de Sasuke emanan cierto aura salvaje, algo profundo e insensible. Algo poco humano. No sé cómo describir su luz inusual. Me atrae de la misma forma en que me repele.

La señora habla. Su mirada suave me examina de pies a cabeza.

–Esta es la chica, entonces –le dice a Zero con un acento que no puedo ubicar.

–Emika Chen –contesta Zero.

–Emika Chen –la mujer posa su cabeza sobre su mano y frunce el ceño–. Luce cansada. Deberíamos haberle dado un día más para descansar.

–No podemos darnos esos lujos –replica Zero–. Ella fue la única de los cazadores de recompensas de Hideo que logró seguir mi rastro. Puede aguantar un día largo.

Ante eso, la mujer me dedica una mirada indefensa.

–Lo siento –me dice directamente–. Todo tendrá más sentido una vez que lo expliquemos.

Zero inclina la cabeza con sutileza en su dirección.

–Ella es la doctora Dana Taylor –comienza–. Y ya sabes quién soy yo –me dice estudiando mi expresión–. Jax me comenta que le trajiste algunos problemas.

Finalmente, recupero la voz.

–Bueno, no es que haya matado a alguien frente a mí o algo por el estilo.

–Vamos –le dice Jax a Zero–. Es demasiado inexperta. ¿Sabías que nunca antes disparó un arma?

–He disparado una pistola paralizante –aclaro. Jax levanta una mano en mi dirección.

–¿Lo ves?

–Contigo cerca, no necesita una pistola –contesta Zero.

Jax se queja, pero no responde.

Zero me observa de la misma manera que lo hizo en el Dark World. Mi corazón comienza a latir más rápido ante su mirada penetrante. Por lo que sé, está analizando mi información para asegurarse de que no estoy enviando ninguna señal a nadie para que me venga a buscar.

¿Acaso recuerda a su hermano? ¿Cómo es posible que lo haya olvidado o, peor aún, que no le importe?

–La envié para que salve tu vida, sabes –agrega.

Levanto la cabeza para mirarlo a los ojos a medida que la ira comienza a invadirme nuevamente.

–Me trajeron aquí bajo amenaza de muerte.

Zero posa sus ojos sobre la puerta negra por la que había entrado, antes de volver a mirarme.

–Tú aceptaste mi invitación.

–¿Y cómo sé que tú no enviaste a esos otros asesinos solo para preparar todo esto?

–¿De verdad piensas que no tengo algo mejor que hacer más que perder el tiempo contigo?

–Pienso que juegas más conmigo de lo que deberías.

La doctora Taylor le frunce el ceño a Zero antes de respirar hondo y mirarme.

–Nos alegra saber que estás bien, Emika –agrega con un tono suave–. Puede que no hayas oído sobre Jax antes, pero ella es muy respetada en nuestros círculos. La imagen de ella defendiéndote enviará un mensaje claro a cada cazador que esté pendiente de la lotería de asesinatos para que se mantengan alejados de ti.

Miro sobre mi hombro hacia la puerta, sin sentirme segura de eso. Si me atrevo a darle la espalda a Zero y marcharme de este lugar, ¿será Jax capaz de ponerme una bala en la cabeza? Zero señala mis ojos.

–Asumo que estás usando los lentes beta.

–Sí –contesto–. ¿Por qué?

–Necesitarás un poco de protección extra en tu cuenta

–levanta su mano sutilmente y despliega un menú entre los dos, enviándome una invitación.

Lo dudo por un momento, por lo que Zero esboza una sonrisa burlona.

–No es un virus.

No estoy en posición de darme el lujo de discutir con él, por lo que acepto.

Enseguida, aparece una barra de descarga.

55%

Se completa y desaparece tan rápido como apareció.

Zero da un paso hacia mí con la palma hacia arriba. Me quedo mirándola y veo un brazalete negro materializarse sobre ella. Luego, coloca esa mano sobre mi brazo y el brazalete se cierra alrededor de mi muñeca con un pequeño chasquido. Como un grillete. De pronto, todo mi cuerpo se ve recubierto por una armadura negra idéntica a la de Zero y, en un instante, me veo igual a como lucía él en la caverna roja virtual, cuando lo encontré durante el campeonato.

La armadura desaparece nuevamente, como si hubiera sido absorbida en mi piel. El brazalete suelta un destello azul antes de desaparecer. Solo aparece cuando miro lo suficiente a mi muñeca. Había visto el mismo artefacto en Jax cuando me rescató.

–Es la insignia de los Blackcoats –me explica–. Ahora estás bajo nuestros ojos. Nadie más te hará daño.

Oficialmente me hizo formar parte de los Blackcoats. Ahora les pertenezco.

Froto mi nuevo brazalete. Si bien es un objeto virtual, puedo sentirlo quemándome la piel.

–Entonces, ¿qué son? ¿Justicieros o algo por el estilo?

Zero regresa al lugar en donde se encontraba recostado contra la pared.

–Eso suena sensacionalista. Pero creo que aplica bien.

Taylor posa su mirada inmutable sobre mí.

–Creemos que demasiado poder en las manos de una sola entidad siempre es algo peligroso. Por eso, luchamos contra eso, sin importar el tiempo y el lugar. Tenemos patrocinadores poderosos que apoyan nuestra causa.

Espero un momento para que me diga cuáles son esos patrocinadores, pero no lo hace. Mis ojos se posan con inquietud sobre Zero.

–¿Cuántos son ustedes en total?

–Nuestro número cambia, dependiendo de lo que estemos haciendo –me explica–. Reunimos a los que necesitamos y luego nos separamos cuando terminamos; pero claro, hay algunos que siempre estamos involucrados. Como sabrás, en este momento, nuestro objetivo es Hideo Tanaka y su NeuroLink.

Entonces, no estaba equivocada. Sabía desde el primer momento en el que Hideo me contrató que alguien estaba acechándolo desde las sombras, tratando de deshacer su trabajo y poniendo en peligro su vida; pero una cosa es investigar esos rumores y otra, confirmarlos.

Mi mirada se vuelve a posar sobre Jax.

–El intento de asesinato a Hideo –digo, con la voz tensa–. Inmediatamente después del primer juego de Warcross. Eso fue…

Jax fija su mirada gris y fría sobre mí antes de que pueda terminar la oración. Se encoge de hombros.

–Habríamos tenido éxito de no ser por sus guardaespaldas –contesta–. De todas formas, ya no importa. Matarlo no desactivará el algoritmo.

Jax fue quien intentó asesinar a Hideo. Mis ojos se posan sobre Zero, tratando de encontrar una reacción tan horrorizada como la mía. Pero luce tranquilo y sereno. Es como si Hideo no fuera más que un nombre para él.

–Hablemos de nuestras metas en común, Emika –agrega Zero–. Porque son las mismas, ¿verdad?

–Desactivar el algoritmo del NeuroLink –le contesto tratando de sonar calmada. Zero asiente una vez.

–¿Y sabes lo que necesitamos hacer?

–Ingresar a la cuenta de Hideo –las palabras salen con una frialdad calculadora.

–Sí. Por medio de alguien que sea capaz de ganar ese tipo de confianza. Tú.

Necesitan a alguien para que ingrese a los sistemas de Hideo y, para llevarlo a cabo, necesitan meterse bajo su piel. Aunque luego de la conversación que tuve con él, yo soy la última persona en la que estará dispuesto a confiar.

¿Qué hay del mismo Zero? Seguramente Sasuke es mejor opción que yo.

Un millón de preguntas amenazan con salir de mi boca. A la luz, los ojos de Zero se tornan castaño oscuro; vistos con mayor detenimiento, se distinguen algunos destellos dorados en su interior. La visión que tuve de él como un pequeño niño, con una risa aguda mientras corría por el parque con su hermano, aparece en mi mente. Pienso en él sonriendo mientras Hideo envuelve la bufanda azul alrededor de su cuello, y en la forma en la que llamaba a su hermano mayor sobre su hombro cuando se acercaba a buscar el huevo de plástico que Hideo había arrojado en la distancia.

Sasuke debería ser la única conexión con Hideo que los Blackcoats necesitan. Si se acercara a Hideo, renunciaría a todo el mundo con tal de tener a su hermano perdido, movería cielo y tierra si Sasuke se lo pidiera.

Pero ¿haría Sasuke lo mismo por él? ¿Por qué no hay ningún rastro de sentimientos por su hermano en esa mirada?

Trato de disminuir la creciente marea de preguntas en mi mente. Todavía no me revelaron mucho sobre los Blackcoats, y algo en la tensión que hay en el aire me indica que aún no debería preguntarle abiertamente sobre la relación que tiene Zero con Hideo. Necesito tener un momento a solas con él.

–Entonces, ¿intentan detener a Hideo con la mejor voluntad desde el fondo de sus corazones? –pregunto.

–¿Por qué otra razón lo haríamos?

–*No lo sé* –arrojo mis manos en el aire–. Todavía no me

han dicho mucho sobre su grupo secreto. ¿Por qué intentaron matarme cuando explotaron los dormitorios de los Jinetes? ¿Eso también fue con la mejor voluntad?

Zero no luce para nada sorprendido por mi observación.

–Algunas veces, hacer lo correcto significa tener que tomar decisiones difíciles en el camino.

–¿Y cómo sé que no tomarás otra decisión difícil conmigo?

–No me crees.

–No, no creo que me estés diciendo todo lo que necesito saber –de pronto, Taylor se endereza.

–Estuviste en prisión por un tiempo, ¿no es así? –interviene–. Y te ganaste una marca roja en tus antecedentes penales porque presenciaste una injusticia contra una muchacha que apenas conocías.

Tenso la mandíbula al oír sus palabras.

–Has estado husmeando en mis archivos –le digo, pero ignora mi tono por completo y sus ojos se tornan más brillantes.

–¿Por qué lo hiciste *tú*, Emika? ¿Por qué *tú* saliste de eso, luego de años de adversidad? ¿Qué te hizo tomar ese camino a *ti*? Utilizaste tus dones para irrumpir en los archivos privados de todos tus compañeros de estudio. Liberaste toda esa información en Internet. Eso era un crimen, ¿verdad? Y aun así, lo hiciste de todas formas, porque estabas defendiendo a una muchacha que había sido perjudicada.

El recuerdo regresa al instante; el arresto, el juicio, la sentencia.

–Aún eres muy joven –continúa–. ¿En verdad es tan difícil para ti imaginar que alguien más quiere hacer lo mismo? Intenta recordar cómo te sentiste aquella vez y luego llévalo a algo más grande, a un grupo de personas que creen en una causa mayor.

No digo nada. Taylor se reclina hacia mí.

–Sé que tienes dudas –dice con gentileza–. Puedo verlo en tu rostro, tu desconfianza en todo lo que te estoy diciendo, y puedo entender por qué. No comenzamos con el pie derecho –mira a Zero y levanta una ceja–. Pero ahora eres consciente de cuáles son los verdaderos planes de Hideo. Y no importa qué tan poco sepas sobre nosotros o lo que nosotros sepamos de ti, estamos en el mismo bando. No tenemos intenciones de lastimar a una aliada. Nadie te forzará a nada –su voz adquiere un tono más duro, uno que no encaja con su rostro–. Nada de lo que he visto me asusta tanto como lo que Hideo Tanaka está haciendo con el algoritmo del NeuroLink. ¿No es por eso que terminaste tu relación con él, a pesar de todo lo que podría haberte dado?

Dice esto último para traer el tema de mi breve relación con Hideo a la conversación y, para mi fastidio, mis mejillas se sonrojan. Me pregunto exactamente cuánto sabe sobre mí. Mis ojos se vuelven a posar sobre Zero.

Una ráfaga repentina de ira se apodera de mí. Todo lo que puedo recordar de este momento es la forma en la que Zero se quedó parado allí en el salón oscuro, escondido detrás de su armadura virtual, burlándose de mí al descubrir que los archivos habían sido vaciados. Lo único que puedo sentir es la misma sensación de escalofríos de tener a Zero dentro de mi mente, el ladrón de mis más preciados Recuerdos.

Es alguien que me ha traicionado antes. Y ahora está aquí, pidiéndome que lo ayude.

–¿Por qué debería confiar en ti? –pregunto–. Después de todo lo que has hecho.

Zero me mira con ojos penetrantes.

–No importa si confías en mí o no. Hideo sigue avanzando sin importarle nada, mientras nosotros nos quedamos sin tiempo. Lo detendremos antes de que abuse de su NeuroLink, y podemos hacerlo más rápido con tu ayuda. Eso es lo único que puedo decirte.

Pienso en el colorido mapa de mentes que Hideo me había mostrado, y luego en la capacidad que tiene de asesinar a alguien en el camino con solo hacer un cambio en ese mapa. Pienso en los escalofriantes rostros vacíos de la gente.

–Entonces –dice Zero juntando los dedos–. ¿Aceptas?

Estoy lista para rechazarlo. Me había quitado el alma y hecho algo obsceno con ella; incluso ahora, juega con mis emociones. Quiero darle la espalda y salir de la habitación, hacer lo que Roshan había dicho y regresar a Nueva York, sin volver a pensar en esto otra vez.

Pero en cambio, lo miro con el ceño fruncido y agrego:

–¿Qué tienes en mente?

SEIS

Zero sonríe. Intercambia una mirada con Taylor y luego con Jax, y al hacerlo, Taylor se levanta de su asiento. Asiente para alentarme y voltea.

–Qué bueno tenerte a bordo –dice por detrás de su hombro y sale de la habitación.

Jax se queda un rato más, hablando en voz baja con Zero como dos amigos que se conocen desde hace mucho tiempo. Ella ni siquiera se molesta en mirarme antes de irse.

–Estaré en la habitación de al lado –nos dice al marcharse. No sé si tomarlo como un comentario tranquilizador o una amenaza para resaltar que estará vigilándome de cerca.

La puerta se cierra detrás de ella sin hacer ruido, y me deja completamente a solas con Zero.

Él se acerca a mí, contento ante mi fascinación e inquietud.

–Siempre trabajaste por tu cuenta, ¿no es así? –comenta–. Debe ser incómodo para ti estar dentro de un grupo.

De alguna manera, su apariencia física parece mucho más intimidante que la virtual. Me doy cuenta de que estoy presionando con fuerza mis puños, por lo que me fuerzo a relajar las manos.

–Estaba bien con los Jinetes de Fénix –le contesto, y él asiente.

–Es por eso que les has dicho lo que estás haciendo, ¿cierto? ¿Que ahora estás aquí? –entrecierro los ojos al percatarme de su tono burlón.

–¿Y qué hay de ti?

–¿Qué hay de mí?

–¿Hace cuánto trabajas para los Blackcoats? ¿Fuiste tú quien los creó? ¿O nunca trabajaste por tu cuenta?

Coloca las manos dentro de sus bolsillos en un gesto tan propio de Hideo que, por un instante, siento que es él quien se encuentra aquí parado.

–Desde que tengo uso de razón –me responde.

Ahora es mi oportunidad. Todas las preguntas que giran en mi mente se posan sobre la punta de mi lengua. Mi respiración comienza a entrecortarse a medida que las palabras salen de mi boca.

–Eres Sasuke Tanaka, ¿no es así? –se queda en completo silencio–. Eres el hermano menor de Hideo –insisto, como si no me hubiera oído la primera vez.

Sus ojos están absolutamente desprovistos de emoción alguna.

–Lo sé –dice y cierro los ojos, pensando que quizás oí mal.

–¿Lo *sabes*?

Hay algo inusual en sus ojos nuevamente, esa mirada vacía. Es como si lo que acaba de decir no significara *nada*. Le parece irrelevante, como si estuviera relacionado con un extraño lejano de quien no sabe absolutamente nada... y no con el hermano con el que creció, el hermano que destruyó su propia vida y mente por el dolor de su pérdida. El hermano que ahora él intenta detener.

–Tú... –mis palabras vacilan, convirtiendo mi voz en algo incrédulo mientras lo miro–. Tú eres el hermano de Hideo. ¿Cómo puedes saber eso y seguir hablando así?

Otra vez, no hay respuesta. No se ve para nada afectado por mis palabras. En cambio, da un paso hacia delante hasta estar a solo unos centímetros de mí.

–La relación de sangre no tiene sentido –dice finalmente–. Hideo es mi hermano, pero más importante aún, es mi blanco.

Mi blanco. Las palabras salen con dureza y frialdad. Pienso en la sonrisa del joven Sasuke en el Recuerdo de Hideo, cuando ambos se encontraban en el parque. Trato de armar las heridas profundas que Sasuke dejó en Hideo y su familia cuando desapareció. Es un niño al que amaron profundamente y a quien ahora parece no importarle en lo absoluto.

–Pero... –comienzo a decir, titubeante–. ¿Qué *ocurrió* contigo? Desapareciste cuando eras un niño. ¿A dónde fuiste? ¿Por qué te haces llamar Zero?

–Jax no mencionó lo curiosa que eres –contesta–. Supongo que eso es lo que te hace una buena cazadora de recompensas.

Su manera de responder me recuerda a un código atascado en un bucle infinito, dando vueltas y vueltas en un círculo inservible, o a los políticos que saben exactamente cómo evadir una pregunta que no quieren responder. Personas que pueden repreguntarte para sacarse la atención de encima.

Quizás Zero no quiere responderme. Quizás ni siquiera *sabe*. Sea cual sea la razón, no obtendré nada de él por su voluntad, al menos no más que estas respuestas incompletas. Trato de apaciguar la necesidad de seguir presionándolo. Si no lo dice por su cuenta, entonces obtendré la información por mi lado.

Por eso, pruebo con otra pregunta diferente.

–¿Qué estás planeando? –me fuerzo a decir.

–Introduciremos un virus en el algoritmo de Hideo –me explica. Extiende su mano y un archivo brillante aparece en su palma–. Una vez que ingrese, activará una reacción en cadena que eliminará el algoritmo en su totalidad y dejará inutilizable al NeuroLink. Pero para tener éxito con esto, tendremos que lanzarlo desde la propia cuenta de Hideo, su mente. Y debemos realizar esto el día de la ceremonia de cierre, en el momento exacto en el que los lentes beta estén finalmente conectados al algoritmo.

Al parecer, el rumor sobre que los lentes beta se conectarían al algoritmo es cierto, después de todo. Tiene sentido; en teoría, habrá un leve retraso entre el momento en el que los lentes beta se vinculen con el algoritmo y estén bajo su completo control. Cuando se esté configurando. Esa será nuestra única oportunidad para insertar el virus.

–¿Y cuándo, exactamente, los lentes beta se conectarán al algoritmo? –pregunto.

–Apenas comience la ceremonia de cierre de los juegos –lo miro de reojo. ¿Cómo sabe tanto sobre los planes de Hideo?

–Entonces, yo debo adentrarme en su mente –repito–. Literalmente.

–Tan literal como suena –responde Zero–. Y la única forma de ingresar al algoritmo, a su mente, es desde Hideo mismo. Ahí es cuando apareces tú.

–Quieres que prepare a Hideo.

–Quiero que hagas lo que sea necesario.

–Nunca caerá –le comento–. Luego de nuestro último encuentro, dudo que quiera verme de nuevo. Ya sospecha que estoy lista para detenerlo.

–Pienso que subestimas lo que siente por ti –mueve su mano una vez.

El mundo a nuestro alrededor desaparece y nos envuelve a ambos dentro de una grabación en la que se ve a Hideo saliendo de un evento, rodeado de reporteros ansiosos y cientos de fans. Es de hace dos noches, luego de que Hideo anunciara la revancha entre los Jinetes de Fénix y el equipo Andrómeda.

Sus guardaespaldas gritan y empujan, abriéndole el camino, y unos cuantos pasos detrás de él camina Kenn, quien luce pálido y consternado. Nunca los había visto en este estado, caminando tan apartados entre sí. A medida que el equipo de seguridad forma una línea frente a la multitud, uno de los reporteros le grita una pregunta a Hideo.

¿Aún sigue saliendo con Emika Chen? ¿Siguen siendo pareja?

Hideo no reacciona a la pregunta, al menos, no con obviedad. Pero puedo ver que tensa sus hombros y mandíbula. Sus ojos giran hacia abajo, centrados con intensidad en el camino que tiene por delante.

Aparto la vista de la expresión perturbada de Hideo, pero no puedo quitarla de mi mente.

–Pero *tú* eres su verdadera debilidad –insisto, forzándome a concentrarme–. ¡Debes saber eso! Hideo haría cualquier cosa por ti.

–Ya hemos hablado sobre las posibles respuestas de Hideo hacia mí –dice Zero casualmente, como si estuviera comentando sobre el clima–. No me ha visto en una década, su reacción no estará sobre mí, sino sobre los Blackcoats. Y será venganza lo que quiera obtener. Por eso, necesitamos a alguien que esté un poco más distanciada. Tú.

Habla de Hideo como si su hermano no fuera más que un blanco; al mirarlo a los ojos, solo veo oscuridad, algo impenetrable y sin sentimientos. Es como si mirara a una persona que no es humana en absoluto.

Me recuesto sobre el escritorio e inclino la cabeza hacia abajo sutilmente.

–Está bien –balbuceo–. ¿Cómo sugieres que haga esto?

–Entrarás en la mente de Hideo. Y voy a mostrarte cómo –me dice, sonriendo.

–Vamos al Dark World –dice Zero. Hace un gesto con la mano hacia mí y una pantalla aparece entre nosotros preguntándome si quiero entablar una conexión con él.

Una conexión directa con Zero. ¿Qué clase de pensamientos y emociones obtendré de él? Vacilo por un momento antes de extender la mano y aceptar la conexión. La habitación de hotel a mi alrededor se oscurece y ya no puedo ver el rostro de Zero. Unos segundos más tarde, me encuentro sumergida en un abismo negro.

Aguanto la respiración ante la sensación de ahogamiento que se apodera de mí cada vez que bajo al Dark World.

Luego, lentamente, este se materializa.

Al principio, lo reconozco. El agua cae formando charcos sobre las calles, haciendo que parezcan pequeñas piscinas en miniatura que reflejan los carteles rojos de neón sobre las fachadas de los edificios. Allí se muestran flujos constantes de información personal robada de cuentas desprotegidas que se atreven a deambular por estos lugares. A cada lado de la calle hay puestos de ventas, cada uno iluminado con tiras de luces sobre cosas que ya estoy acostumbrada a ver: drogas, armas ilegales, cambio de criptomonedas, ítems virtuales discontinuados de Warcross y vestimenta inédita de avatares.

Es un lugar con el que debería estar familiarizada, pero ninguno de estos edificios son lo que recuerdo, ni siquiera las calles y carteles me parecen reconocibles. La acera está vacía.

–Luce extraño, ¿verdad?

La presencia repentina de Zero detrás de mí me hace saltar del susto. Cuando lo enfrento, se encuentra escondido detrás de su armadura nuevamente; piezas de metal negro lo cubren de pies a cabeza bajo las luces carmesí. Se mueve como una sombra. Las pocas personas que pasan a nuestro alrededor son anónimas, y nadie parece reconocerlo. De hecho, si no fuera sensata, diría que lo estaban evitando sin siquiera darse cuenta de que él estaba allí. No me queda claro si pueden verlo o no, pero definitivamente notan los brazaletes negros que ambos llevamos. Nadie quiere estar relacionado con nosotros.

Tentativamente, trato de ver si puedo atrapar alguna emoción a través de nuestra conexión con Zero. Pero se siente tranquilo, de un temperamento tan suave como el cristal. Luego, una muestra de gracia.

–¿Ya andamos husmeando? Demasiado curiosa para tu propio bien –dice, y recuerdo que él también puede sentirme. Rápidamente, me aparto.

–¿Dónde está todo el mundo? –le pregunto.

–Desde que Hideo activó su algoritmo, todos los usuarios que tienen los nuevos NeuroLink ya no pueden acceder al Dark World. Logró sacar a un gran número de personas que simplemente deambulaban por aquí. Otros fueron obligados a entregarse a las autoridades con la información que tenían de este lugar. Ha habido docenas de redadas en los últimos días. Aquellos que aún pueden acceder al Dark World han ido aún más bajo, reconstruyéndolo a su paso. Algunos de los lugares que conoces ya no están aquí.

Deambulo por el camino, tratando de mantener los modales. En un día normal, un mercado como este estaría repleto de avatares anónimos. Hoy, todos están en movimiento, demasiado incómodos como para detenerse frente a un puesto ilegal.

Es algo bueno, me digo a mí misma. Debería estar contenta por esto, ya que Hideo está actuando de forma correcta al hacerle esto al Dark World. ¿Acaso no pasé años cazando personas aquí? No es un buen lugar. Hay sitios del Dark World tan perturbadores que deberían ser erradicados por completo, gente tan perversa y malvada que merece pudrirse en prisión. *Deberían* tener miedo.

Pero… la idea de que una persona tenga ese nivel de alcance hasta aquí, de que pueda poner su mano en la mente del otro y *obligarlo* a abandonar este lugar…

–¿Qué ocurre allí? –pregunto cuando pasamos por un puesto en el mercado nocturno. Si bien es un lugar pequeño, hay una multitud de unas doscientas personas a su alrededor. Cuando miro lo suficiente al estante, sobre este aparece un número.

50.000

El número de visitantes continúa causando que el negocio colapse. Luce como si estuviera derrumbándose y reconstruyéndose una y otra vez.

–Están subastando unos lentes beta –me explica Zero–. Algo completamente raro, como podrás notar.

En ese instante, me doy cuenta de que el número que se encuentra sobre el puesto es el valor de los lentes beta. Cincuenta mil billetes por un solo par.

Los apostadores obviamente tienen sus propios lentes beta si están aquí, por lo que imagino que los están comprando para otros. Se puede sentir la desesperación en el ambiente, lo cual hace que la situación luzca peligrosa. Sin hacerse esperar, comienzan a tener lugar algunas discusiones y puedo notar a varios usuarios enfadados publicando información privada de otros en los carteles de neón rojos que se encuentran sobre las fachadas de los edificios. Acelero mi paso hasta dejar el puesto detrás de nosotros.

Estamos cerca de donde solía encontrarse la Guarida del Pirata, aunque los caminos han cambiado desde entonces. Cuando el lago negro aparece a la vista, no veo ningún barco flotando en el agua.

Volteo hacia Zero, sorprendida. La Guarida del Pirata nunca antes había logrado ser derribada.

–¿Desapareció? –le pregunto.

Mira hacia el cielo. Inclino la mirada para seguir su vista.

Por encima de los edificios absurdos del Dark World y de las escaleras de Escher, bajo un cielo nocturno pardo y nebuloso, se encuentra un barco pirata suspendido en el aire. Algunas escaleras de sogas cuelgan desde este, pero están fuera de nuestro alcance. Sus mástiles se encuentran iluminados con cascadas coloridas de neón que tiñen las nubes de un tinte rosa, azul y dorado.

–Inmediatamente luego de que Hideo activara su algoritmo –me explica Zero–, un usuario del Dark World afectado por los nuevos lentes fue a las autoridades y reveló la ubicación de la Guarida del Pirata. Hubo algunas redadas. Pero las cucarachas son difíciles de eliminar.

Esbozo una sonrisa sin gracia. El Dark World no desaparecerá sin dar pelea. Los piratas simplemente se movieron del agua al cielo.

Zero mueve la cabeza hacia un lado. Seguro ya tiene acceso al código de ingreso de la nueva Guarida del Pirata, dado que, un segundo más tarde, una de las escaleras de cuerda comienza a descender. Se detiene justo frente a nosotros.

Zero hace un gesto con su mano hacia la escalera y voltea hacia mí.

–Después de ti.

Me acerco y la sujeto con fuerza. Él me sigue por detrás, con sus manos enguantadas sujetándose a la cuerda a cada lado mío. A medida que subimos, miro sobre su brazo hacia la ciudad. Nunca antes había visto el Dark World desde las alturas. Tiene mucha menos lógica que visto desde abajo. Algunos de los edificios parecen escaleras en espiral que desaparecen entre las nubes, con docenas de ventanas iluminadas que cambian de color en gradientes. Avatares oscuros y anónimos caminan a lo largo de otras paredes, como si estuvieran sostenidos por cuerdas. Otros edificios están pintados completamente de negro, sin ninguna ventana en absoluto, solo delgadas líneas de neón que se despliegan en forma vertical sobre sus paredes. Quién sabe qué demonios hay allí dentro. Hay varias esferas flotando en medio del aire, sin nada que las sujete y sin ninguna entrada aparente. A medida que subimos a las nubes, puedo mirar hacia abajo y ver que algunas de las torres forman patrones circulares en el suelo, como si fueran marcas de extraterrestres en un campo de maíz.

Finalmente, llegamos a la rampa flotante que lleva a la Guarida del Pirata. Ahora que estamos lo suficientemente cerca, puedo ver lo enormes que son los mástiles de este nuevo barco, se elevan como pantallas a cada lado de un rascacielos. Lo que había visto como un gradiente de colores de neón sobre estos son en realidad anuncios de publicidad que muestran los enfrentamientos del día, así como también las apuestas realizadas hasta el momento para la revancha entre los Jinetes de Fénix y el equipo Andrómeda.

Zero se adelanta. Camina hacia la rampa y me hace un gesto para que lo siga. Mis ojos se mueven desde la pantalla de transmisión hasta la entrada del navío, en donde docenas de avatares caminan bajo una pancarta con el eslogan de la Guarida del Pirata.

LA INFORMACIÓN QUIERE SER LIBRE

Ingresamos. Puedo oír el ritmo pulsante de mi corazón en mis oídos, la sangre bombeando al unísono con la música que suena a mi alrededor, la cual sin lugar a dudas debe ser alguna pista robada perteneciente a un álbum que aún no ha salido a la venta. El suelo está recubierto de neblina. Los avatares son igual de retorcidos y extraños que siempre, una mezcla rara de personas con rostros aleatorios y olvidables, y usuarios que se han agregado rasgos monstruosos.

Pero lo que más me impacta es el cilindro de cristal que se levanta en el centro de ese espacio cavernoso. La lotería de asesinatos. Esta luce igual que siempre, con una lista de nombres con letras escarlata y el valor de cada uno. Desde la parte superior, los asesinos y cazadores observan la lista, analizándola cuidadosamente.

Lo que luce diferente es el primer nombre en la lista.

Emika Chen | Recompensa actual: B5.625.000

No hay duda de que todo el mundo está tras de mí: 5.625.00 billetes por mi asesinato.

–No pueden verte –me aclara Zero, interrumpiendo mi estado aterrorizado. Al mirarlo, asiente una sola vez. No puedo ver su rostro detrás de su casco negro, claro, pero su cuerpo gira levemente hacia mí, lo cual me da una sensación de protección.

A pesar de todo, me siento extrañamente segura a su lado. Es difícil de imaginar que hacía no mucho tiempo había visto a Zero en este mismo lugar como mi enemigo, como la persona que Hideo me había encomendado cazar. Ahora es al revés.

Las apuestas para la Revancha final ocurren en otro rincón del lugar, mientras otros están amontonados alrededor de un juego de Darkcross, arrojando sumas de dinero que crecen a un ritmo frenético. Por encima de los espectadores se encuentra una pancarta que muestra el enfrentamiento, seguido de cuánto hay en juego.

SAQUEADORES DE MEDIANOCHE
vs. SABUESOS DEL INFIERNO
Apuestas actuales 1:4

–*¡Nueva partida!* –grita una voz. Un presentador automatizado comienza a hablar, rodeándonos con su voz andrógina–.

El enfrentamiento finaliza cuando un jugador toma el Emblema de su oponente. Se podrán hacer las apuestas dos minutos antes del llamado de apertura y pueden continuar hasta el inicio oficial de la partida.

Miro la audiencia caótica. Todos los patrocinadores de los equipos oficiales de Warcross son figuras públicas con los bolsillos llenos de dinero, cada uno de ellos bastante reconocibles. Pero las identidades de los patrocinadores de los equipos del Dark World son un completo misterio. Algunos rumores dicen que son jefes de la mafia, líderes de pandillas y narcotraficantes. Ninguno de ellos es lo suficientemente estúpido como para patrocinar a un equipo de forma pública, pero un equipo del Dark World puede generar el doble de ganancias de lo que ganan los Jinetes de Fénix. No hay duda alguna de que los equipos aquí abajo pueden reclutar jugadores tan talentosos. Algunos de ellos incluso son exprofesionales de Warcross, aquellos cuyos reflejos no pueden competir contra los de las estrellas más jóvenes y nuevas. Si no te importa participar de un juego ilegal que puede hacer que te arresten en cualquier momento, entonces podrás disfrutar de riquezas que exceden todos los límites legales que un jugador oficial de Warcross puede gozar en el mundo real.

Claro que, como todo aquí abajo, jugar en Darkcross tiene sus riesgos. A diferencia de las partidas legales de Warcross, en donde la única consecuencia de ser derrotado es perder tu dinero y ego… los patrocinadores de los equipos del Dark World son personas muy peligrosas como para defraudar. Si pierdes muchas partidas de Darkcross, puede que tu nombre aparezca en la cima de la lotería de asesinatos. Recuerdo que encontraron ahorcado a un jugador de Darkcross en su garaje con el cuerpo ensangrentado y quebrado, y que a otro lo arrojaron frente a un tren en movimiento.

–Varios equipos perdieron a sus jugadores luego de la activación del algoritmo –continúa Zero mientras nos movemos a otra parte de la guarida. Aquí, la habitación luce más oscura y vacía, un lugar distante de los demás y parcialmente separado por algunas luces que funcionan como cortinas–. Claro, esto ocasionó que las apuestas sean más apasionadas e impredecibles.

–¿Es por eso que estamos aquí? ¿Por las partidas? –lo miro–. Creí que ibas a mostrarme una forma de ingresar a la mente de Hideo.

–Así es –asiente–. Y eso también.

–¿Cómo?

–Recientemente dejamos al descubierto una falla en el sistema de conexión de Hideo. Ese mismo sistema que permite a dos personas comunicarse por medio de sus pensamientos. La falla solo aparece cuando tú y yo estamos conectados durante una partida de Warcross.

–¿Qué tipo de falla? –pregunto, tomando una bocanada de aire.

–Durante una conexión normal del NeuroLink, uno tiene que pedirle permiso a la otra persona para poder acceder a sus pensamientos. Pero durante una partida de Warcross, con la modificación correcta, esta falla nos permite ingresar a la mente y recuerdos de esa persona sin su consentimiento.

Una falla que permite ver la mente de la persona con la que entablaste la conexión. Imagino las garras frías de un extraño adentrándose en mis pensamientos y recuerdos, sin que pueda hacer nada para detenerlo. ¿Cómo rayos encontró Zero una falla tan grande?

–Ni siquiera las empresas más grandes del mundo son tan seguras –me comenta, sonriendo ante mi confusión.

No me caben dudas de por qué estamos aquí. Ahora entiendo por qué Zero quería conectarse conmigo. Me quedo mirando su casco negro, sintiéndome repentinamente muy expuesta.

Zero me trajo aquí para jugar una partida de Warcross mientras estamos conectados. Un leve zumbido comienza a aparecer en mis oídos. Es el mismo sonido que había escuchado durante el campeonato de Warcross, cuando Zero irrumpió por primera vez en la partida subacuática con los Jinetes de Fénix. Un chasquido me hace bajar la vista. Ahora me encuentro dentro de una armadura oscura propia, con protecciones de tonos rojizos y escarlatas en contraste con las de color negro que lleva Zero. No hay duda de que si me estuviera mirando, vería mi rostro escondido detrás de un casco.

Enseguida, la Guarida del Pirata se desvanece y aparezco en un mundo de Warcross.

Estoy por jugar una partida contra Zero, uno contra uno.

OCHO

Al juego uno contra uno en Warcross se lo conoce como Duelo. Es el mismo juego de Warcross pero sin un equipo que te respalde; y sin equipo, todo recae sobre tus hombros. Cumples el rol de Capitán, Arquitecto y Ladrón. Incluso, el de Luchador y Médico.

He visto Duelos en el Dark World, pero nunca había participado en uno. Y aquí abajo, donde arruinar una partida podría poner en riesgo tu vida, no me siento con mucha suerte.

Al instante, una multitud de apostadores se juntan alrededor, y un presentador comienza a tomar las apuestas a favor y en contra. Me pregunto si me ocurrirá algo si pierdo el juego. ¿Cuánto confío en Zero para dejarlo entrar en mi mente? ¿Qué tal si daña mi cuenta permanentemente? Parece mucha preparación como para traerme hasta aquí solo para hacer eso... Pero es difícil estar segura de algo con él.

En el mundo virtual del Duelo es de noche. Un manto de estrellas cubre el cielo, mientras rayos rosas y púrpuras tiñen el horizonte, justo antes de la puesta de sol. Cientos de arcos gigantes de vidrio flotan en el aire, cada uno de ellos refleja la luz. Al mirar hacia abajo, me doy cuenta de que no estoy sobre tierra firme, sino sobre la espalda de una criatura. Una que está en movimiento.

Un *dragón*. Tan grande como una ballena.

Sus escamas están iluminadas con líneas de neón brillantes, acompañando sus alas recubiertas de un halo de luz dorado, como un robot. Al mirar de cerca, noto que las escamas debajo de mis pies no son orgánicas, sino metálicas.

Caigo sobre mis rodillas cuando la bestia encorva su enorme cuello y lanza una columna de fuego desde su boca mecánica, contorneando las nubes por debajo. Su chillido se siente alrededor de todo el mundo.

–*Bienvenidos al "Nido del Dragón"* –una voz reverbera en el ambiente. Algunos poderes familiares y brillantes se materializan en el aire, iluminando la noche con sus colores; y al mismo tiempo, un selector de armas se despliega frente a mí.

Cuerda. Cuchillo. Dinamita. Pistola.
Arco y flechas. Escudo.

Todas son armas que todo jugador de Warcross tendría, por lo que se me permite elegir tres de estos ítems para llevar en mi cinturón. Por encima de este menú desplegable, un temporizador. Tengo diez segundos. Mi mente comienza a dar vueltas y selecciono lo que me es más familiar. La cuerda. La dinamita. Pero luego recuerdo que no puedo ser solo una Arquitecta; en este juego Roshan no está para protegerme. Por lo que regreso la dinamita y tomo el escudo con el arco y flechas antes de que la pantalla de selección desaparezca.

Me llevo el escudo plateado sobre el brazo, deslizo las flechas sobre mi espalda y cruzo el arco frente a mi pecho. La pistola podría haber sido útil, pero si estoy sobre un dragón, Zero seguramente también, y tendré que encontrar la forma de subirme al suyo. La cuerda, el arco y las flechas son la mejor opción.

Mi dragón se abalanza sobre el arco de cristal más cercano. Miro alrededor en busca de Zero, pero no lo encuentro por ningún lado. Incluso comienza a escucharse un canto de los espectadores de los Blackcoats, lo cual indica el comienzo del juego, pero aún continúo deslizándome sola por el aire. Los reflejos de los arcos me hacen perder el rastro. Giro, pensando que Zero está por detrás, pero solo hay nubes.

–*¡Preparados! ¡Listos!* ¡A pelear!

De pronto, una sombra enorme aterriza sobre el arco que se encuentra justo encima de mí. El cristal se astilla por completo y produce un sonido ensordecedor.

Levanto la cabeza y veo a Zero sobre la espalda de un

dragón con escamas tan negras como un cuervo mojado por la lluvia, entre espinas que brillan con un color plateado oscuro. Su dragón resopla en mi dirección, y luego baja las alas con un solo aleteo. El arco de cristal estalla en mil pedazos.

Me arrojo sobre los hombros del dragón y cruzo mi antebrazo para activar el escudo. El escudo circular azul se despliega frente a mí para frenar la lluvia de vidrio. El impacto casi me deja fuera de juego. Esbozo una mueca de dolor como si el peso fuera real.

[Jugador B] | Vida: -20%

Si no fuera por mi escudo, un golpe como ese habría bajado hasta la mitad mi barra de vida. En un juego real de Warcross, darle al oponente la ventaja de un ataque sorpresa como ese antes del comienzo de la partida es imposible. Pero aquí, es muy normal hacer trampa, muchas veces cuando el juego ocurre en vivo.

¿Cuándo me mostrará la falla?

El clamor de los espectadores abarca mis oídos. Miro a través de mi escudo justo a tiempo para ver a Zero saltar desde el lomo de su dragón y aterrizar sobre el mío. Cae sobre una de las alas de mi dragón, perforando uno de los pliegues y ocasionándole un corte profundo.

Mi dragón chilla y se inclina hacia un lado. El movimiento

repentino hace que me caiga, lo cual me hace bajar la guardia. El escudo se desactiva cuando sujeto una de las escamas de la bestia para tener mejor agarre. Por debajo de nosotros, otros dragones se deslizan entre los arcos de cristal como siluetas negras en la noche. Una serie de poderes destellantes flotan sobre ellos, inyecciones de velocidad doradas y bolitas de hielo, esferas de enredaderas verdes y una bola de fuego.

Mi mente da vueltas, midiendo la distancia entre ellas y yo. La bola de fuego es un poder llamado Lanzallamas y es lo suficientemente fuerte como para consumir al oponente en su totalidad. La esfera envuelta en ramas es una Trampa Enredadera y es capaz de enredar a un jugador durante cinco segundos, dejándolo inmóvil en el acto.

Me pongo de pie sobre las escamas del dragón. Zero arremete contra mí, por lo que giro hacia un lado antes de que pueda tomar el Emblema brillante que cuelga sobre mi cabeza. No le acierta solo por unos pocos centímetros. Giro, una y otra vez, a medida que intenta atacarme. Mis manos buscan desesperadamente la cuerda que tengo en mi cintura, pero enseguida siento la mano de Zero sobre mi brazo. Me arrastra hacia él.

Presiono los dientes y pateo, levantando mis botas metálicas y posándolas contra su pecho, desde donde lo empujo con todas mis fuerzas. Me suelta. Me logro liberar de Zero y de mi dragón, y caigo por los aires con el viento silbando en mis oídos.

Durante el trayecto, activo el escudo nuevamente y lo coloco en ángulo, lo cual me permite frenar el aire y maniobrar hacia un costado. Me las arreglo para navegar hasta los poderes de la bola de fuego y la enredadera. Abro los dos brazos y tomo ambas esferas a la vez.

Enseguida, noto que Zero salta desde el dragón hacia donde yo me encuentro. Tomo primero el poder de la enredadera y luego la bola de fuego y la lanzo directo hacia él.

Al estallar hace un estruendo estrepitoso. El fuego envuelve a Zero y a mi dragón herido en una llamarada gigante.

[Jugador A] | Vida: -100%

[Jugador B] ELIMINÓ A [Jugador A]

Ignoro las aclamaciones y los abucheos de la audiencia. Zero se regenerará en cualquier momento y, a juzgar por la forma en que está estructurado este juego, puede que tenga una ventaja injusta nuevamente. Mientras el viento silba en mis oídos, tomo una flecha de la funda en mi espalda y la ato frenéticamente a la cuerda que cuelga de mi cintura. La otra punta la ato alrededor de mi pecho. De inmediato, coloco la flecha en el arco a medida que caigo como una roca entre dragones. Giro, apunto el arco hacia el dragón más cercano y disparo.

La flecha da en el blanco y queda trabada entre dos escamas en el pecho del dragón. Algunas chispas salen disparadas por el impacto contra la superficie metálica de las escamas. La bestia suelta un rugido de molestia a medida que la cuerda se tensa y detiene mi caída abruptamente. Subo lo más rápido posible mientras el dragón se mueve de un lado a otro con brusquedad, esquivando un arco de cristal por muy poco.

Más arriba, Zero reaparece sobre el lomo de su dragón negro. Con sus ojos fríos fijos sobre mí, arremete nuevamente en mi dirección ni bien termino de subirme a la espalda de mi nuevo dragón. Esta vez, dirijo mi dragón hacia los arcos.

–Más alto –grito, incitándolo a subir más. Obedece y apunta su cabeza mecánica en la dirección que quiero que vaya.

El dragón de Zero se arroja hacia mí con la mandíbula abierta, desde la cual lanza una columna de fuego. Giro mi dragón hacia un lado, esquivándola por poco, aunque algunas de las llamas alcanzan una de sus alas, dejando el metal negro. Maniobro para que haga una espiral muy cerrada alrededor de las columnas de los arcos.

–¿Qué rayos está haciendo? –puedo oír a un par de espectadores gritar esas palabras, que se pierden entre los gritos de la multitud.

Zero comienza la cacería. Hace girar a su dragón para volar lado a lado con el mío, evitando el trayecto en espiral que estoy haciendo. Luce listo para acercarse y saltar sobre el lomo de mi dragón.

Apunto hacia la sutil curva en la parte superior de los arcos de cristal. Al llegar allí, Zero comienza a acercarse. Tomo mi poder de enredadera de mi inventario. Si logro acercarme lo suficiente a Zero y lanzárselo en el momento justo, podré sujetarlo con las gruesas enredaderas e inmovilizarlo allí, y dejarlo colgando desde el arco. Puedo descender de mi dragón y deslizarme por la enredadera para tomar su Emblema.

Miro sobre mi hombro. Se está acercando, listo para morder el anzuelo. Una pequeña sonrisa amenaza con aparecer en mi rostro. Volteo para mirar hacia abajo desde la cima del arco. Hora de atacar…

De pronto, un haz de luz me golpea. El mundo se torna completamente blanco. ¿Terminó el juego? Un segundo después, me doy cuenta de que Zero utilizó su propio poder sobre mí. Un Rayo. De a poco, comienzo a ver la parte superior del arco de cristal acercarse a mí a medida que caigo contra este. Golpeo con todas las fuerzas, sin tener oportunidad de siquiera activar el escudo.

[Jugador B] | Vida: -60%

ADVERTENCIA

Lucho para ponerme de pie mientras Zero se acerca por encima del arco. A toda prisa, tomo mi poder de enredadera y lo apunto hacia él.

El mundo a mi alrededor destella, como la estática que se expande por el aire.

Cierro los ojos y frunzo el ceño. ¿Acaso todos pueden ver eso? ¿O soy solo yo?

Zero tiene toda su atención sobre mí. A medida que se acerca, hace un gesto sutil con su mano. La estática destella nuevamente. Me recuerda a cuando se apoderó de mi visión durante uno de los juegos de los Jinetes de Fénix en el campeonato, que nos hizo terminar en esa caverna de tonos rojizos oscuros.

Levanto una mano hacia él, como si pudiera detenerlo.

–Espera... –comienzo a decir–. ¿Qué estás haciendo...?

Es hora de que dejemos de jugar, dice Zero. Sus palabras resuenan en mi mente por medio de nuestra conexión con el NeuroLink.

Y, en un abrir y cerrar de ojos, el mundo virtual a nuestro alrededor se transforma en otra cosa.

Suspiro. Es mi antiguo hogar de crianza.

Me encuentro en medio de esos pasillos familiares, rodeada de un empapelado amarillo despegado y rayos de luz gris. Una tormenta azota el lugar, lo cual ocasiona que las luces del exterior parpadeen con cada relámpago que anticipa el rugido de los truenos. En las cercanías, una de las puertas en el pasillo desde donde acaba de salir, la habitación de las chicas, *mi* antigua habitación, se encuentra entreabierta.

Es la noche en la que escapé de allí.

Es imposible. Si estuviera sentada en una silla en la vida real, de seguro mis rodillas habrían tenido un espasmo. Mi respiración comienza a entrecortarse.

¿Cómo hizo Zero para crear esto? ¿Cómo lo sabía? ¿Cómo se metió en mi cabeza, encontró este recuerdo y lo desplegó en este mundo virtual que me rodea?

La falla.

Pero ¿cuándo? ¿Lo obtuvo apenas acepté la invitación de entablar conexión por medio del NeuroLink? ¿Inmediatamente antes del Duelo?

Ya no oigo el clamor de la audiencia, por lo que no puedo saber si también están viendo lo que yo veo. Al igual que el juego del campeonato y la caverna roja, probablemente sea la única que sabe lo que está ocurriendo ahora mismo.

Tiemblo al ver el pasillo, lo cercana que se siente esta noche. Todo luce igual, excepto por alguna forma exagerada, tal como sería una pesadilla. Las paredes son mucho más altas de lo que deberían, tanto que apenas puedo ver el techo, y los patrones sobre el empapelado se ondulan con la luz, como si estuvieran en movimiento. Al mirarme a mí misma, comprendo que llevo la misma ropa que esa noche en la que escapé; mi calzado viejo, mis pantalones rotos y mi suéter descolorido.

El mismo miedo de aquella noche acecha en mis venas. Los mismos pensamientos recorren mi mente. Había planeado cada detalle del escape de esta noche, contando los segundos desde el momento en el que la luz de la habitación de la señora Devitt se apagó. Guardé todo lo que podía llevar en mi mochila. El Duelo en el "Nido del Dragón" desapareció por completo de mi mente. Perdidos están los pensamientos de ganar la partida.

Es como si Zero hubiera abierto una puerta a mi alma.

–Todas las puertas cerradas tienen una llave –giro y me encuentro con Zero parado en el corredor oscuro, prácticamente invisible con su armadura oscura entre las sombras de la medianoche que abarcan el pasillo, su rostro escondido detrás de un casco opaco–. Eso es lo que te estás diciendo ahora mismo, ¿verdad?

–Sal de mi cabeza –le grito furiosa. Se acerca a mí con la palma de su mano extendida hacia delante, un cubo carmesí brilla sobre ella.

–Este es el engaño; la llave a esta falla –me comenta, entregándome el cubo.

–No puedo estar aquí –susurro. Ver mi hogar de crianza me hace difícil recuperar la respiración–. Sácame.

Pero Zero niega con la cabeza.

–No hasta que puedas hacer lo mismo conmigo –me contesta. Cierro los puños con fuerza a medida que mi miedo comienza a transformarse en ira.

–No lo repetiré.

–Yo tampoco –se queda parado frente a mí, frío e impenetrable–. Busca en tus Recuerdos. Abre el cubo.

Todo a mi alrededor parece tornarse borroso, como si estuviera girando en un círculo vertiginoso. Trato de concentrarme, pero luego, el antiguo reloj que se encuentra al final del pasillo comienza a sonar, provocando que una voz en la cocina llame mi atención.

Mi corazón se acelera. Estoy de regreso en ese horrible lugar. Tengo catorce años, el reloj marca las dos de la mañana y estoy en el pasillo, con mis tenis y una mochila, temblando por el sonido.

Olvido que estoy aprendiendo un truco nuevo. En cambio,

me alejo de Zero y comienzo a correr lo más rápido posible. Mis pies se traban con la alfombra y tropiezo de la misma forma en que lo hice esa noche. Luego, salgo del pasillo e ingreso a la habitación del frente, en donde la entrada principal me acecha, detenidamente.

–¡*Ey*!

Un grito me hace voltear. Es Chloe, una de mis antiguas compañeras de cuarto. Tiene los ojos sobre mi mochila y mis zapatos y me señala con un dedo.

–¡Señora Devitt! –grita, levantando la voz, inundando la casa entera–. ¡Emika está escapando!

No sé si es porque estoy dentro de mi propio Recuerdo, pero mi cuerpo hace exactamente lo mismo que hice esa noche. Paso por la cocina corriendo con la mirada fija sobre la puerta principal. Siento como si tuviera los pies atrapados en lodo.

Luego, la voz de Zero regresa, pero ya no me importa lo que quiere. Lo único que necesito hacer es salir de aquí. Si me atrapan, estoy muerta. Al llegar a la puerta, comienzo a correr.

Algo me derriba por detrás. Es Chloe, quien de pronto me sujeta del cabello y la garganta. Ambas caemos sobre el suelo. La pateo a ciegas, con toda la violencia posible. Las luces de la habitación más lejana se encienden. Despertamos a los demás.

Logro hacer que mi zapato se encuentre con el rostro de Chloe con bastante fuerza. Deja salir un pequeño quejido y me suelta.

–¡Pequeña *zorra*! –escupe y me sujeta nuevamente.

Me las arreglo para soltarme, ponerme de pie y marcharme por la puerta hacia la noche de tormenta.

El césped está tan resbaladizo que casi me caigo, pero recobro la compostura justo a tiempo. El portón encadenado se encuentra justo frente a mí. Choco contra este al mismo tiempo que comprendo que está cerrado por un enorme candado. El pánico comienza a apoderarse de mí. Mis manos se aferran al enrejado y me preparo para pasar por encima, sin prestarle mucha atención cuando uno de los bordes afilados de metal me deja una línea roja en los dedos.

Me desplomo al otro lado de la reja, fuera de la propiedad del hogar de crianza. *Levántate. No puedes estar aquí, te atraparán*. Detrás de mí, alguien emerge desde el interior de la casa. El haz de luz de una linterna se mueve desde el pórtico, seguido de gritos distantes entre la lluvia.

Me pongo de pie y me marcho a toda prisa por la calle. No estoy segura de si estoy llorando en la vida real o si es otro producto del recuerdo. Lo único que sé es que finalmente logro esconderme bajo la entrada de una puerta, en donde casi puedo sentir la textura de las vetas húmedas de la madera al colocar las manos a cada lado de la puerta en un intento de calmarme. Mis dedos se tuercen, ocasionando que las uñas se entierren dentro de la pintura desgastada de la madera.

Zero aparece en la acera frente a mí. Antes de poder pensar en el siguiente paso, se acerca hacia mí a una velocidad imposible.

Todos los reflejos de cazadora se activan en ese instante. Me quito del camino y levanto los brazos para cubrirme el rostro al notar que arremete contra mí. Me sujeta por el cuello antes de poder escapar y me arroja al suelo, en donde se acerca a mi rostro.

–Cálmate y piensa –me dice, furioso.

La intensidad del Recuerdo vacila con sus palabras atravesando mi pánico. Esto no es real; no estás de nuevo aquí. *Estás jugando en el Dark World, dentro de un fantasma del pasado.*

¿Cómo te atreves? Me abarca un ataque de ira, forzándome a concentrarme solo en Zero. Ha irrumpido en mi mente, ha violado mi privacidad una vez más. *El cubo. Su engaño.* Me quedo mirándolo y tomo el código nuevamente. Esta vez, miro dentro de mi Recuerdo.

Allí. Incluso puedo *ver* lo que ha hecho; hay un archivo adicional en mi cuenta que no debería estar allí, un archivo de acceso que el cubo ha plantado de alguna forma.

Abro el archivo que descargó en mí para entablar una conexión oculta entre nosotros, una puerta que abrió para mantenerme enlazada a él.

Un anillo de archivos aparece alrededor de Zero, cada uno como una puerta enorme con vista a otro mundo al otro lado. Ventanas a la mente de Zero. Estoy adentro.

No quiero esperar a que reaccione. Por lo que tomo la puerta más cercana, aguanto la respiración y dejo que su mente cubra todo a nuestro alrededor.

La noche tormentosa se desvanece; al igual que la calle

oscura y la casa de crianza detrás de la cerca encadenada al otro lado del camino. Nueva York desaparece.

En cambio, ahora me encuentro sobre un piso alfombrado en un lugar extraño. Al mirar hacia arriba, veo lo que parece ser una habitación. Hay alguien sentado en un rincón, acurrucado contra la pared. *Estoy dentro de los recuerdos de Zero.*

La persona en el rincón de la habitación comienza a moverse.

Es un joven muchacho con los brazos sobre sus rodillas. Sus muñecas lucen escuálidas con un suéter blanco que le queda grande y, al mirarlo más de cerca, noto que tiene un símbolo tramado en la parte superior de la manga izquierda. No es una marca que haya visto asociada con Zero o los Blackcoats, ni siquiera algo que pueda reconocer. No logro ver su rostro en la oscuridad, pero mis ojos se centran en una bufanda gruesa que tiene alrededor de su cuello. Una bufanda azul.

La misma que Hideo le había dado a Sasuke el día que desapareció.

La vista me deja tan perpleja que me quedo quieta enseguida, congelada en el lugar. Permanezco así tanto tiempo que, cuando parpadeo nuevamente, la figura ya no se encuentra allí y aparece Zero delante de mí. Levanta la mano y me toma por el brazo antes de poder marcharme. Su mano se cierra alrededor de mi muñeca y, de pronto, siento que estoy cayendo, paralizada. Trato de poner a mi yo virtual de pie nuevamente, pero es como si hubiera dejado de responder por completo. Lo único que puedo ver es a Zero parado sobre mí, con su armadura oscura reflejando la poca luz de la habitación del niño, antes de que todo se desvanezca en la oscuridad.

La Guarida del Pirata regresa a la vista. Los espectadores a nuestro alrededor están completamente fuera de sí, gritándose los unos a los otros a medida que las apuestas pasan de un lado a otro, haciendo cambiar salvajemente los números que llevan sobre sus cabezas. Parpadeo, confundida y perdida. En una pantalla flotante, veo la repetición del último momento del Duelo. Veo el momento en el que Zero me golpea con su poder de Rayo, haciéndome colapsar sobre uno de los arcos de cristal. Zero camina hacia mí. Por mi parte, comienzo a correr sobre el arco y noto que mis gestos frenéticos son los mismos que hice al correr por el pasillo en el recuerdo de mi hogar de crianza. Me veo peleando contra Zero; el instante exacto en el que logré adentrarme en su Recuerdo; solo para que Zero me paralizara al sujetarme de la muñeca con otro de sus poderes.

Toma mi Emblema.

Ninguna persona en la audiencia vio mi Recuerdo o el de Zero. Nadie tiene idea de lo que acaba de ocurrir, de que Zero accedió a mi mente o de que yo ingresé a la suya. Lo único que presenciaron fue el reflejo de nuestros movimientos en el mundo del Duelo. No oyeron ninguna de las cosas que Zero me dijo. Todo ocurrió por medio de nuestra conexión, al igual que mis palabras hacia él.

Algunos de los espectadores se ríen disimuladamente de

mí, pero otros parecen impresionados por la manera en la que jugué. Les hago un gesto con la cabeza, como si aún estuviera en trance. Zero se para a mi lado. Al mirarme, el brazalete negro que tenía alrededor de mi muñeca reaparece.

–Buen trabajo –me dice Zero.

Y luego el barco se desvanece, regresándome abruptamente al mundo real, exhausta en la habitación del hotel frente a Zero. Lleva puesto un traje negro en su cuerpo real, con sus ojos fríos todavía estudiándome como si fuera una especie de escultura.

El Duelo terminó.

Apenas puedo recordar a los dragones y nuestra breve pelea. Lo único en lo que puedo pensar es en que él hizo resurgir uno de los peores momentos de mi vida. Me forzó a revivir cada horrible segundo. Utilizó una de mis más grandes debilidades –mi pasado– en mi contra. De pronto, una sensación de ira se apodera de mí hasta lo más profundo de mi ser. Nada me importa. Lo único que quiero hacer es lastimarlo.

Arremeto contra él dentro de la habitación.

Pero Zero me esquiva como una sombra. Tropiezo, dando manotazos al aire antes de caer sobre mis rodillas. Nuevamente, me levanto y embisto contra él, pero me evade con tanta sutileza, que pareciera que está jugando conmigo.

–No lo haría si fuera tú –me advierte, con sus ojos brillantes.

Me apoyo contra el escritorio en la habitación y lo miro con cautela.

–Tu Recuerdo –musito, tratando de normalizar la respiración–. ¿Qué estaba ocurriendo allí? ¿Fue cuando desapareciste? El símbolo en tu manga…

–… es un Recuerdo al que no tenía intención de darte acceso –me interrumpe con su voz escalofriante aún distante. Se lleva las manos a los bolsillos–. Lo que ocurre es que fuiste capaz de atravesar la vulnerabilidad expuesta en nuestra conexión de la misma manera en la que yo utilicé el cubo para ingresar a tu mente –me dedica una mirada seria–. Ese es tu pase de entrada. Pero cuidado con cómo lo usas. Estar dentro de una mente que no es la tuya significa que la defensa del otro estará constantemente buscándote. Cuando te sujeté por la muñeca, era mi mente entendiendo que no se suponía que tú estuvieras allí, por lo cual te sacó por completo. Significa que no podrás ingresar nuevamente.

–Pero ¿qué era esa habitación? ¿Dónde estabas? –lo presioné.

–¿Y *tú* hacia dónde estabas tratando de escapar? –me retruca con una dureza repentina en su voz. Esboza una pequeña sonrisa–. Escapaste de mí como si no pudieras ver nada más allá del miedo en tu Recuerdo. Como si no quisieras pasar otro segundo más en esa casa.

Cerré los ojos y luché contra la enorme marea de resistencia concibiéndose en mi pecho.

–Está bien, está bien –suelto repentinamente, cruzando los brazos frente a mí–. Entiendo. No me preguntes y no te preguntaré.

Me estudia con una mirada curiosa pero decide no hacer la pregunta. Levanta el cubo destellante entre nosotros, la llave de su trampa.

–Para ti –dice, y la tomo para guardarla entre mis archivos. Mis palmas se sienten sudadas y húmedas.

–Tendrás toda la libertad que tenías antes de conocernos –agrega Zero–. Si necesitas equipamiento, házmelo saber. Jax mencionó que perdiste tu patineta durante tu escape. Haré que te envíen una nueva. Mantenme al tanto de cómo van las cosas entre tú y Hideo.

Asiento sin decir una palabra. La idea de invadir los recuerdos de Hideo de la forma en que Zero lo hizo con los míos me hace sentir mareada. Pero no se compara con nada de lo que está causando con el NeuroLink, y de una manera mucho peor.

Zero se detiene en la puerta por un momento. Al mirarme sobre su hombro, hay algo en sus ojos, algo frío, como si hubiera tocado una fibra muy profunda dentro de él.

–No sabía qué Recuerdo tuyo aparecería –dice finalmente.

Es casi como una disculpa. No sé qué hacer con eso. Lo único que me sale es quedarme parada, quieta, buscando las palabras correctas en mi afán de no dejar que mi mente regrese a la noche de mi escape y al miedo de estar acurrucada junto a esa puerta.

Es un momento extraño. Casi como si hubiera bajado la guardia para revelar un dejo de su interior opaco. Pero solo dura unos segundos. Se marcha de la habitación, dejándome sola con mis preguntas interminables.

Pienso en el pequeño Sasuke acurrucado en el rincón. La bufanda azul que le había dado su hermano, al que no parece recordar con cariño, enroscada desesperadamente alrededor de su cuello, aferrado a ella como si fuera todo lo que le queda del mundo. Sobre todo, mi mente se detiene en la imagen del misterioso símbolo bordado en su suéter. Tomo la imagen y la dejo flotar frente a mí.

¿Por qué me permitió ver un Recuerdo tan personal? ¿Por qué me resultó tan fácil acceder a este? Pudo haber sido un error aleatorio, al igual que yo, que tampoco tuve la intención de que viera el mío. Pero Zero es uno de los hackers más poderosos que jamás conocí. ¿Cómo podía ser tan descuidado como para exponer ante mí un momento tan sentimental de su pasado? Me quedo parada allí en silencio, tratando de encontrar una explicación.

¿Por qué el nombre de Hideo no significa nada para ti? ¿Quién te secuestró? ¿Qué significa ese símbolo?

¿Qué te ocurrió?

NUEVE

Fiel a su palabra, Zero me envió una nueva patineta al cabo de unas horas. Es completamente negra, desde la tabla hasta las ruedas y tornillos. La pruebo con inseguridad para acostumbrarme a su peso y tracción. Debería ser buena para usarla de noche.

Me quedo en la habitación del hotel hasta que oscurece afuera, inspeccionando cada rincón de las paredes en busca de alguna cámara oculta o algún otro tipo de dispositivo de vigilancia. Luego, reviso rápidamente el estado de mi cuenta, en caso de que Zero haya instalado alguna especie de rastreador en mi sistema cuando me entregó el brazalete negro.

Para mi sorpresa, no encuentro nada. Quizás Zero y Taylor hablaban en serio con respecto a darme privacidad.

Desde el balcón, puedo ver las calles revestidas de plateado y azul abajo, estableciendo la lealtad de la zona con el equipo de los Dragones de Invierno. El hotel se encuentra en algún lugar en medio de Omotesando, un distrito lujoso y reluciente, lleno de tiendas ostentosas en medio de una arquitectura grandilocuente. Cada árbol se encuentra envuelto en luces plateadas y azules. Los bolsos y zapatos en los escaparates de las tiendas ostentan joyas de los Jinetes de Fénix y del equipo Andrómeda, en honor a la final. Desde mi llegada, otros dos jugadores estrella han sido anunciados para la ceremonia de cierre, y ahora sus imágenes aparecen en cada vitrina de Prada y Dior.

SHAHIRA BOULOUS de TURQUÍA | ANDRÓMEDA
ROSHAN AHMADI del REINO UNIDO | JINETES DE FÉNIX

Pienso en que Jax me trajo aquí inconsciente. Ahora los Blackcoats están dejándome salir por una puerta sin vigilancia y completamente consciente.

No puedo creerlo. Podría simplemente retractarme de lo que les había dicho. Pero no hay mucho que pueda hacerles en este punto, no sé de dónde son ni nada incriminador sobre ellos.

Entrar a la mente de Hideo. Eso era lo que me estaban pidiendo. Miro hacia el Tokio Dome, en donde las insignias de los Jinetes de Fénix y del equipo Andrómeda flotan sobre el cielo nocturno por encima del estadio, con un temporizador que hará la cuenta regresiva durante las siguientes veinticuatro horas hasta el comienzo del juego. Hideo estará durante la revancha mañana.

Mis pensamientos regresan hacia Zero. Había intentado investigar algo sobre el símbolo en la manga de Sasuke, pero no encontré nada. No pertenece a ninguna corporación que haya escuchado antes, ni siquiera guarda semejanza con algo que me pueda dar una pista de lo que es. Es simplemente una serie de polígonos entrelazados entre sí, tan abstracto como parece.

En silencio, llamo a Tremaine.

Atiende casi de inmediato.

–¡Ey! –grita en mi oído tan fuerte que me provoca una mueca de dolor. Un instante después, su figura virtual aparece, y lo veo caminando sobre una calle iluminada con una multitud a su alrededor; lleva las manos en los bolsillos.

–Más bajo –le contesto–. Te oigo bien.

–¿En dónde rayos estás? –pregunta, mirándome con los ojos entrecerrados, mientras trata de identificar dónde estoy–. ¿Te encuentras bien? Los Jinetes están poniéndose como locos por tu paradero. Roshan incluso me llamó para preguntarme si sabía algo.

–¿Dónde estás? –le pregunto.

–En algún lugar en Roppongi. ¿Dónde estás *tú*? He estado tratando de rastrearte.

Su voz apresurada hace que mi mente dé vueltas.

–Omotesando. No me rastrees. Es demasiado peligroso. Yo me encontraré contigo.

–¿A qué te refieres con que es demasiado peligroso? Me enteré de los disparos en Shinjuku hace unos días. Estaba en todos los noticiarios, dijeron que un loco comenzó a disparar. Es algo muy extraño que ocurra en Japón, incluso en Kabukichõ. Dos personas fueron asesinadas. Pensé que una de ellas podrías haber sido tú. ¿Qué ocurrió?

Parecía como si hubieran pasado años desde la última vez que hablé con ellos en el bar. Me muerdo el labio.

–Estoy bien –le contesto–. Es una larga historia. Te la contaré cuando te vea –intento mantener la voz baja–. Pero primero, necesito que busques algo por mí.

Antes de que Tremaine pueda responderme, le envío una captura de pantalla del joven Sasuke en la habitación.

Su voz desconcertada de inmediato se torna curiosa.

–¿Quién es?

–Sasuke Tanaka, aparentemente, cuando era joven. ¿Ves ese símbolo en su manga?

–Sí. ¿Qué es?

–No tengo idea. Con eso necesito ayuda.

–¿Ya buscaste algo?

–Sí. Pero no encontré nada.

Tremaine hace una pausa, lo cual me hace pensar que está estudiando el símbolo con detenimiento, tratando de encontrar alguna relación.

–Mmm –murmura en voz baja–. Yo tampoco encuentro nada, al menos no en el primer intento. Pero creo que conozco a alguien que puede ayudarnos. ¿De dónde obtuviste esa captura?

–Es parte de la larga historia –miro desde mi balcón hacia los íconos destellantes sobre el paisaje de Tokio–. Mañana por la noche, luego de la revancha. Juntémonos con los demás y les contaré lo que sé.

–Con suerte, tendré algo para ese entonces –asiente y nos desconectamos.

La paranoia me golpea de inmediato. ¿Qué tal si Zero oyó mi conversación con Tremaine? No he olvidado lo que me ocurrió la última vez que estuve en público sola hace algunos días. Ahora estoy sentada en la seguridad de una habitación de hotel, pero aun así la sensación de que alguien puede aparecer en cualquier momento sigue presente.

Concéntrate.

Estoy a punto de realizar otra llamada, esta vez a los Jinetes de Fénix, cuando un movimiento cerca de mi balcón me hace congelar. Asomo la cabeza, alerta, hasta que veo a alguien aparecer por el balcón de la habitación de Jax junto a la mía.

Es Zero.

El resplandor de la ciudad contornea su forma con una luz tenue. Se queda mirando el paisaje por un momento, mueve los ojos lentamente hacia mi habitación. Quiero mirar hacia otro lado, en caso de que me vea observándolo.

Una voz lo llama y Zero voltea para encontrarse con Jax en el balcón. Aguanto la respiración al notar cómo ella se detiene frente a él. Está jugueteando con su arma otra vez, de la misma forma en que lo hizo cuando estaba conmigo, sacándole el cartucho y colocándole uno nuevo con movimientos sutiles y eficientes. Parece como si fuera algo que la tranquiliza.

Los sigo mirando y noto que Jax da un paso hacia Zero, casi tocándolo, y le dice algo que no logro discernir con claridad.

Algo hace que su expresión sea más apacible. Se inclina hacia ella y cierra los ojos, y luego le susurra algo al oído. Sea lo que sea, hace que ella gire levemente hacia él. No se tocan. Lo único que hacen es permanecer en esa posición, encerrados en un abrazo sutil, compartiendo algo que me hace pensar en la forma en que Hideo solía acercarme hacia él.

Zero la sigue de regreso hacia adentro y, así, ambos desaparecen.

Recobro la respiración y noto que estoy un poco sonrojada por la escena. Es innegable que existe algo entre ambos.

Momentos después, oigo un chasquido en su puerta. No sé a dónde sea que vaya, pero que lo haya hecho me da una cierta sensación de alivio. Quizás Zero se marchó con ella. O quizás está sola, *observándome*. Después de todo, Zero me dijo que ella estaría cuidando de mí.

Respiro hondo y envío una invitación grupal a los Jinetes de Fénix.

Asher es quien se conecta primero y, casi de inmediato, lo hacen los demás. Se encuentran en la casa de Asher, no hay dudas de que se están preparando para el juego de mañana. Suelta un suspiro largo al verme, mientras que Hammie maldice y se cruza de brazos.

–Ya era hora –grita.

–Estábamos a punto de reportarte como desaparecida a la policía –agrega Asher con una de sus manos golpeando el apoyabrazos de su silla de ruedas–, aunque eso pondría en alerta a Hideo.

–Lo explicaré todo –digo en voz baja–. Pero primero, necesito un favor.

–¿Qué es? –pregunta Roshan.

–¿A qué hora irán al Tokio Dome mañana?

–Cerca del atardecer. Henka Games enviará autos para que nos pasen a buscar. ¿Por qué?

–Necesito estar en el domo con ustedes –les comento–, en las áreas restringidas, en donde solo tienen acceso los jugadores. Necesito tener acceso a Hideo.

–¿Qué ocurre? –pregunta Hammie–. Es por Zero, ¿no es así?

Miro por el balcón nuevamente, deambulando la vista por el lugar vacío en el que Zero y Jax se encontraban hace un momento.

–Sí –ante mi respuesta, Hammie se cruza de brazos y cierra los ojos rápidamente.

–Está bien, quiero creer que en verdad no lo contactaste.

–No lo hice. Él me contactó a mí –digo con voz temblorosa–. Me salvó de unos asesinos que estaban cazándome.

–*¿Qué?* –los ojos de Hammie se abren cada vez más al oír eso, mientras que Roshan se inclina hacia delante, maldiciendo con palabras raras en voz baja.

–Deberías habernos dicho –me recrimina.

Decido no mencionar mi llamada accidental a Hideo.

–Estoy bien –les contesto–. Y sí, me hizo una oferta. Es demasiado para explicar ahora. Pero escuchen, si hablan en serio sobre lo que quieren que haga, necesitaré de su ayuda.

DIEZ

Cuatro días para la ceremonia de cierre de Warcross

En la historia de los campeonatos de Warcross, nunca ha habido una revancha de este tipo, razón por la cual, a solo horas de que comience el juego, nadie sabe cómo celebrarla.

Los distritos de Tokio, anteriormente iluminados con los colores del equipo favorito de cada vecindario, ahora están recubiertos de rojo y dorado, o azul y plateado. Algunas imágenes de la primera final se repiten a cada lado de los rascacielos. Paso una exposición de autos de alta gama sobre una de las calles: Lamborghini, Bugatti, Porsche, Luminatii X (el auto eléctrico más rápido en el mercado), cada uno con luces de neón azul o rojas bajo sus puertas, con llantas decoradas con los colores de los equipos de la competencia. A través del NeuroLink, los vehículos toman formas que parecen imposibles: autos con alas virtuales; autos que dejan rastros de llamas por detrás. Habían aparecido durante la primera final; ahora, con la revancha, reaparecen, igual que los conductores discutiendo en las calles.

Algunos vendedores de sombreros, camisetas, estatuillas y llaveros vuelven a sacar todas las sobras de la primera final. Sus rostros se van tornando más demacrados y estresados conforme se quedan sin mercadería y luchan por conseguir más. Veo algunas estatuillas de mí en venta, con mi cabello arcoíris pintado con gradientes de colores. Es una imagen surreal.

De pronto, ocho rayos láser pasan por encima a una velocidad increíble, dejando líneas como arcoíris en medio del aire que causan que toda la multitud abajo grite sorprendida. *Carrera de drones*, pienso. Al igual que las carreras callejeras de autos, son completamente ilegales; estos participantes deben estar aún con los lentes beta. En el pasado, he perseguido a varios corredores de drones en el Dark World y liberado su información a la policía. Los corredores deben sentirse bastante audaces esta noche, ya que, con la policía ocupándose de la seguridad durante la revancha y de las riñas entre los fans rivales, esta es su oportunidad para alardear.

La gente que me cruzo en la calle discute fervientemente

a favor de uno u otro equipo; grupos enteros de fans vestidos con los uniformes de cada equipo se enfrentan en las esquinas, algunos de ellos gritando. Algunos de esos abucheos están dirigidos a mí por grupos de fans del equipo Andrómeda.

–¿Por qué estás vestida como la tramposa? –grita uno. Casi de inmediato, un simpatizante de los Jinetes de Fénix le responde.

–¡Emika Chen por siempre!

Simplemente mantengo la cabeza baja, concentrada en andar en mi patineta por la calle. Por lo menos hay otras chicas que están vestidas con alguna versión de Emika Chen y nadie parece interesado en mirarme a mí por mucho tiempo. Además, si lo que Zero dice es verdad, significa que ya no soy un objetivo para los cazadores y asesinos que trataban de capturarme. Quizás Jax me está cuidando desde algún lugar, aunque no pueda verla.

Para cuando me encuentro cerca del parque de atracciones del Tokio Dome, algunos de mis nervios se desvanecen, lo cual me hace sentir más como yo misma al hacer un giro suave para subirme a la acera.

Recibo una invitación de Hammie. La acepto y su imagen virtual aparece a mi lado, tan real como la realidad. Su cabello tiene cientos de trenzas esta noche, con algunos mechones dorados y escarlatas sobre este, acompañando sus párpados recubiertos con purpurina. Luego de dos días con los Blackcoats, estoy tan feliz de verla que incluso intento darle un abrazo a su proyección.

–Ya estás lista –le comento, y Hammie pone los ojos en blanco.

–Si alguien más me toca el cabello, le voy a patear el rostro –señala hacia la parte trasera del domo–. Ese es el túnel por el que nos llevan –agrega–, aunque no habrá ningún guardia o aficionado. Espera mi señal.

Una línea dorada aparece en mi visor, guiándome por el camino que ella quiere que tome. Asiento una vez y me dirijo en la dirección correcta.

Pronto, me acerco lo suficiente al complejo de entretenimiento del domo para ver los retratos enormes de cada jugador de esta noche flotando sobre cada poste de luz. El complejo en general, la Villa del Tokio Dome, está abarrotada de gente, al igual que durante la temporada regular del campeonato. Las atracciones del parque de diversiones están iluminadas con diferentes colores, y en mis lentes aparece un selector de distintos temas del parque. Al seleccionar la opción *Fantasía*, el parque entero se transforma en un reino medieval, en el cual el domo se convierte en un castillo enorme. Si selecciono *Espacio*, todo el parque cambia nuevamente hacia una estación futurista en otro planeta con anillos gigantes que atraviesan el cielo nocturno.

Desciendo de la patineta y camino hacia el complejo para unirme a la multitud. Al menos es fácil perderse entre la gente. Todo el mundo está reunido frente a las montañas rusas y tiendas, ignorándome por completo. Me deslizo entre ellos sin dejar rastro alguno.

Hileras de personas se encuentran amontonadas cerca de la entrada, esperando registrar su ingreso al estadio. Las líneas doradas giran bruscamente, rodeándolos. Las sigo hasta que paso la entrada principal atestada de fans. Sin hacerse esperar, las puertas negras aparecen a la vista, fuertemente valladas y llenas de guardias. Hileras de autos negros esperan a que la partida termine. Si bien el juego de esta noche es solo entre los Jinetes de Fénix y el equipo Andrómeda, todos los demás equipos también están aquí para presenciar la revancha. Hordas de fans se apoyan contra las vallas, esperando ser de los primeros en ver a los equipos cuando salgan.

–Aquí –le murmuro a Hammie para enviarle un mensaje.

–Te veo –me contesta–. Cuando diga *ahora*, treparás por la valla de la izquierda que está más cerca de la puerta.

Y al terminar de decir eso, desaparece.

Unos minutos más tarde, una conmoción bastante ferviente comienza a desarrollarse frente a la valla más cercana a la puerta negra. Asher aparece con Hammie y Roshan acompañándolo a cada lado, con sus sonrisas profesionales y las manos en alto para saludar. Por detrás, aparecen Jackie Nguyen y Brennar Lyons, los reemplazos para Ren y para mí. Hammie se encuentra vestida con el rojo escarlata de los Jinetes de Fénix, con un uniforme que se ajusta a sus curvas y esa pequeña sonrisa tan peculiar sobre su rostro. Asher se encuentra sentado sobre una silla de ruedas de diseño negra y dorada, y Roshan se ve muy elegante con sus rizos oscuros cuidadosamente peinados y su atuendo impecable.

Los fans estallan en gritos y alaridos; una horda de flashes envuelve a todo el equipo. La gente se amontona frente a la valla más cercana, haciendo que la seguridad se apresure a contenerlos.

Su aparición sorpresa me hace sonreír. Perfecto. Por encima de los gritos de la multitud, Hammie me envía un mensaje rápido.

–Ahora.

Mientras los miembros de seguridad se esfuerzan por mantener a los fans de un lado, me escabullo hacia el otro lado, en dirección a la puerta. Algunos otros intentan seguirme; entonces Hammie señala exageradamente a los pocos fans que intentan acercarse a la barricada. Un grupo de guardias se apresuran para interceptarlos, pero logro desaparecer por la entrada oscura.

Lo único que puedo ver son siluetas azules tenues. El pasillo me trae cierta nostalgia, el recuerdo de ser escoltada hacia el estadio por un grupo de guardaespaldas, con el corazón bombeando por la ansiedad del Wardraft. No ha pasado mucho tiempo, pero se siente como una eternidad.

–Ash –le escribo mientras avanzo por el corredor–. ¿Puedes asegurarte de que las cámaras en el camerino de los Jinetes de Fénix estén desactivadas?

Antes de cada juego, los Jinetes esperan en una habitación elegante con vista hacia el enorme estadio.

–Listo. Igualmente, ten cuidado en el pasillo que lleva a nuestra habitación. Han instalado algunas cámaras nuevas allí y no pudimos acceder a ninguna de ellas.

–Enterada –me oculto aún más detrás de mi capucha.

–Nos encontramos luego –me envía una dirección–. Hablaremos.

Finalmente, llego al camerino vacío de los Jinetes y cierro la puerta detrás de mí. El silencio aquí se ve interrumpido por el alboroto que viene desde abajo, en donde cincuenta mil fans alientan a la par del último éxito del grupo BTS que suena a todo volumen por los parlantes. Me quedo parada frente a la ventana, sintiéndome por un segundo como si hubiera regresado en el tiempo al momento en el que aún era jugadora. El estadio está completamente lleno, cada vez hay más gente sentándose en sus asientos con cada segundo que pasa. Un presentador está haciendo un resumen de la final original mientras muestran hologramas en 3D de aquel suceso.

Se enciende una luz sobre la puerta de la habitación, invitando a los jugadores a que se dirijan al centro de la arena de juego. Los comentaristas ubicados en la parte superior emiten sus debates, predicen qué equipo tiene más posibilidades de ganar.

Mi atención se centra en el palco privado de vidrio ubicado en el otro extremo del estadio. Allí puedo ver a varias personas moviéndose; identifico a Hideo, Mari y Kenn.

En la base, los primeros miembros del equipo Andrómeda comienzan a salir hacia el centro de la arena. Los gritos de la multitud suenan cada vez más fuerte.

–Buena suerte –digo en voz baja al notar que mi equipo también aparece en el campo de juego. Mi atención se detiene por más tiempo en sus atuendos elegantes. Incluso después de todo, la energía de este espacio abarca cada centímetro de mi cuerpo, y no me hace querer otra cosa más que estar allí abajo con ellos, embebiéndome de los aplausos del mundo y preguntándome en qué nuevo reino fantástico me encontraré. Quiero sentir ese entusiasmo de nuevo, desde lo más profundo de mi corazón. Antes de que todo se tornara tan complicado.

Muevo la cabeza de lado a lado, tomo asiento y levanto un mapa con todas las cámaras de seguridad del domo.

En este lugar hay más seguridad de la que he visto en otros sitios; mínimo, dos o tres cámaras por habitación. Parece que agregaron más barreras de seguridad desde que descubrieron la brecha que casi provoca la muerte de Hideo. *Cuando Jax casi asesina a Hideo*, me recuerdo a mí misma, y una sensación de escalofríos me recorre el cuerpo.

El presentador termina de introducir a cada jugador. Las luces del estadio disminuyen, dejando solo a los equipos iluminados en el centro de la arena, en donde aparece un holograma que muestra el mundo en el que todos estarán inmersos. Se trata de un mapa en algún lugar en el cielo, rodeado de nubes en todas direcciones y con algunas cimas de montañas con torres en la cumbre, conectadas entre sí por puentes angostos de cuerda.

–*Bienvenidos al "Reino del cielo"* –una voz familiar y omnipresente retumba por todo el estadio. La audiencia suelta un grito ensordecedor de aprobación.

Dejo de lado la arena por un momento y comienzo a pasar por las diferentes cámaras de seguridad en silencio hasta llegar a las que se encuentran dentro del palco privado de Hideo. La protección de esas cámaras es bastante fuerte, por lo que no estoy segura de poder alterar nada de lo que estas vean. Si el sector de seguridad se entera de que estoy aquí y se percatan de que no soy una de los Jinetes de Fénix, comenzarán a hacer muchas preguntas.

Pero nada me impide acercar la imagen de la cámara de vigilancia dentro del palco de Hideo para seguir la transmisión que el guardia de seguridad a cargo puede ver. Encuentro su perfil y hago mi entrada.

Las imágenes de cada cámara de seguridad en el domo me rodean. Me muevo entre ellas hasta que encuentro las del palco de Hideo y acerco la imagen de la que se encuentra en el centro de la habitación.

De pronto, pareciera que estoy flotando en el techo, mirándolos como un fantasma.

Y así, me veo inmersa en una conversación que me hace retorcer del miedo.

ONCE

Kenn mantiene los brazos cruzados con firmeza y el ceño fruncido mientras le habla a Hideo.

–Pero no hay prueba de ello –le reclama. Mari suelta un suspiro exasperado.

–Kenn, no estamos aquí para lanzar un producto sin terminar –su japonés se traduce rápidamente en mi visión–. Necesitamos verificar si esto es causado por el algoritmo.

Tomo aire, sorprendida. Entonces Hideo no se guardó toda la información para sí mismo; Mari y Kenn también están al tanto del algoritmo. No solo eso, sino que suenan como si estuvieran activamente involucrados para ponerlo en práctica.

Pero ¿de qué está hablando Mari? ¿Qué piensa que está haciendo el algoritmo?

–Los suicidios pueden tener cualquier otra razón –agrega Kenn haciendo un gesto con su mano–. ¿Qué eres, una de esas legisladoras presumidas? Creen que pueden detener el progreso prohibiendo nuevas tecnologías en sus ciudades…

–No siempre están equivocados –interrumpe Mari–. Esto es algo serio. Si es nuestro error, debemos repararlo de inmediato.

¿Suicidios? Recuerdo la cinta policial que rodeaba aquella manzana en Kabukichõ. Deben estar hablando de los criminales que han estado cometiendo suicidio alrededor del mundo. *Proxenetas convictos que cometen suicidio*, había dicho. Pero eso sonaba como algo que el algoritmo estaba destinado a causar desde el principio.

–Solo espera algunos meses –agrega Kenn–. Todo se tranquilizará.

Mis ojos se posicionan sobre Hideo, quien aún no ha dicho una palabra. Luce bastante sereno, reclinado sobre su asiento y observando a cada uno de sus colegas. Pero al mirar su rostro con mayor detenimiento, noto que está bastante triste.

–El propósito principal del algoritmo es proteger a la gente, hacer que esté más segura –insiste Mari–. No se supone que cause que los usuarios se quiten la vida.

–¡Esto es absurdo! –exclama Kenn, levantando las manos en el aire, riendo–. *No* hay evidencia. ¿En verdad insinúas que el algoritmo está haciendo que la gente normal, inocente, cometa suicidio?

Se me congela la sangre al oír sus palabras. Me quedo rígida en mi silla. El algoritmo puede estar causando las muertes de miles de inocentes ahora mismo.

–¡Mira estos números! –le replica Mari haciendo un ademán con su mano para desplegar un gráfico frente a ellos. Me quedo mirando horrorizada. La curva del gráfico luce exponencial, muestra un incremento inquietante–. El número de suicidios alrededor del mundo se ha incrementado desde el día en el que se lanzó el algoritmo. No todos tienen antecedentes criminales.

–Puras tonterías –dice Kenn, encogiéndose de hombros con una actitud despectiva–. ¿Por qué rayos los suicidios alrededor del mundo estarían conectados con nosotros? Estoy seguro de que si alguno de esos suicidios *está* relacionado con el algoritmo, es porque esas personas son culpables de algo.

Se encoge de hombros nuevamente, restándole importancia al asunto. Es el mismo gesto que hizo una vez cuando lo conocí a él y a su equipo por primera vez; excepto que esta vez no está disculpándose por la cortesía distante de Hideo. Ahora está menospreciando las consecuencias funestas del algoritmo.

Me quedo mirando el rostro de Kenn, recordando la forma en que sus ojos destellaban de entusiasmo cada vez que hablaba con él. ¿Es el mismo hombre que solía escribirme preocupado por el bienestar de Hideo o insistirme sobre su terquedad? ¿Quien una vez me había pedido que vigilara a Hideo?

Retengo esa sonrisa cálida en mi memoria mientras trato de entender al hombre que está frente a mí. Está completamente iluminado por una luz que cuelga del techo, que llena su rostro con sombras amenazantes. No puedo entender su expresión.

Mari expone otro gráfico.

–Varios estudios han demostrado que existe una conexión entre quitarle a la gente su propósito de vida y un mayor riesgo de muerte. Si las personas no tienen nada a qué aferrarse, si sus motivaciones se ven alteradas, hay una mayor posibilidad de que cometan suicidio –se inclina hacia adelante para mirar a Kenn a los ojos–. Es *posible*. Debemos investigarlo.

–Ah, *vamos*. El algoritmo no está quitándole las ganas de *vivir* a la gente –se queja Kenn–. Solo las ganas de cometer crímenes.

–Pero puede que estemos ante una falla que dispare esa misma reacción –replica Mari y mira hacia su lado–. Hideo, *por favor*.

Hideo luce cansado, con la sombra debajo de sus ojos solo acentuada por la iluminación del recinto. Luego de una pausa, finalmente habla.

–Lo investigaremos –comenta–. De inmediato.

Mari esboza una sonrisa de satisfacción ante sus palabras mientras Kenn comienza a discutir. Hideo levanta una mano para silenciarlo.

–No toleraré tener una falla potencial en el algoritmo –explica, mirando a Kenn con desaprobación. Su mirada gira hacia Mari–. Pero el algoritmo seguirá funcionando. No lo pausaremos.

–Hideo… –comienza Mari.

–El algoritmo *seguirá funcionando* –la interrumpe de inmediato. Su respuesta fría deja a Mari y a Kenn estupefactos–. Hasta que tengamos evidencia que pruebe la teoría de Mari. Es definitivo.

Quiero gritarle. *¿Qué estás haciendo, Hideo?*

Kenn es el primero en romper el silencio.

–El gobierno de Noruega pregunta qué le gustaría a cambio de liberar algunas restricciones del algoritmo. Por su lado, los Emiratos Árabes quieren un lineamiento diferente que se adapte a los límites de legalidad de ese lugar. ¿Y ahora qué? ¿Les contarás que estamos investigando estos rumores?

–No hago esto para obtener favores –contesta Hideo.

Me quedo congelada. Hideo está organizando reuniones con varios líderes alrededor del mundo. El público no parece saber nada del algoritmo, o quizás están controlados para no querer saber, pero estos presidentes y diplomáticos sí parecen estar al tanto. La moralidad cambia de país en país. Todos querrán algo diferente de Hideo.

–Y sabes que los estadounidenses aterrizaron en la pista esta mañana, ¿verdad? –finaliza Kenn, mirando a Hideo.

–Pueden esperar.

–*Tú* ve y díselo a su presidente.

–Es un tonto –responde Hideo con frialdad, interrumpiéndolo–. Hará exactamente lo que le pida.

Mari y Kenn intercambian un suspiro de incertidumbre. Hideo ni siquiera ha levantado la voz al decir esas palabras, pero el poder en ellas es evidente. Si quisiera, podría controlar al presidente de los Estados Unidos con un simple comando en el algoritmo. Podría darle órdenes a cada líder estatal de cada nación desarrollada, de cada país en el mundo. A cualquiera que haya usado el NeuroLink.

A cualquiera, incluyendo a Kenn. Incluyendo a Mari. ¿Ellos también están usando los lentes beta? Seguro que sí; Kenn probablemente estaría un poco más preocupado por los suicidios si él mismo tuviera el riesgo de verse afectado. Pero si Hideo *optó* por darle el privilegio de utilizar únicamente los lentes beta, entonces ya está separando a sus favoritos.

Abajo en el estadio, el clamor explota entre la audiencia. Shahira, la capitana del equipo Andrómeda, acaba de dejar a Hammie girando sin control bajo las nubes, forzándola a desperdiciar un poder raro y preciado que acababa de recoger. Los comentaristas hablan rápido a través de los altavoces en todo el estadio.

Aparto la vista del juego.

El algoritmo se supone que debe ser neutral. Sin ninguna imperfección humana, más eficiente y riguroso que las leyes actuales. Pero ese siempre ha sido el sueño ridículo de Hideo. Apenas han pasado algunas semanas desde su activación y ya demuestra que el comportamiento humano ineficiente y enmarañado está complicando y corrompiendo su funcionamiento. ¿Qué tal si *en verdad* acepta hacer algunos de esos favores a ciertos países? ¿Lineamientos especiales? ¿Permisos exclusivos para la gente adinerada o figuras políticas? ¿Tomará ese camino?

¿Es siquiera posible que *no* lo haga?

–Hablaré con los estadounidenses –agrega Mari–. Los llevaré por un tour de los cuarteles y les mostraré algo de nuestro nuevo trabajo. Se distraerán con facilidad, al menos por unos días.

–*Unos días* –dice Kenn con ironía–. Tiempo suficiente para retrasar todo tipo de reacción en cadena.

Hideo le dedica una mirada penetrante a su amigo.

–¿Por qué tanto apuro?

–No estoy apurado –contesta Kenn a la defensiva–. Trato de ayudarte a concretar negocios de manera efectiva. Como sea necesario, quita de tu mente la idea de investigar estos rumores sin fundamento.

–No estamos aquí para implementar un sistema con fallas. Si Mari encuentra algo que sustente su teoría, detendremos el algoritmo.

Kenn mueve la cabeza de lado a lado y suspira con exasperación ante Hideo.

–Todo esto es por Emika, ¿cierto?

Parpadeo. ¿Yo? ¿Qué tengo que ver con todo esto?

Hideo parece tener la misma reacción, dado que levanta una ceja y frunce el ceño.

–¿En qué sentido?

–¿Necesitas que lo explique por ti? Bueno, déjame ver

–Kenn levanta un dedo–. Te marchaste en medio de una rueda de prensa porque un reportero te preguntó sobre Emika –levanta otro dedo–. Tus nudillos son un maldito desastre, literalmente, desde la última vez que hablaste con ella –levanta un tercer dedo–. ¿Ha pasado un simple día en el que no la hayas mencionado?

Mi rostro está completamente ruborizado. ¿Hideo me menciona todos los días?

–No estoy de humor, Kenn –musita Hideo.

Él se lleva las manos a sus bolsillos y se reclina sobre Hideo.

–Se suponía que estarías de acuerdo conmigo en esto, ¿recuerdas? Que este asunto de los suicidios era solo un rumor. Pero luego tuviste una sola conversación con Emika, me dices que no estás interesado en verla de nuevo; y ahora haces que Mari comience toda una nueva investigación.

Hideo frunce aún más el ceño, pero no lo niega.

–No es por ella.

–¿Ah, no? –retruca Kenn–. Para ser una muchacha que dices que no te importa, esa pequeña amateur de seguro te tiene atrapado.

–Suficiente –interrumpe Hideo para cortar la tensión entre ambos como un par de tijeras, y Kenn se detiene de inmediato, con las palabras que no dijo prácticamente flotando en el aire. Hideo lo mira fijo–. Esperaba que ambos pudiéramos hacer esto bien. Hasta ahora, creí que tenías los mismos estándares –le señala la puerta con la cabeza.

Al notar eso, Kenn queda levemente pálido.

–¿Me estás despidiendo?

–Bueno, definitivamente no estoy pidiéndote que bailes, ¿no crees?

Kenn resopla y se levanta de su silla, furioso.

–En la universidad también solías tener estas actitudes insoportables –musita–. Aparentemente, nada ha cambiado –mueve su mano de un lado a otro–. Haz lo que desees. Pero quiero que sepas que nunca te tomé como un idiota.

Miran cómo Kenn se marcha de la habitación. Abajo, otro clamor de emoción estalla entre la multitud. Jackie Nguyen, la nueva Luchadora de los Jinetes de Fénix, logró encerrar a la Luchadora del equipo Andrómeda en una grieta sobre la ladera de una montaña. Asher apunta a Shahira con un poder de toxina púrpura y dorado para detener sus movimientos.

Una vez que Kenn se marcha, Hideo relaja los hombros por un momento y mira hacia abajo en la arena, con una expresión bastante seria.

–Es demasiado impaciente –le dice Mari a Hideo mientras mira la puerta corrediza de vidrio–. Quiere ver el impacto positivo enseguida.

–Siempre ha sido así –contesta Hideo con voz grave. Apoya los brazos sobre sus rodillas y observa el juego sin mucho entusiasmo.

–Estará bien –dice Mari con gentileza–. Llegaremos al fondo de esto. Quiero que Kenn tenga razón, que los suicidios no tengan ninguna relación con el algoritmo.

–¿Y si la tiene?

Mari no contesta y se aclara la garganta.

–Haré las llamadas hoy mismo –dice, finalmente.

–No. Déjame lidiar con los estadounidenses a mí. Tráeme los resultados de esta investigación en cuanto puedas.

–Está bien –responde Mari haciendo una leve reverencia con la cabeza.

Hay un breve momento de silencio entre ambos. Luego Hideo se levanta y camina hacia la ventana de vidrio. Se lleva las manos a los bolsillos. En los hologramas, Roshan y Hammie se encuentran en medio de una batalla acalorada con dos miembros del equipo Andrómeda, cada equipo protege el Emblema de su capitán mientras trata de tomar el del enemigo.

–¿Alguna novedad para mí? –pregunta Hideo luego de un tiempo, volteando su cabeza sutilmente sin quitar la vista del juego.

Mari sabe exactamente de qué está hablando.

–Lo siento –contesta–. Pero aún tenemos muchos sospechosos potenciales alrededor de Japón.

La expresión de Hideo luce desoladora, con los ojos inundados por una ira oscura. Es la misma furia que había visto cuando ingresé en su Recuerdo, cuando lo vi entrenando con la ferocidad de una bestia. Reconozco esa mirada como la misma que tiene cuando piensa en su hermano.

–Docenas de depredadores que han escapado de la justicia ya se entregaron –agrega Mari–. ¿Has oído de los dos hombres a cargo de dos tiendas eróticas ilegales en Kabukichō? –Hideo la mira. Sus hombros se tensan nuevamente–. Bueno, se presentaron en la estación de policía esta mañana, llorando. Confesaron todo. Trataron de acuchillarse a sí mismos antes de que los pusieran bajo custodia. Has sacado a mucha gente peligrosa de las calles.

–Bien –murmura Hideo y regresa su atención al juego–. Pero no son ellos, ¿verdad?

Mari presiona sus labios con fuerza.

–No –confiesa–. Nada en su historial generado por el algoritmo coincide con la hora y el lugar de la desaparición de Sasuke.

Claro. Ahora entiendo por qué Hideo se niega a dejar que el algoritmo deje de funcionar.

Lo está utilizando para cazar a los secuestradores de su hermano, probablemente escaneando millones de mentes en busca de un recuerdo, una chispa, para identificarlos, una emoción que señale a alguien como el responsable de lo que le ocurrió a Sasuke.

Quizás ese siempre fue su objetivo, la única razón por la que creó el NeuroLink en primer lugar.

–Quizás Emika tenía razón –dice Hideo en voz baja. Su voz se oye tan suave que apenas puedo escucharla. Pero lo logro, y mi corazón se paraliza–. Que no estamos aquí para traerle la paz al mundo.

–Estás haciendo lo mejor –le contesta Mari, pero Hideo se queda simplemente mirando el juego. Luego, voltea hacia ella.

–Sigue buscando.

Abajo en la arena, Asher toma el Emblema de Shahira. La revancha terminó. Los Jinetes de Fénix ganan de nuevo, oficialmente. Todo el estadio salta de la emoción, gritando lo suficientemente fuerte como para hacer temblar el domo. Los comentaristas también acompañan los festejos.

Hideo levanta su vaso con tranquilidad, asintiendo una vez hacia la multitud eufórica. Su sonrisa distante y controlada se reproduce en las pantallas gigantes alrededor del domo. Y, si bien ya está rompiendo su promesa, esa en la que aseguraba que el algoritmo y él serían dos cosas distintas, incluso en momentos como estos, mi corazón se derrite por él. Es difícil no sentirse atraída a la impecable fuerza de Hideo, sin sentir dolor por su determinación.

¿Qué hará si le digo que su hermano sigue con vida?

¿Qué hará una vez que descubra quién se llevó a su hermano?

Quizás Emika tenía razón.

Cierro mi mano en un puño. No es tarde. Si Hideo tiene dudas, si realmente está preocupado por lo que su algoritmo pueda estar ocasionando... Quizás, solo quizás, haya tiempo para sacarlo de ese abismo. Antes de que llegue demasiado lejos. Antes de verme forzada a alejarme de él de una buena vez.

Y la única forma de hacerlo es descifrar qué ocurrió con Sasuke.

Estoy en la cuerda floja entre Hideo y Zero, el algoritmo y los Blackcoats. Y debo tener cuidado de no caer.

Me pongo de pie y coloco la capucha sobre mi cabeza. No queda mucho tiempo. El algoritmo se supone que debería hacer del mundo un lugar más seguro, pero si Mari confirma su teoría, entonces esa seguridad es lo primero de lo que nos tenemos que preocupar.

Repentinamente, un mensaje de Tremaine interrumpe mis pensamientos. Su voz suena en mis oídos.

–Em –dice–. He logrado establecer contacto y tengo información sobre el símbolo que me enviaste, el que llevaba Sasuke Tanaka sobre su manga.

Trago saliva al oír las palabras de Tremaine, mientras confeti rojo y dorado cae alrededor de todo el estadio.

–¿Qué es?

–No quieren enviarla por mensaje –hace una pausa–. Será mejor que lo oigas en persona.

DOCE

No tengo problemas para salir de la arena, no con la horda de fans vestidos como yo a mi alrededor. Los simpatizantes de los Jinetes de Fénix gritan con todas sus fuerzas, mientras que los que apoyan al equipo Andrómeda marchan en silencio, pero satisfechos. Una multitud comienza a alinearse cerca de la entrada trasera para observar los autos negros en donde se marchan los jugadores. Otros hacen fila para ingresar al metro abarrotado de gente. El viento frío de la noche mueve mi cabello sobre mis hombros a medida que me deslizo en mi patineta en dirección a Akihabara.

Algunos de los distritos de Tokio cierran algunas de sus

calles principales una vez por semana para transformarlas en *hokoten*, peatonales gigantes. Dado que esta noche es noche de juego, casi todos los distritos de Tokio lo han hecho, pero ninguno de forma tan grandiosa como Akihabara, el cual se ganó temporalmente el apodo de *Hokoku*, es decir "Distrito peatonal". La zona entera luce como un espectáculo de luces, repleto de gente caminando por una calle de ocho carriles, por lo general, atestada de autos. Cada edificio tiene el rostro sonriente de un Jinete de Fénix sobre su fachada, acompañado por los mejores movimientos de la revancha.

A pesar de todo lo que está ocurriendo, todavía siento algo de orgullo al ver las imágenes de Asher, Hammie y Roshan. Ahora mismo, lo único que quiero hacer es celebrar con ellos y caer en sus brazos, en su amistad sin complicaciones.

Docenas de luces de neón flotan en el aire, el rastro de los drones de carrera con los que la policía, al estar tan ocupada, no puede lidiar. Retumban las calles, en donde un DJ levantó una tienda temporal en medio del camino, la cual se encuentra rodeada de fans que saltan eufóricos. El suelo se encuentra recubierto por una proyección virtual de lava roja y purpurina con forma de plumas de fénix que flotan entre los arbustos, sobre el suelo y frente a los edificios, cada una con un valor de veinte puntos para quien las tome.

¡Bienvenida a Akihabara!

¡Duplica los puntos durante la Noche de Hokoku!

¡Subiste de nivel!

Para cuando llego al frente del complejo de entretenimiento con los rostros de mis compañeros a cada lado, los autos negros que llevaban al equipo ya se encuentran estacionados en una línea frente al edificio, bloqueando el acceso a esta parte de la calle. Uno de los guardias me ve. Cuando me acerco a la fila, mueve la cabeza de lado a lado, para nada dispuesto a dejarme pasar. No sabe quién soy, no con mi identidad aleatoria flotando sobre mí.

Le envío un mensaje rápido a Asher.

Ya estoy aquí. Sus muchachos no me dejan pasar.

Asher no contesta. Un momento después, el guardia asiente levemente con la cabeza y se hace a un lado para abrirme el paso entre los autos negros. Ingreso al complejo por las puertas corredizas en la entrada.

El primer piso del edificio está lleno de mercadería de Warcross, gorros, estatuillas, y máquinas para sacar muñecos en donde uno puede probar suerte y ganar una versión de felpa de las mascotas de los equipos. Camino por el pasillo hasta llegar a la escalera, por donde subo al segundo piso.

Una vez allí, me encuentro dentro de un reino surrealista.

Es un salón de juegos, con un techo inmensamente alto, producto de combinar todo el piso con otro de arriba. Una neblina recubre todo el lugar, se desliza desde el escenario en donde una estrella pop virtual se encuentra cantando. El techo está recubierto con luces de neón que tiñen la niebla con distintos colores. Una multitud de personas se encuentra bailando frente al escenario, mientras el resto de la habitación está recubierta con mesas con juegos proyectados sobre ellas. Puedo ver varias mesas con tableros de ajedrez, mientras que en otras juegan a las cartas o juegos de mesa mejorados con imágenes virtuales. Drones de servicio se mueven de una mesa a otra, sirviendo bebidas con colores animados sobre ellas y brochetas de carne tierna asada.

Reconozco a los miembros de varios otros equipos: Max Martin, quien se encuentra en un rincón con Jena MacNeil, reclinado sobre algún juego de mesa y riendo por algo que su Capitán acaba de decir. Por su parte, Shahira Boulous se mueve efusivamente con un trago en su mano mientras le explica una técnica de juego a Ziggy Frost, quien la escucha en silencio con los ojos totalmente abiertos. Prácticamente todos aquí son miembros actuales de algún equipo o pertenecieron alguna vez a uno. Paso desapercibida entre ellos, y siento una mezcla extraña de pertenencia y extrañeza, mientras busco a los Jinetes.

Se encuentran cerca del escenario, justo en donde termina la mesa y comienza la pista de baile. A medida que me acerco, noto que están prácticamente escondidos detrás de una multitud de espectadores, todos gritando y alentando por algo.

Luego veo a Hammie entre la multitud, sentada en una silla. Levanta ambos puños festejando. Sus trenzas se encuentran un poco sueltas, meciéndose sobre su piel oscura y brillante a causa del sudor, reflejan las luces de neón del techo. Tiene una enorme sonrisa en su rostro.

–¡*Jaque mate!* –grita.

Están jugando ajedrez rápido. Se encuentra sentada frente a Roshan, quien empuja su rey con una mueca de derrota. Mientras la multitud pide a gritos nuevos desafíos e intercambia apuestas, Roshan se levanta de su asiento para que otro pueda jugar contra Hammie, y se dirige a envolver la cintura de Kento Park con su brazo.

Intercambian algunas palabras íntimas que no puedo oír. Miro a mi alrededor, preguntándome si Tremaine también está aquí.

–A un lado, a un lado –se oye la voz de Asher entre la multitud y algunas personas se apartan para dejarlo pasar. Toma la silla en la que se encontraba sentado Roshan y la aparta, para colocarse en posición con su silla de ruedas, desde donde le esboza una sonrisa burlona a Hammie y se inclina sobre la mesa–. No me puedes ganar dos partidas la misma noche –la desafía. La multitud grita efusiva ante el nuevo reto.

–¿Ah, no? –le contesta Hammie, inclinando la cabeza y sentándose en la silla. Sus ojos aún están alegres por su victoria. Mientras miro, el juego de ajedrez delante de ambos comienza. Algunas llamas virtuales recubren los bordes del tablero de ajedrez y una versión magnificada del juego aparece sobre sus cabezas para que todos la puedan ver. No es un juego estático, ya que los caballos son caballos reales, las torres son torres de castillos reales, y los alfiles fueron reemplazados por dragones que escupen fuego y lucen amenazantes cuando estiran sus cuellos hacia adelante.

Un nuevo temporizador aparece sobre la mesa. Lo miro. Cada jugador tiene un segundo para hacer un movimiento.

Comienza el juego. Todos gritan.

El cotorreo burlón de Hammie se detiene, y lo reemplaza una mirada que conozco bien de los días de entrenamiento. Confianza enfermiza y engreída. Niega con la cabeza, perdida por un momento mientras observo sus movimientos. Peón. Caballo. Reina. Cada jugada levanta una columna de fuego alrededor del tablero flotante. Los ojos de Hammie se mueven de un lado a otro a medida que desliza la mano con total destreza sin el más mínimo rastro de vacilación durante cada turno. Sobre su cabeza, el tablero virtual y animado está completamente en llamas, con una batalla librándose en cada posición. El caballo de Hammie se enfrenta a uno de los alfiles de Asher, el cual se ve atravesado por una lanza; la reina de su oponente camina directo hacia una trampa que ella le ha tendido con varios peones y una torre.

La multitud alrededor de Hammie grita apasionada con cada movimiento. Asher frunce el ceño aún más mientras pelea una batalla ya perdida, pero Hammie lo ignora con felicidad, cantando a la par de la música a todo volumen, incluso bailando entre cada movimiento.

Sonrío. Nunca había visto a Hammie jugar en persona. Es mucho mejor de lo que imaginaba; es como mirar un juego que ya fue planeado y en el cual ella solo se encarga de realizar los movimientos. Si tan solo pudiera estar tan segura como ella al realizar mis próximos pasos.

–*¡Jaque mate, hijo!*

La multitud a su alrededor estalla en un estruendoso grito de aliento al notar que Hammie acorrala al rey de Asher. Golpea la mesa con sus manos con todas sus fuerzas y se levanta de su silla con gran agilidad, haciendo el gesto de la V de victoria con su mano. Sube de nivel en un instante y su cantidad de billetes incrementa frenéticamente. Asher inclina la cabeza hacia atrás y grita con todas sus fuerzas mientras Hammie hace un pequeño baile sobre la silla.

Cuando la multitud se tranquiliza y esta se mueve para mirar otro juego cercano, me acerco a la mesa. Roshan me ve. Primero, parpadea sorprendido y luego se aleja de Kento con una sonrisa y comienza a llamar a Asher y Hammie con algunos aplausos.

–¿Reunión de equipo? –me las arreglo para gritar por encima de la música, incapaz de devolverle la sonrisa a Roshan.

Asher deja salir una exclamación al mismo tiempo en el que Hammie se baja de la silla y se encamina directo hacia mí. Antes de que pueda decir algo, me veo envuelta en un abrazo de ella y Roshan.

Por un momento, olvido por qué estoy aquí. Olvido a los Blackcoats y a Hideo, y el lío en el que de alguna forma me metí. Ahora mismo, estoy con mis amigos, satisfecha con su saludo desordenado y exaltante.

Noto que a Asher le brillan los ojos y que sus mejillas están un poco sonrojadas, acompañando su cabello tan desordenado como su ropa. Se une a nosotros cuando Hammie y Roshan finalmente me sueltan.

–Nos asustaste cuando desapareciste en acción, ¿lo sabes, cierto? –me comenta.

–Capitán –respondo guiñándole el ojo forzosamente, tratando de mantener la compostura. De pronto, los ojos brillantes de Hammie se tornan serios.

–Tremaine te está esperando –me comenta–. Dice que tiene algo para ti.

Al oír sus palabras, noto a alguien entre la multitud. Es Tremaine, quien se encuentra recostado sobre una pared con una expresión de incertidumbre en su rostro. Mi felicidad momentánea vacila al verlo.

Será mejor que lo oigas en persona.

–Vamos –me dice Hammie, haciéndome un gesto hacia arriba–. El próximo piso está lleno de salas de karaoke privadas. Podemos ir allí.

Asiento sin decir nada y, juntos, nos abrimos paso entre la muchedumbre en dirección al elevador.

Una habitación privada nos espera en la sala de karaoke. La música retumba a nuestro alrededor, proveniente de algunas fiestas que se llevan a cabo en las otras salas. Noto de inmediato que ya hay alguien aquí, una figura apenas perceptible sentada sobre un sofá en una de las esquinas oscuras. Luego, Roshan cierra la puerta detrás de nosotros y los gritos y música del exterior se transforman en nada más que un murmullo apagado. Siento un pitido en el oído entre tanto silencio.

Tremaine es quien habla primero.

–Este es el contacto que te mencioné –me dice, señalando con la cabeza al extraño que se encuentra sentado junto a nosotros–. Jesse. Prefiere no hacer distinción de género.

Ante eso, Jesse se levanta y me estudia sin prestar atención al resto. Hago lo mismo. Tiene los ojos increíblemente verdes delineados por una piel color chocolate clara y una complexión bastante esbelta que da la falsa impresión de fragilidad; pero noto que sus dedos delgados golpean con precisión contra el sofá. Reconozco gestos como esos. Son típicos de los pilotos.

–Tenía una deuda con Tremaine –dice finalmente, salteándose toda forma de saludo formal y fijando sus ojos verdes sobre mí–. Una vez accedió a mi historial y eliminó una contravención de la policía.

–Le habían atrapado en una carrera de drones –explica Tremaine–. Jesse tiene mucha reputación en la escena clandestina de Londres.

–Me acuerdo de ti –agrega Roshan, mirando a Jesse con los brazos cruzados.

–Sí, yo también –contesta Jesse, devolviéndole la mirada–. Tú también tienes mucha reputación en la escena, Ahmadi.

Asher levanta una ceja sorprendido.

–Nunca nos dijiste que solías participar en las carreras de drones.

–¿Por qué le diría a mi Capitán que estaba haciendo algo ilegal? –pregunta Roshan–. Quería ser parte de los Jinetes.

–Eso explica por qué nunca tuve oportunidad de vencerte en el *Mario Kart* –añade Hammie–. ¿Sabes que solía apostar en las carreras de drones? Quizás aposté por ti en varios ocasiones sin siquiera saberlo.

Asher comienza a masajearse la sien.

–¿Alguien más quiere compartir sus actividades ilegales con su Capitán? –pregunta, pero Hammie lo ignora y le asiente a Jesse.

–¿Tienes una deuda con Tremaine? –Jesse esboza una pequeña sonrisa.

–Bueno, ahora Tremaine me dice que quiere cobrar esa deuda por ella –me señala con la cabeza–. Emika Chen, ¿verdad? Sí, te conozco. Eres la cazadora de recompensas que me reportó a la policía hace algunos años, por las carreras de drones.

Me sonrojo. Entonces, esta es una de las personas que rastreé en el Dark World durante mis cacerías del pasado. Ahora recuerdo a este objetivo en particular de hace ya algunos años, cuando logré acceder a un directorio de nombres de corredores de drones. Había ganado una recompensa de mil dólares por eso.

–Lo siento –le respondo y Jesse se encoge de hombros.

–No digas cosas que no sientes. Está bien. A pedido de Tremaine, daré por terminado ese conflicto. Suertuda.

Roshan se irrita por un momento.

–Siempre generando situaciones incómodas, Blackbourne –le musita a Tremaine–. Pero esa siempre fue tu especialidad.

Tremaine levanta sus manos.

–Si crees que puedes hacerlo mejor, adelante.

Volteo sobre mi asiento y, por debajo de la mesa, toco la mano de Roshan una vez.

–Estoy bien –le contesto antes de voltear hacia Jesse–. Tremaine nos comenta que tienes información útil.

Jesse asiente y mueve una mano delante de sí, con la cual despliega el símbolo de la manga de Sasuke Tanaka.

–Quieres saber de dónde proviene esto, ¿verdad? –lo deja flotando sobre la mesa delante de nosotros y continúa–. Pero primero, tendrás que decirme por qué necesitas esta información.

Vacilo por un segundo. Estar a merced de quien una vez fue un objetivo mío no es exactamente ideal. A mi lado, Tremaine tiene una mirada indefensa.

–Está bien –le contesto, asintiéndole a Jesse–. Así estaremos a mano.

Jesse se cruza de brazos.

–Después de ti.

Asher se acerca con su silla de ruedas hacia el sofá y centra su total atención en mí.

–Está bien, suelta todo. ¿Te encuentras bien? ¿Qué fue lo que ocurrió allí? –pregunta, y yo respiro hondo.

–Estoy bien. En general. Me metí en un problema.

–¿Qué tan malo?

–Un asesino me salvó la vida de otros asesinos –todo el mundo hace una pausa.

–*Está... bien* –dice Asher con cautela–. ¿Como los Yakuza o algo de eso?

–No seas tonto –dice Hammie, resoplando, e incluso baja la voz instintivamente–. Los Yakuza tienen mucha participación política. No van a ser tan vulgares como para andar disparándole a la gente en medio de la calle.

–No, no está relacionado con la mafia o algo por el estilo –explico, negando con la cabeza–. Al menos, no la mafia que conozco –observo las miradas de preocupación de mis amigos. Una parte de mí no quiere contar nada, mantenerlo alejado de ellos. Pero eso no significaría que estuvieran más seguros; eso lo había aprendido por las malas cuando Zero atacó nuestros dormitorios.

Por lo que, en cambio, les cuento todo lo que ocurrió desde la última vez que los vi. Les explico en voz baja sobre la lotería de asesinatos y los cazadores que vinieron tras de mí. Sobre Jax. Sobre Zero y Taylor. Sobre los Blackcoats. Finalmente, les comento lo que escuché entre Hideo, Kenn y Mari.

Un silencio amenazante se apodera de la habitación. El rostro de Roshan luce pálido, sin color, mientras que Asher recorre su cabello con su mano, con la mirada fija sobre la puerta.

–Diablos –susurra finalmente Hammie, arrojándose una de las trenzas sueltas por detrás de su hombro. Bajo la luz tenue, sus ojos parecen más grandes y oscuros, llenos de la misma incertidumbre que me abarca en mi interior–. Suicidios de inocentes. Esto se está desarmando increíblemente rápido.

–Los Blackcoats están trabajando activamente para detener el algoritmo de Hideo –agrego–. Parecen ser justicieros, aunque no sé mucho sobre ellos como para estar de su lado.

–¿Y Zero no te contó nada sobre su pasado? –pregunta Roshan.

Niego con la cabeza.

–Se niega a contestar todas las preguntas que le he hecho. Pero pude acceder a uno de sus viejos Recuerdos. No debería haber sido capaz de ingresar con tanta facilidad –mi atención se centra en Jesse, quien estuvo escuchando en silencio durante todo este tiempo. Estas deben parecerle noticias importantes, pero si las encuentra sorprendentes, no lo demuestra.

Jesse silba una vez.

–Te has metido en una situación bastante complicada, muchacha.

–Espero que puedas decirme algo que me permita salir de esta –le contesto–. Eso es todo lo que sé. Tu turno.

Jesse se endereza, golpea con dos dedos casualmente, hace un gesto hacia arriba y despliega una imagen del símbolo que tenía Sasuke en su manga.

–Estuve preguntando por todos lados en las profundidades del Dark World porque pensé que podría pertenecer a algún grupo de carreras ilegales bastante tenebroso –explica Jesse–. Sabes, una especie de camiseta de algún equipo del Dark World del que nunca oímos hablar.

Hace una pausa y gira el símbolo en medio del aire.

–Pero luego, alguien anónimo me respondió. Me envió una tarjeta de identificación con el mismo símbolo. No sé cómo la obtuvo, pero se la envié de inmediato a Tremaine.

Al instante, Jesse despliega una imagen de la tarjeta de identificación. Es completamente blanca con un nombre y un código de dieciséis dígitos impresos sobre esta. Como era de esperarse, del lado derecho se encuentra el símbolo que había visto en la manga de Sasuke. Es un logotipo.

–Hice algo de investigación y salí en busca del origen de esa tarjeta –agrega Tremaine–. ¿Lista?

–Lista –contesto.

Tremaine despliega otra captura. La nueva imagen muestra el mismo símbolo, excepto que esta vez parece estar impreso junto a una puerta de una especie de pasillo común y corriente.

–Obtuve esto de algunos servidores privados –dice mientras despliega una segunda imagen. Esta vez, el símbolo es diminuto y muy sutil sobre un par de puertas corredizas blancas.

–¿Dónde es esto? –le pregunto a Tremaine, mis ojos vuelan desde los símbolos hacia él.

Toma la captura original, abre los brazos y junta las manos. De esta forma, aleja la imagen hasta que se puede ver un pasillo, el cual de a poco se va transformando en una serie de pasillos dentro de un enorme complejo. Confundida, sigo observando cómo de a poco aparece un campus entero en la captura, hasta que finalmente tenemos a la vista el símbolo más grande hecho de rocas frente a la entrada del complejo.

Me quedo mirando la inscripción grabada sobre la entrada. INSTITUTO TECNOLÓGICO DE INNOVACIÓN DE JAPÓN.

–¿Es una compañía?

–Sí, de biotecnología. Mi suposición es que el símbolo que encontraste pertenece a una especie de proyecto que están llevando a cabo en este instituto.

Me desplomo sobre mi asiento.

–Quieres decir que cuando vi a Sasuke en esa habitación, con ese símbolo sobre su manga, ¿estaba aquí? ¿Cómo pudo terminar en un lugar así?

–Eso no es lo sorprendente –contesta Tremaine. Despliega una tercera captura. En esta se ve a una joven japonesa parada junto a un pequeño grupo de colegas, todos ellos con batas blancas de laboratorio y posando en la puerta del instituto.

Mis ojos se centran en el rostro de la mujer al mismo tiempo que Tremaine señala su rostro.

–Antes de renunciar hace doce años, solía trabajar para el Instituto de Innovación –agrega Tremaine–. Ella es neurocientífica, la doctora Mina Tanaka. La madre de Hideo y Sasuke.

TRECE

Cierro los ojos con fuerza.

–No –digo–. Un momento. ¡No tiene sentido!

El rostro de Tremaine permanece inmutable.

–Lo sé. Pensé que quizás tú pudieras explicarlo.

Jesse debe haber cometido un error. Tremaine también. Porque si algo de esto es verdad, significa que la madre de Hideo y Sasuke también solía trabajar para la empresa que aparentemente mantuvo secuestrado a Sasuke. Viene a mí el recuerdo de la vez que la conocí; su figura pequeña, frágil por el dolor, con sus lentes enormes y la calidez de su sonrisa. La forma en que Hideo le dio un abrazo protector.

–No tiene sentido –insisto–. ¿Insinúas que la madre de Hideo tiene algo que ver con la desaparición de Sasuke? Ella quedó traumada de por vida luego de la desaparición de su hijo; tanto ella como el padre de Hideo buscaron incansablemente a Sasuke. Estaba tan consternada que ya no podía trabajar. Lo que ocurrió le destruyó la cabeza. Ahora, olvida todo constantemente. Lo *vi* con mis propios ojos. La *conocí*. Hideo me mostró un Recuerdo sobre ella.

–Quizás no lo sabía –contesta Tremaine. Se inclina hacia adelante y golpea sus dedos contra la mesa–. Y Hideo probablemente tampoco sabía nada, era demasiado pequeño en ese entonces. Los Recuerdos no siempre son muy precisos. Quiero decir, ¿hay alguna información pública que explique *por qué* renunció a la empresa? ¿Fue por el trauma de perder a su hijo? ¿O fue por algo más que ocurrió allí?

Las preguntas se siguen sumando a las que ya tenía. Suspiro y restriego mi rostro con los manos. Si Sasuke era parte de este instituto, ¿cómo terminó allí?

–Oigan –miro por detrás de mis manos a Hammie, quien observa con los ojos entrecerrados la foto de la madre de Hideo y sus colegas. Con un dedo recorre la pequeña lista de nombres que se encuentra al pie de la foto–. Doctora Dana Taylor. ¿No es ella *tu* Dana Taylor, Em? ¿La que trabaja para Zero?

Miro la foto hasta toparme con un rostro familiar.

–Es ella –digo, desesperada. Luce mucho más joven y su cabello no tiene mechones grises, pero su mirada pensativa es la misma.

Taylor solía trabajar con la madre de Hideo, con la madre de *Sasuke*. Entonces, ¿esto explica cómo es que Sasuke se convirtió en Zero? ¿Qué relación guardan los Blackcoats con la empresa en la que Mina Tanaka solía trabajar?

Desde el rincón, Tremaine se cruza de brazos sobre la mesa y frunce el ceño. Sus ojos están llenos de miedo dentro de una mirada poco usual.

–No se ve para nada bien –dice en voz baja para sí mismo.

–¿Le dirás a Hideo? –pregunta Asher, interrumpiendo el silencio.

Me quedo mirando con tristeza el símbolo que flota delante de nosotros. He conocido a Zero, lo he oído hablar; y ahora esto confirma aún más que lo que ocurrió con Sasuke es real.

–Los Blackcoats esperan que me contacte pronto con Hideo, de todas formas –finalmente les digo–. Merece saberlo.

Asher chasquea los dedos.

–Hideo nos invitó a algunos de nosotros a una fiesta formal en una galería de arte –me explica–. Se supone que es para felicitarnos por nuestra victoria y para disculparse por el caos del campeonato de este año. Si vienes, quizás puedas tener una conversación privada con él en un contexto que no le permitirá hacer nada brusco.

Una reunión privada. Un banquete formal.

–¿Cuándo es la reunión? ¿Dónde?

–Mañana por la noche en el Museo de Arte Contemporáneo.

–Pero ¿cómo se supone que ingrese? Hideo me aseguró

que me pondrá en una especie de lista de observación, sus guardias estarán alertas.

–No si te encuentras en el auto de los Jinetes de Fénix. Incluso si vas solo tú, te permitirán ingresar por la entrada principal. Pero una vez dentro, estarás por tu cuenta.

La idea de ver a Hideo en persona mañana por la noche me estremece del miedo y la ansiedad. Es arriesgado, pero debería funcionar.

–Está bien –digo asintiendo–. Hagámoslo.

Jesse hace una mueca con su rostro.

–Si eres tan lista como Tremaine dice que eres, te apartarás de todo esto enseguida. Estás metiéndote en un lío importante entre dos fuerzas muy poderosas –levanta ambas manos mientras se pone de pie junto al sofá–. Me lavo las manos de esta situación. Nunca oyeron nada sobre mí –señala a Tremaine–. Y ahora estamos a mano.

Sin decir otra palabra, se lleva una mochila a sus hombros y sale de la sala de karaoke. Al abrir la puerta, una ola de gritos, cantos y risas estalla en el lugar. Luego, las puertas se cierran nuevamente, dejándonos en completo silencio.

Tremaine se mueve con incomodidad. Sus ojos se disparan hacia Roshan por un segundo antes de mirarme.

–Mira, Em –dice–. Jesse tiene un punto. Estas aguas se están tornando bastante turbias. ¿Estás segura de que quieres seguir profundizando en el tema?

El único sonido en la sala viene de las fiestas a nuestro alrededor.

–¿Dices que debería abandonar esto, dejar atrás a los Blackcoats y olvidar todo lo relacionado con el algoritmo?

–Estoy diciendo que algo me dice que la historia de Sasuke es mucho más desagradable de lo que podríamos imaginar –aclara Tremaine–. Aún no sé cómo se conecta todo esto, pero es lo que siento. ¿Tú no? Es como ese mismo instinto que tienes durante una cacería por el que *sabes* que las cosas están a punto de empeorar. Demonios, ya te han ido a buscar... y te dispararon.

–Jax fue quien me salvó de esos cazadores –les comento, aunque el recuerdo se cierne sobre mí como una nube oscura.

–¿Y qué pasará si descubre lo que realmente estás buscando? Los Blackcoats no parecen ser del tipo que perdonan.

–Tú también estás en esta cacería –le recuerdo–. Y tú eres quien decidió ahondar en el tema.

–Pero nadie me está *siguiendo* –se encoge de hombros–. Es más seguro husmear para mí.

La primera vez que acepté el trabajo de Hideo, el mayor riesgo en el que creía verme envuelta era que me robaran la identidad o, quizás, tener que enfrentarme a un hacker dentro de Warcross. Ahora, de alguna forma, me veo envuelta en una red de secretos y mentiras, en donde un paso en la dirección incorrecta podría costarme la vida.

–Es demasiado tarde como para retirarse –me recuesto hacia atrás sobre el sofá, mirando la puerta de cristal–. La única salida es enfrentándolo.

–Todos estamos tomando la misma salida –volteo para toparme con Roshan mirándome fijo–. No eres un lobo solitario, Em. Si van tras de ti, será mejor que se hagan un poco de tiempo y vengan por nosotros también. Perteneces a los Jinetes de Fénix. Somos un equipo por una razón.

Pero ahora mismo, deseo que no lo seamos. Deseo seguir siendo un lobo solitario y que la única vida en juego sea la mía. Pero esas palabras no logran salir de mis labios. Quizás porque no las creo del todo, ya que si voy a estar frente a una pistola, preferiría tener la oportunidad de pelear con otros a mi lado. Aun así, lo único que puedo hacer es devolverle a Roshan una sonrisa débil. Reposo mi hombro sobre el suyo.

–Para bien o para mal –le contesto.

Los labios de Tremaine se tensan, pero no luce sorprendido.

–Bueno, no soy un Jinete. Así que supongo que este es el momento en el que me marcho –se levanta sin mirar a los otros y se encamina hacia la puerta.

}{

Para cuando salgo hacia el callejón oscuro del complejo, una lluvia fuerte comienza a caer, dejando la calle resbaladiza y brillante. Algunas luces llegan desde la entrada directo hacia mí, un edificio lleno de máquinas rosas con merchandising de Warcross. Las fiestas seguían retumbando en los pisos superiores pero, dentro de todo, el callejón, cerrado a cada extremo con seguridad, está bastante tranquilo.

Tremaine se encuentra allí afuera, recostado sobre la pared mientras espera bajo el toldo a que la lluvia se detenga. Apenas voltea la cabeza en mi dirección, regresándola hacia la entrada frente a nosotros. Bajo las luces de neón, su piel blanca pálida se ve azul.

–¿Camino a reportarte con los Blackcoats? –me pregunta–. Estás en tantos equipos que ya no puedo seguirte el rastro.

No hago ningún comentario respecto al sarcasmo de su voz. Hay un breve silencio entre ambos antes de decirle algo.

–Quería agradecerte por encontrar todo eso –le comento.

–Es lo que hacemos los cazadores –me dice, y niego con la cabeza.

–No tenías por qué hacerlo. Ya es lo suficientemente peligroso con que uno de nosotros esté involucrado en esto.

–Ya tienes suficientes problemas. No te preocupes por mí –junta sus manos y sopla un poco de aire caliente entre ellas–. Igualmente, no lo hice por ti.

–Entonces, ¿por qué? No es que te pagan por hacer este trabajo –su mirada gira repentinamente hacia la calle.

–Roshan está preocupado por ti –dice finalmente–. Tiene miedo de cuán profundo te estás adentrando y, al parecer, sus sospechas estaban en lo cierto. Por eso le prometí que te vigilaría.

La preocupación de mi compañero es un golpe de alivio en estos tiempos que corren. Es todo lo que puedo hacer para no voltear y regresar con ellos en lugar de volver a los brazos de los Blackcoats.

–¿Me ayudaste por Roshan?

–Dice que tiendes a trabajar siempre sola. Que no pedirías ayuda a menos que la necesitaras –me levanta una mano al verme que estoy por interrumpirlo–. Oye, no te juzgo. Yo también soy un cazador; lo entiendo –esboza una pequeña sonrisa–. Además, también participamos en este tipo de cosas solo por lo excitante de la situación, ¿verdad? No creo que vuelva a ser parte de una conspiración tan grande otra vez.

Le devuelvo la sonrisa.

–Suena como si todavía estuvieras encariñado con Roshan. Incluso luego de abandonar a los Jinetes.

–No –Tremaine se encoge de hombros, intenta no lucir preocupado–. Vi que está con Kento. Está bien.

Esperamos en silencio, ambos miramos la cortina constante de lluvia. Luego de un instante, me mira.

–¿Alguna vez te contó por qué ya no hablamos? –pregunta. Vacilo por un momento.

–Me contó que abandonaste a los Jinetes de Fénix porque querías estar en un equipo ganador y que eso fue lo que ocasionó la ruptura entre ambos.

Tremaine se ríe. Cuando me vuelve a mirar y ve la expresión de confusión en mi rostro, se lleva la mano a su cabeza.

–Típico de Roshan –musita, casi para sí mismo–. Esa es su forma de decirte que no quiere hablar de ello.

–Entonces, ¿qué ocurrió? –le pregunto y Tremaine apoya su cabeza contra la pared y se concentra en el punto en donde el agua cae desde el toldo.

–¿Sabes algo de la familia de Roshan? –pregunta.

–No es algo que haya mencionado alguna vez –contesto tras negar con la cabeza, y Tremaine asiente, como si esperara que ese fuera el caso.

–Su madre es miembro importante del parlamento británico. Su padre es el dueño de una de las empresas de transporte más grandes del mundo. Su hermano se casó con una especie de duquesa y su hermana es cirujana. Su primo está relacionado con la realeza. Y Roshan, como es el menor, es el más consentido.

De todas las cosas que creía saber de Roshan, que pertenezca a una familia tan importante no era una de ellas.

–No actúa como tal. Ni siquiera habla como tal. Es un jugador que salió campeón…

–Pero puede ser las dos cosas, ¿no lo crees? –me esboza una sonrisa sin humor.

Durante la fiesta de la ceremonia inaugural, ¿Max Martin no se había mofado del "linaje" de Roshan? En ese momento, pensé que había sido un insulto hacia Roshan por ser parte de los Jinetes de Fénix o, tal vez, porque venía de la pobreza; pero al parecer era todo lo contrario, una burla de un niño rico a otro.

–Elegante –digo, y es todo lo que logro pensar.

–¿Sabes cuál es mi linaje? –me pregunta Tremaine–. Cuando estaba en la primaria, mi padre fue encerrado por dispararle al vendedor de una tienda por cincuenta libras en una caja registradora. Mi madre trató de venderme una vez, cuando estaba drogada y se quedó sin dinero para otra dosis. La única razón por la que pude ingresar a Warcross fue porque un equipo local estaba reclutando nuevos jugadores con potencial a cambio de pagarles con comida y alojamiento. Sin dudarlo, me apunté.

Imagino a Tremaine de joven, solitario, igual que yo a esa edad.

–Lo siento –le digo.

–Oh, no me mires con lástima. No te cuento esto para que tengas compasión. Solo pensé que lo entenderías –repiquetea su pie inconscientemente sobre el suelo–. Está bien. Aún amo a mi madre, le está yendo bien en rehabilitación y ahora soy un campeón de Warcross con millones en mi cuenta. Pero intenta explicarle ese tipo de crianza a la familia de Roshan. Que su querido hijo está saliendo con alguien como yo.

Tremaine baja la cabeza y se queda con la mirada perdida sobre el pavimento mojado.

–No digo que a Roshan todo siempre le fue fácil. Pero es demasiado inteligente, ¿sabes? Se convirtió en un experto en Warcross en el plazo de un año. Para el segundo año, ya estaba en el Wardraft. La gente de inmediato se enloquece por él, por esa mente impredecible que tiene.

–Tú también eres inteligente –esboza una sonrisa sarcástica al oír eso.

–No, yo soy… ese tipo que necesita estudiar durante un año entero lo que Roshan puede dominar simplemente echándole una revisada una hora antes de la gran final. Yo no aprendí a leer sino hasta el sexto grado –sus mejillas se sonrojan al confesar esto–. Roshan fue la primera elección de ese año para el Wardraft, cuando ambos éramos amateurs. Dos equipos lo disputaron, ¿sabías eso? Eso fue lo que causó la riña principal entre los Jinetes y la Brigada de los Demonios. Y eso fue cuando apenas entrenaba. Yo era un simple rezagado que tuvo un golpe de suerte cuando Asher vio algo en mí. Siempre estuve molesto con Roshan por ser quien se quedaba despierto hasta tarde para ayudarme. Me enamoré de él por esa misma razón.

–Entonces comenzaste a fijarte en él.

–Y comencé a tomar pastillas para seguirles el ritmo a todos –dice, vacilando. Abro los ojos sorprendida.

–¿Drogas?

–Comencé con media pastilla por día, y realmente no recuerdo cuándo es que terminé tomando siete u ocho.

De inmediato, recuerdo el tiempo repentino en el que Tremaine se había alejado de Warcross, justo antes de abandonar los Jinetes de Fénix. Lo mal que lucía ese año. ¿Acaso todo eso fue por las pastillas?

–¿Cuánto tiempo duró eso?

–Casi un año.

–¿Roshan lo sabía?

–Todos lo sabían, especialmente cuando me desmayé durante un entrenamiento. Trataron de forzarme a que renunciara. Asher me amenazó con sacarme del equipo si no me detenía. Pero no fue hasta que oí al padre de Roshan hablando con él antes del juego que comprendí que él estaba fuera de mi alcance. Su padre le dio una palmada en el hombro y le dijo: “Lo siento, hijo. Pero ¿qué esperabas? Era solo cuestión de tiempo para que siguiera el ejemplo de su madre”. Terminé pegándole con los puños a otro jugador durante el juego y los Jinetes fueron suspendidos temporalmente.

–Lo recuerdo –murmuro.

–No dormí esa noche –continúa Tremaine–. Sabía que solo estaba destruyendo a mi equipo. Al día siguiente, empaqué mis cosas y me marché sin decirle nada a Asher o despedirme de mis compañeros. Roshan vino corriendo tras de mí preguntándome a dónde diablos estaba yendo –mueve la cabeza de lado a lado en señal de negación–. Estaba tan furioso y tan avergonzado que le dije que estaba durmiendo con alguien más a sus espaldas, que lo nuestro se había acabado. Casualmente, los Demonios estaban buscando un nuevo Arquitecto, y se pusieron muy contentos al notar que se lo robaron a los Jinetes.

Lo oí en silencio. Roshan nunca me había contado nada de esto.

–Mira, no estoy orgulloso de esto, ¿sí? –musita Tremaine–. No quiero decir que hice lo correcto. Es simplemente lo que ocurrió.

–¿Y nunca calmaron las aguas con Roshan? –pregunto.

–Nunca pude hacerlo. Y ahora siento que es demasiado tarde.

No puedo dejar de pensar en la vez que mi rostro apareció durante la ceremonia inaugural de Warcross, para nada consciente de que mi mundo estaba a punto de cambiar para siempre. Todo era asombroso; hasta que se tornó un espanto. La vida es así; uno no sabe cuándo se librará de esas situaciones o cuándo volverá a caer en ellas.

–No voy a decirte que nunca es tarde –le contesto–. Pero, en mi experiencia, siempre es lo que *no hago* lo que me hace arrepentir más.

La lluvia se detiene y los charcos en el callejón se tornan espejos pacíficos. Tremaine es el primero en alejarse de la pared. Se lleva las manos a los bolsillos y me mira por encima de su hombro. Todas esas vulnerabilidades que me ha demostrado hace solo un segundo se desvanecen detrás de su actitud fría.

–Entonces –agrega, retomando su actitud ruda–. No hay manera de que renuncies, ¿eh?

–Me temo que no –le respondo, negando con la cabeza.

–Bueno –se queda en silencio por un momento, dirigiéndose hacia la calle principal–. Entonces, necesitamos dejar de perder el tiempo en la realidad virtual y dirigirnos al instituto por nuestra cuenta.

Lo miro rápidamente.

–¿Qué quieres decir con que *necesitamos*? Pensé que no querías participar.

Me envía un mensaje y un mapa se despliega en mi visión; un cursor rojo marca un lugar cruzando la frontera norte de Tokio. INSTITUTO TECNOLÓGICO DE INNOVACIÓN DE JAPÓN, indica el cursor. SAITAMA-KEN, JAPÓN.

–Si vas a continuar, entonces me quedaré contigo –señala el mapa–. Cuando fui, lo único que pude hacer fue observar el campus desde afuera. Pero estoy seguro de que hay muchas más cosas detrás de esas puertas cerradas de las que pude obtener de sus servidores o desde la puerta del frente. Debemos ir por la noche, cuando no hay tantos guardias.

Me quedo mirando al mapa, y siento un cosquilleo en los dedos. Aquí es donde la madre de Hideo solía trabajar y en donde Sasuke puede haber pasado toda su infancia. En el mapa no parece la gran cosa; un edificio de vidrio y acero, una simple estructura en un mar de miles. ¿Cómo puede un solo lugar albergar tantos secretos?

–Entonces, ¿mañana por la noche? –me pregunta.

–Hecho –le respondo con una sonrisa.

Sale hacia el callejón. Sus emociones están ocultas nuevamente, pero su usual expresión despreciativa ahora se ve reemplazada por algo más abierto.

–Nos vemos pronto, princesita Durazno –me contesta. Esta vez, el apodo suena con afecto–. Y mantente a salvo hasta entonces.

}{

El hotel donde los Blackcoats se alojan está tranquilo esta noche, y yo soy la única que camina por sus corredores. Me asombro al notar que la puerta me reconoce y me deja pasar. Mi mente es un torbellino de pistas y preguntas. ¿Qué tal si el instituto borró todo rastro? ¿Qué tal si no puedo encontrar nada? No queda mucho tiempo para la ceremonia de cierre y sigo sin saber mucho sobre Zero.

¿Dónde se encuentra esta noche, de todas formas?

En el instante en que cierro la puerta de mi habitación, sé que algo no está bien. Hay una leve esencia a perfume en el aire y una lámpara en el otro extremo de la habitación se encuentra encendida.

–¿Afuera tan tarde? –dice alguien.

Volteo y me encuentro con Taylor esperándome.

CATORCE

Me quedo congelada al ver su silueta sentada tan casualmente sobre mi silla, con una de sus piernas cruzadas sobre la otra. La tenue luz que ingresa por la ventana dibuja patrones de rayas sobre su piel. Incluso desde el otro lado de la habitación, puedo ver sus ojos entre las sombras, estudiándome. Está vestida con mucha elegancia y con el cabello cuidadosamente peinado, acompañando un atuendo monocromático y brillante de negros y grises. La comparo inconscientemente con la foto que vi más temprano de ella, en la que estaba parada frente al instituto.

–Llegó a nuestro conocimiento que estabas celebrando

con los Jinetes de Fénix esta noche –me dice–. Felicitaciones a tu equipo anterior.

Jax me siguió, después de todo. Intento luchar contra la necesidad de voltear para ver si está parada aquí mismo, en algún lugar que no haya notado.

–No necesito que me acompañen a todos lados a los que voy.

Taylor descruza sus piernas, haciendo que la suela de su zapato golpee contra el suelo con un golpe seco, mientras reposa sus codos sobre sus rodillas al inclinarse hacia adelante. Me mira fijo y se queda así por un momento.

–¿Dónde estabas? –bien, entonces no confía en mí.

–Estaba en esa misión que tú y Zero me asignaron –respondo con tranquilidad–. Tratando de encontrar una forma de contactarme con Hideo. ¿No era eso lo que querían?

–¿Y obtuviste algo? –me pregunta, frunciendo el ceño. Respiro hondo.

–Los Jinetes me dejarán aprovechar la reunión privada que tienen con Hideo mañana.

–¿En serio? –al oír eso, Taylor levanta las cejas sorprendida–. Bueno, al parecer sí eres tan buena como Zero dice.

–Siempre cumplo con mis promesas.

–¿Y eso es lo único que hiciste esta noche?

Esa es la verdadera pregunta que quería hacerme, y el motivo por el cual me está esperando en mi habitación. *Cuidado allí afuera.* La advertencia de Tremaine reaparece en mi mente. Entrecierro los ojos al mirarla.

–¿Qué insinúas?

–Alguien accedió al banco de imágenes de los Blackcoats hoy y no fue ninguno de nosotros –me mira con detenimiento–. La coincidencia me hace preguntar si sabes algo al respecto.

Banco de imágenes. *Instituto Tecnológico de Innovación de Japón.* Se me sube el corazón a la garganta. Tremaine estuvo husmeando en el banco de datos de la empresa hace poco. Pienso en los mapas que nos mostró, en las imágenes del interior del edificio. ¿Taylor está hablando de él? ¿Qué tal si accidentalmente dejó un rastro? ¿Sabe lo que se llevó?

Conserva la calma, me digo a mí misma.

–No pude haber sido yo –le contesto–. No hice nada más que encontrarme con los Jinetes de Fénix luego del juego de esta noche para charlar. Nada de descargar ni hackear.

Se me queda mirando fijo pero no me animo a agregar nada más. Las patas de gallo a cada lado de sus ojos se arrugan aún más a medida que me estudia, pensativa. Pasa varios largos minutos así.

Luego, su mirada se suaviza y relaja los hombros. Mira hacia la ventana.

–Si Zero sospecha que husmeaste en nuestros archivos, vendrá él mismo a interrogarte. Y no será tan civilizado como yo.

El solo hecho de pensar en esa situación me hace sentir escalofríos por todo el cuerpo.

–Entonces, ¿por qué estás tú en cambio?

–Estoy aquí para advertirte –contesta, con una mirada de

preocupación–. No quieres verte involucrada en una situación que te supere.

–Pero no hice nada.

Luce dubitativa. Hace una pausa y luego se aclara la garganta.

–¿Cuántos años tenías cuando comenzaste a cazar recompensas? –finalmente me pregunta.

–Dieciséis –le contesto y mueve la cabeza de lado a lado.

–Yo también era joven cuando comencé mi primer trabajo. En aquel entonces, solía vivir en Estonia y mi padre lavaba dinero usando una farmacia que solo servía de fachada. Drogas, ya sabes.

La miro detenidamente. No debería sorprenderme que desde chica esté vinculada con el mundo de lo ilegal, dado que está trabajando para los Blackcoats; pero de seguro se nota la expresión de sorpresa en mi rostro, ya que suelta una pequeña risita.

–Ah, eso te sorprende. No lo parezco, ¿cierto? –baja la mirada–. Era bastante ingeniosa para mi edad y podía repetir todo, palabra por palabra, por lo que mi padre me tenía enviando mensajes de un lado a otro –hace un gesto casual con su brazo hacia atrás y adelante–. Uno no quiere tener mensajes digitales incriminadores dando vueltas por los teléfonos. Podía decir lo que me habían mandado a comunicar y olvidar todo tan solo un segundo después. Me decía que tenía buena memoria. Es muy útil para mentir –se encoge de hombros–. Pero él no era tan bueno como yo.

–¿Qué te hace decir eso? –le pregunto luego de aclararme la garganta.

–Un día llegué a casa y lo encontré tumbado en el suelo, con un corte en su garganta y la sangre derramada sobre la alfombra. Todavía puedo sentir ese olor a cobre –la curva de sus labios se tensa, como si hubiera comido algo amargo. Tiemblo–. Más tarde, comprendí que un cliente había venido a buscarlo y que él trató de mentirle. Pero el cliente no le creyó.

Trago saliva. Taylor no me mira y prosigue con su historia.

–Después de eso, lo único que siempre hice fue preguntarme cómo es que esos cables en mi cerebro están conectados. Cómo es que dejan de funcionar en el momento en el que tu cuerpo se apaga. Solía despertar en medio de la noche sudando, luego de haber soñado estar viva en un momento y muerta al siguiente.

Suena tal como imaginaba que una neurocientífica sonaría, fascinada con el funcionamiento interno de la mente. ¿Se había mudado a Japón para trabajar en el instituto? Intento imaginarla de chica con sus ojos grandes y esas cejas rectas e inocentes. Imaginarla escapando de distintas situaciones con mentiras tan seguido parece algo bastante posible.

–¿Por qué me cuentas todo esto? –le pregunto.

–Podría convencerme con una mentira con tanta claridad que sinceramente pensaría que todo fue verdad. ¿Sabes cómo se llama eso? Autoengaño, Emika. Las mentiras son más fáciles de decir cuando no las consideras mentiras. Mi padre decía que deseaba tener mi habilidad de creer desde lo más profundo que algo no era completamente cierto, porque si uno tiene la capacidad de creer todo, entonces puedes creer en el camino a la felicidad. Es por eso que yo sigo viva y él está muerto. Porque mi cerebro pudo hacer esas conexiones y el suyo, no –se inclina hacia adelante, mirándome con seriedad–. Quizás tú también eres buena con eso. Me parece una habilidad bastante útil para un cazador de recompensas.

Conserva la calma.

–No te estoy mintiendo –le digo con voz firme–. Yo no accedí sin permiso al banco de datos de los Blackcoats; ni siquiera sabría dónde buscar.

–Entonces no tienes nada de qué preocuparte –agrega Taylor.

Su voz *suena* genuina y su expresión *luce* genuina, pero sigo alerta, esperando a que haga algún movimiento inesperado.

¿Cuál era tu puesto en el instituto? ¿Y qué es exactamente lo que haces para los Blackcoats?

–Espero que sepas entender cuán importante es tu rol –dice Taylor, asintiendo antes de levantarse de la silla y acomodarse la blusa. Señala las luces de la calle por la ventana con su cabeza–. Mira.

Dos nuevas figuras aparecen flotando debajo de cada luz, seguidas de una oleada de alientos y abucheos de los ebrios en la calle. Reconozco mi propio cabello color arcoíris al instante.

IVO ERIKKSON de SUECIA | ANDRÓMEDA

EMIKA CHEN de ESTADOS UNIDOS | JINETES DE FÉNIX

Al mismo tiempo, un mensaje aparece en el frente y centro de mi visor.

¡Felicitaciones, Emika Chen!

Has sido seleccionada entre los

DIEZ MEJORES JUGADORES

del

VIII CAMPEONATO DE WARCROSS

Taylor sonríe ante mi expresión de sorpresa.

–Eres la única jugadora que no figura en las listas oficiales en ser elegida por cantidad de votos –me explica–. Impresionante –al caminar a mi lado, me dice algo con la voz lo suficientemente fuerte como para que la escuche–. No le diré a Zero sobre nuestra conversación, pero hagamos que esta sea la última vez que necesitamos tener una. Creo que les debes a todos tus admiradores un buen trabajo durante la ceremonia de cierre.

Y luego desaparece, dejándome sola en medio de la habitación con todas mis preguntas.

Las pocas horas de sueño que pude tener están plagadas de pesadillas, visiones en las que me encuentro en un estadio, con una mujer sentada en mi silla y una muchacha de cabello corto plateado probando su arma conmigo; Hideo llevándome a su habitación hecha de vidrio. Sueño con Tremaine recostado contra la pared del Instituto de Innovación mientras observa la lluvia.

Eso es lo que finalmente me despierta; la imagen de él parado allí, sin ser consciente de que alguien lo observa desde las sombras. Me levanto de golpe sobre la cama murmurando su nombre mientras intento en vano advertírselo.

Para cuando me encuentro con los Jinetes en la casa de Asher, soy un completo desastre, con ojeras bastante marcadas bajo mis ojos. En secreto, agradezco que al menos el evento al que estoy yendo requiera que me maquille y me ponga ropa formal, para no parecer un fantasma.

Asher abre la puerta.

–Te ves terrible –dice, reposando un codo sobre su silla.

–Tú también –le contesto. Me esboza una sonrisa rápida antes de dejarme pasar.

–Bueno, Hammie se encargará de eso.

Hammie ya está aquí, esperándome. Me toma de la mano y me lleva hacia la habitación de Asher, en donde nos paramos frente al armario. De pronto, me encuentro mirando hacia un pequeño exhibidor de vestidos.

–Hice algunas compras –dice, levantando uno de los vestidos delante de mí. Cierra un ojo–. Este parece ser de tu talla.

Me quedo en silencio mientras me saco la ropa y me pruebo el primer vestido. Es un Givenchy, un mar brillante de tela de noche que abraza mi cintura.

Hammie me estudia, pensativa.

–Te queda un poco raro aquí arriba –dice, dándome un golpecito sobre el hombro. Voltea y toma otro vestido–. Probemos con un Giambattista Valli. Para darle más volumen.

Levanta un vestido hermoso y mullido de un color rosa champagne. Me miro, a medida que me veo envuelta en capas de tul, pensando en lo que será ver a Hideo en persona otra vez.

–Quizás no sea buena idea –digo.

–Mmm… tienes razón –reflexiona Hammie en voz alta, regresando el vestido al armario–. Demasiado mullido. ¿Qué tal un Dior?

–No, quiero decir… –respiro hondo y cierro los ojos–. Hideo. No saldrá bien.

Hammie hace una pausa y me mira con un nuevo vestido de gala en su mano, ahora con un tramado en blanco y negro.

–Tienes miedo de verlo, ¿no es así?

Mis ojos se encuentran con los de Hammie en el espejo.

–Tú no viste la expresión en su rostro la última vez que hablamos. No me escuchará. Es más, seguramente me haga echar por sus guardaespaldas ni bien se entere de que estoy en la fiesta.

Hammie no lo niega y estoy casi agradecida de que no intente consolarme con alguna mentira.

–Escucha –comienza–. Una vez, mamá y papá tuvieron una discusión antes de Año Nuevo. No recuerdo el motivo. ¿Sacar a pasear al perro? Algo estúpido. De todas formas, ambos decidieron que irían por separado a la fiesta de fin de año de sus amigos. Yo fui con mi papá. Cuando llegamos, resulta que se topó con mamá, quien llevaba el vestido plateado más hermoso que jamás habrías visto en toda tu vida. ¿Sabes lo que hizo? Se acercó hacia ella, le pidió disculpas y se besaron, una y otra vez. Era desagradable.

Le dedico una mirada fulminante.

–Esto es diferente. Tus padres están enamorados. Y no

estaban peleando por el hecho de que tu papá quiere controlar el mundo –Hammie mueve la mano en el aire con ligereza.

–Detalles. Solo estoy diciendo... ¿Crees que *tú* no has superado a Hideo? Él está loco por ti. Oíste a Kenn decirlo. Incluso Zero lo sabe. Y ahora la chica que no puede sacarse de la cabeza aparecerá justo frente a él, sin ningún aviso, con un vestido impresionante. Lo dejarás mudo.

–Bueno, agradezco que una de nosotras piense así –me pruebo un nuevo vestido y ajusto las tiras. Este calza como un guante, con la espalda suelta y una falda larga que cae perfectamente sobre mis pies–. No creo que ser impredecible sea una buena idea con Hideo.

–Todo lo relacionado a ti ha sido impredecible desde el momento en el que ingresaste a su juego –se aleja para admirar las líneas de mi vestido–. Si al menos no te da un día cuando te vea así, realmente no tiene alma. Entonces podrás patearle el trasero.

Nos detenemos al oír que alguien llama a la puerta. Hammie avisa que ya terminamos y Roshan aparece. Me mira y da una señal de aprobación.

–Los autos están aquí –nos comenta.

–Danos un segundo –contesta Hammie–. Tengo que terminar de peinarla y maquillarla.

El mundo está pendiendo de un hilo, y aquí están los Jinetes, actuando como si esto no fuera nada más que los preparativos de una fiesta. Siento una enorme gratitud hacia ellos.

–Hideo sabrá que todos ustedes me ayudaron –le comento a Roshan.

–No necesitas preocuparte por nosotros ahora –responde, y me mira con firmeza–. Solo ten cuidado.

Cierro los ojos y Hammie comienza a colocar una sombra brillante sobre mis párpados. Está bien. La historia de Tremaine sobre su pasado aún está fresca en mi mente, por lo que mirar el rostro inocente de Roshan me hace doler el pecho.

Finalmente, estoy lista. Al salir de la casa, oigo a Hammie gritar "¡Buena suerte!" en mi dirección. Luego, ingreso al auto y la puerta se cierra detrás de mí.

Me paso todo el viaje con las manos presionadas con fuerza contra mis piernas, perdidas en los pliegues sedosos de la falda de mi vestido. Del otro lado de la ventana, veo los rascacielos, con pequeños santuarios entre ellos, seguidos de tapias y enormes parques. El sol se está poniendo y más luces de neón comienzan a encenderse. A medida que pasamos junto al río que refleja el metro en la otra orilla, puedo ver el interior de los vagones repletos de gente, la mayoría vestidos con sus atuendos virtuales de Warcross.

Ya bastante ansiosa, me fuerzo a mirar hacia otro lado y concentrarme en buscar un reemplazo para colocar sobre mi rostro. Mi cabello de arcoíris adquiere un color castaño oscuro y mis ojos se tornan de un color avellana suave. Cuando veo mi reflejo sobre el espejo retrovisor del auto, no me reconozco.

No necesito decirle mucho esta noche, me repito. Ahora mismo, solo necesito convencer a los Blackcoats de que estoy haciendo un progreso al acercarme a Hideo. Necesito que Hideo acepte encontrarse conmigo otra vez en privado, para poder hablar a salvo.

Está loco por ti. Intento repetir la seguridad de Hammie. Pero es difícil creerlo sin ella a mi lado.

El viaje parece interminable y fuera de tiempo. La entrada principal al Museo de Arte Contemporáneo de Tokio está completamente cerrada hoy, atestada de guardias de seguridad, pero mi auto hace una curva e ingresa por una entrada lateral más pequeña que se abre paso entre los parques circundantes. Subimos por un camino sinuoso durante un breve trecho antes de detenernos junto al edificio. Aquí, está mucho más tranquilo, incluso hay otros autos negros delante de nosotros. Aguanto la respiración a medida que nos acercamos al primer lugar en la hilera. Los autos se detienen por completo en la entrada hasta que la puerta corrediza se abre.

–Que tenga una hermosa velada –dice el auto–. Felicitaciones nuevamente por la victoria de su equipo.

–Gracias –le respondo antes de bajarme y lucir mi vestido.

Todos dentro del edificio están vestidos con atuendos elaborados. Algunos incluso llevan máscaras adornadas con plumas y joyas, mientras otros mueven sus delicados y coloridos abanicos de porcelana frente a sus rostros. Me quedo parada allí por un momento, sintiéndome vulnerable e invisible. Gracias a Dios, Hammie me obligó a utilizar un vestido tan elegante. Algo menos refinado me habría hecho resaltar entre la multitud.

La entrada principal del museo es un corredor enorme de vidrio y metal, inmensos triángulos de acero con un mallado de pequeños círculos recubren cada lado de la estructura. Los paneles gigantes de vidrio son en realidad pantallas y, mientras camino, el NeuroLink emula escenas en cada uno de ellos con los mundos que se jugaron durante el campeonato de este año. Reconozco el mundo de la revancha con sus cúmulos de nubes y acantilados, luego el mundo de hielo de mi primer juego oficial. Me quedo quieta por un momento frente al panel que muestra las escalofriantes ruinas submarinas en donde jugamos la tercera ronda con los Jinetes. Allí fue donde Zero ingresó a mi cuenta y me hizo su oferta.

A mi alrededor, grupos de élite se juntan y ríen con amabilidad; mantienen conversaciones que no logro entender. Veo mujeres llenas de joyas, y hombres vestidos con sus trajes hechos a medida. Asher había mencionado que esta gente pertenece a la alta sociedad, multimillonarios y filántropos, el tipo de personas con las que Hideo tiende a cruzarse constantemente.

Luego, finalmente, llego al final del corredor, donde veo a quien vine a buscar.

Cada músculo de mi cuerpo se tensa a la vez. Hideo se encuentra parado allí, rodeado por un pequeño grupo de guardaespaldas, cada uno de ellos vestido con trajes negros idénticos, mientras él mantiene una conversación bastante profunda con otras personas muy bien vestidas. Kenn. Mari también está aquí, lleva un vestido plateado con mangas largas y acompañado con una cola de tul bastante fina. Hay una muchacha de mi edad que se encuentra recostada sobre Hideo, ríe por algo que él acaba de decir. Trato de no prestar atención a su belleza. Otras personas, mujeres y empresarios por igual, esperan a un lado su oportunidad para hablar con él.

Al menos Asher tenía razón en esto; si Hideo me ve, no querrá ocasionar una escena aquí. Ya han habido demasiados escándalos durante este último campeonato y hay demasiada gente de élite presente. Pero si no quiere que *yo* arme una escena, tendrá que aceptar hablar conmigo.

A medida que comienza a responder la pregunta de la muchacha, lentamente hago desaparecer el rostro anónimo virtual que tengo sobre el mío, de forma tal que solo Hideo pueda verme. Luego doy un paso hacia ellos hasta que son las únicas personas que tengo frente a mí.

Mira en mi dirección. Se congela. Su expresión distante se desvanece y, por un instante, lo único que puedo ver en su rostro es sorpresa.

A un lado, la muchacha que se encuentra tocándole el brazo mira en mi dirección, confundida. Para ella, sigo siendo una extraña, alguien que no conoce y por quien suelta una risa nerviosa.

–¿Quién es ella, Hideo? –le pregunta.

Uno de los guardaespaldas debió sentir el cambio repentino en el comportamiento de Hideo, por lo que lleva su mano hacia la pistola. Instintivamente, me preparo. He cometido un error, elegí mal el evento; Hideo dejará que su guardaespaldas me atrape, no le importa hacer una escena aquí, no le importa cuánta gente poderosa haya en la fiesta.

Pero luego, Hideo levanta una mano en dirección al guardia. Lo mira a los ojos y niega con la cabeza una vez.

–Discúlpame –le dice a la muchacha a su lado y se encamina hacia mí. Hace una pequeña reverencia y le devuelvo el gesto–. Ha pasado mucho tiempo desde la última vez que nos vimos –continúa. Me toma de la mano y la presiona contra sus labios. Detrás de él, la muchacha con la que estaba conversando esboza una expresión de asombro e intercambia una mirada con una amiga. La conversación a nuestro alrededor se torna silenciosa.

Su mente debe estar en otro lado. Debe estar preguntándose cómo es que ingresé aquí; si los Jinetes de Fénix están involucrados en mis planes.

Sin embargo, en la superficie solo esbozo una sonrisa y le sigo el juego, como si todo estuviera bien.

–Bueno, es mi culpa, ¿o tuya?

Gira lentamente hacia sus otros invitados; nos observan con obvio interés.

–Mis disculpas –dice y mira a sus guardaespaldas–. Quédense aquí. No tardaré –sin esperar respuesta, voltea y me coloca una mano en la espalda. Trato de ignorar la sensación al comprender que lo único que nos separa es la tela sedosa de mi vestido.

Luce cansado y me pregunto si tiene novedades sobre la falla en el algoritmo desde la vez que oí a escondidas su conversación. No parece confiar en mí, pero por alguna razón, asiente a medida que nos encaminamos por un corredor que se ramifica en el interior del museo, desde donde una salida nos lleva hacia un vasto jardín.

La noche está fresca y en el jardín hay algunas personas dispersas por aquí y allá. Los árboles rodean una estructura en forma de torre que se eleva hacia el cielo nocturno. Otras obras lucen como si estuvieran dedicadas específicamente a Warcross. Una serie de esculturas en 3D forman el logo de Warcross desde ciertos ángulos y, desde otros, un Emblema o algún ítem virtual bastante popular, o el atuendo de algún jugador oficial. Otra obra evoca una versión estilizada de varios de los mundos utilizados durante el campeonato de este año, como por ejemplo, una serie de polígonos blancos en hilera que representan las columnas de hielo del "Mundo blanco" en donde jugué o el arte moderno de las ruinas de una ciudad dentro de un cubo gigante de vidrio con tintes verdosos, similar a los del mundo submarino. Incluso, otras lucen como una oda real hacia los reinos virtuales de Warcross: docenas de luces gigantes y circulares colocadas sobre el suelo, de forma tal que lancen un haz de luz colorido hacia el cielo. Música orquestal suena suavemente en el lugar, y cambia cada vez que nos colocamos sobre una de las columnas de luz de modo tal que se relacione cada color con un repertorio distinto de música. A medida que caminamos entre ellas, nuestras sombras adquieren el color que emana esa columna de luz.

El ambiente se sentiría pacífico de no ser por la verdadera razón por la que estamos aquí.

Ahora Hideo me lleva hacia una de las obras de luz, en donde haces azules y amarillos impregnan de color su piel.

–¿A dónde vamos? –le pregunto. Hideo voltea con una expresión oscura.

–Te estoy llevando afuera –dice en voz baja.

No estoy sorprendida por sus palabras, pero aun así me afectan bastante. No parece especular con el hecho de que claramente tuve ayuda de los Jinetes o de que estoy aquí para lastimarlo. Simplemente me mira como si no fuera más que una compañera distante que ya ha olvidado. Puedo sentir cómo mis mejillas se sonrojan y mi pulso comienza a acelerarse. Es estúpido seguir molestándome por él, pero no puedo aliviar el dolor. Me hace pensar que quizás siempre lo interpreté mal.

A *menos que él tenga miedo de tenerme aquí.* Quizás está asustado por la idea de que me enviaron para hacerle algo. Y claro que está en lo cierto.

–Por favor –le respondo antes de poder pensar mis palabras–. Solo un momento. No estoy aquí para discutir contigo. Ninguno de los dos tiene tiempo para eso.

–¿*Qué* haces aquí, Emika? –me pregunta con un suspiro. Mira brevemente hacia el museo brillante, con una clara impaciencia en sus ojos.

Trago saliva y doy un paso hacia una de las columnas de luz. Todo a mi alrededor se ilumina de amarillo y la música cambia a un animado arreglo orquestal. Hideo me sigue.

–He encontrado algo que necesitas saber –le comento, mis palabras protegidas de cualquier oído entrometido gracias a la música. Desde lejos, simplemente parecemos dos personas disfrutando de una obra de arte.

Aguanto la respiración, lista para que Hideo llame a sus guardias. Pero no lo hace. Estudia mi expresión, como si estuviera buscando lo que estoy a punto de decir.

–Dime.

Doy otro paso hacia otra columna de luz diferente. Esta vez, me veo bañada por una luz azul, en donde la música se transforma en una obra más profunda. Las palabras descansan en la punta de mi lengua. *Tu hermano es Zero. El mismo hacker que hemos estado rastreando durante el campeonato.*

Una vez que lo sepa, no habrá vuelta atrás.

–Será mejor que te lo muestre –respondo.

Luego tomo una imagen de Zero con su armadura y el rostro expuesto e inconfundible. La imagen flota entre ambos.

Es como si hubiera atravesado a Hideo por el pecho. No se mueve, no respira, no parpadea. El color se desvanece de su rostro. Bajo la luz azul, su piel adquiere un brillo amenazante desde abajo; sus ojos lucen como dos canicas negras. Tensa los labios. Sus manos se mueven levemente y, cuando las miro, me encuentro con que las tiene cerradas en dos puños con tanta firmeza que sus nudillos lastimados se tornan blancos.

Sus ojos nunca abandonan el rostro de Sasuke, uno que se ve tan similar al suyo. Examina todo con detenimiento; desde el movimiento de sus ojos, el movimiento pensativo de su cabeza, la dureza de su sonrisa. Quizás está haciendo una lista mental de todas sus similitudes, o quizás está comparando todos estos rasgos que recuerda de Sasuke cuando eran chicos, como si estuviera pintando una nueva imagen en su cabeza con estas dos imágenes combinadas.

Luego cierra los ojos. Sea lo que sea que piense de la imagen, desaparece detrás de una nube de desconfianza.

–Tiene que ser falso –voltea hacia mí–. Estás mintiéndome.

–Nunca antes he sido tan honesta –mantengo un tono firme mientras la imagen continúa intacta.

Se endereza y da un paso hacia atrás, por lo que la mitad de su cuerpo se encuentra dentro del haz de luz rojo.

–Esa fotografía no es real. No es él.

–Es real. Lo juro por mi vida.

La ira en su rostro crece a cada instante, levantando una pared frente a la parte de él que me creyó. Aun así, permanezco donde estoy, presionando las uñas contra las palmas de mis manos.

–Conocí a tu hermano –le confieso y me adentro en el haz de luz roja para seguir hablando, lentamente y más contundente esta vez–. Todavía no sé mucho sobre él, ni tampoco puedo decírtelo aquí. Pero lo vi con mis propios ojos; incluso hablé con él directamente. Zero es tu hermano.

–Me estás tendiendo una trampa.

Allí en su voz. Lo puedo oír, el más mínimo rastro de duda, una pausa lo suficientemente breve como para indicarme que quizás pueda hacer que me crea.

–No –sacudo la cabeza en señal de negación–. ¿Acaso no me contrataste tú primero para cazar a las personas que estabas buscando? Eso es lo que hago.

–Con la diferencia de que ya no trabajas para mí –entrecierra los ojos al mirarme. Hay fuego en su mirada, pero aparte de eso, hay miedo–. No hay nada que nos una como para que hagas esto, a menos que quieras algo a cambio. Entonces, dime, Emika, ¿qué es? ¿Qué es lo que *realmente* quieres?

Me está leyendo mejor de lo que pensaba, asume que a causa de lo que él me hizo a mí, le estoy haciendo lo mismo. Ya le dije una vez que volvería por él y, al parecer, no lo ha olvidado.

–No te estoy cazando –le aclaro–. Trato de decirte la verdad.

–¿Para quién trabajas? –se acerca, con los ojos fijos sobre mí con esa intensidad familiar y abrasadora–. ¿Para Zero? ¿Alguien te contrató para esto?

Está adivinando demasiado. Por un momento, siento como si hubiera vuelto en el tiempo a la primera vez que lo conocí, cuando tenía que mirar hacia abajo para probar mi valor.

–No es seguro que te diga más aquí –le contesto. Mi voz no vacila ante su mirada penetrante y tampoco aparto mis ojos de él–. Necesito hablar contigo en privado. Solo nosotros dos. No puedo ofrecerte más que eso.

El rostro de Hideo luce completamente cerrado. Me pregunto si está repasando en su mente cada detalle del día en el que Sasuke se perdió, cada segundo insoportable que vivió después de eso. O tal vez está tratando de terminar con esta situación, mientras intenta comprender si estoy tendiéndole una trampa o no.

–Yo no soy quien rompió nuestra confianza –prosigo, con más suavidad–. Siempre te dije la verdad. Siempre fui fiel a la hora de trabajar para ti. Y tú me mentiste.

–Sabes exactamente por qué tuve que hacerlo –al oír esto, mi ira amenaza con salir a flote ante su terquedad.

–¿Por qué me diste falsas esperanzas, entonces? –suelto, más furiosa con cada palabra–. Podrías simplemente haberte apartado o contratado a alguien más. Podrías haberme dejado sola en lugar de arrastrarme a eso.

–Créeme, no hay nada de lo que me arrepienta más –sentencia.

Su respuesta me deja atónita, y olvido lo que estaba por contestar. No luce como si hubiera estado listo para decirlo tampoco, por lo que voltea en dirección al museo. Algunas carcajadas vienen desde el interior. El sonido hace eco entre nosotros.

Lo intento una vez más.

–¿Te importa lo suficiente tu hermano como para pensar que quizás, solo *quizás*, esté diciendo la verdad? –finalmente digo–. ¿Aún quieres a Sasuke o no?

Nunca había dicho el nombre de su hermano tan fuerte antes. Esto es lo que finalmente logra atravesar su escudo. Hace una mueca de dolor ante mis palabras. Por un momento, lo único que puedo ver es al pequeño Hideo, aterrorizado al enterarse de que su hermano ya no está en el parque. Ha pasado tantos años construyendo sus defensas y ahora aparezco yo, atravesándolas con una simple pregunta. Trayendo a Sasuke al presente.

Por un momento, creo que me rechazará nuevamente. Calculé mal todos mis planes en contra de él y de los Blackcoats; he sobrestimado lo mucho que podía controlar la situación. Es un obstáculo demasiado grande para atravesar.

Hideo voltea hacia mí. Se reclina lentamente, lo que da la impresión de que ambas siluetas están a punto de tocarse.

–Mañana –dice en voz baja–. A la medianoche.

DIECISÉIS

Para cuando regreso al hotel, un desfile de máscaras se ha desplegado en el distrito vecino, y cientos de aficionados disfrazados se desplazan desde la calle Harajuku Takeshita hacia Omotesando. Personas vestidas con sus atuendos más elaborados, tanto reales como virtuales, se pasean por allí mientras varios grupos de personas se reúnen en las puertas de las tiendas para admirar los productos. Las calles mismas están iluminadas con colores virtuales de neón, que se desvanecen gradualmente entre los haces de luz de cada color, haciendo sonar una ola de gritos de los fans cada vez que estos cambian. Una mirada más de cerca me indica que la mayoría de los fans están vestidos con alguna variación de los atuendos de los equipos del campeonato de este año.

Logro ver sus disfraces coloridos desde mi ventana al ingresar apresurada y sacarme el vestido para ponerme un jean negro y un suéter más casual; guantes negros, soquetes nuevos y unos tenis. Mis dos cuchillos siguen enfundados dentro de mis botas, mientras que mi mochila continúa repleta de los suministros usuales; mi arpeo, esposas y la pistola paralizante. Finalmente, descargo un rostro aleatorio para colocar sobre el mío y coloco una nueva máscara en la parte inferior de mi rostro.

Puede que esté con un equipo más elegante ahora, pero este ritual y el peso de mis viejas herramientas se siente bien, me convencen de que soy realmente consciente de lo que estoy haciendo, incluso si las palabras de Hideo durante el banquete siguen girando en mi cabeza.

Lucía como si le hubiera arrancado el corazón directo del pecho.

Créeme, no hay nada de lo que me arrepienta más.

Resoplo mientras ajusto las agujetas. Nada de esto fue mi culpa, y lo sabe. Pero este encuentro con él me dejó confundida, con la mente inundada de todo tipo de emociones que él desató.

Recibo un mensaje de Zero que interrumpe el hilo de mis pensamientos.

Me quedo atónita en la oscuridad y levanto la vista, esperando verlo allí en medio de la habitación.

¿Cómo estuvo la reunión con Hideo?

–Logré obtener una segunda reunión con él –susurro en respuesta, a medida que mis palabras se transcriben en medio del aire para enviárselas.

¿Cuándo?

–Mañana a la medianoche. Será privada; en ningún lugar público.

Hay una pausa y me pregunto si él o Jax espiaron de alguna manera mi conversación y si solo me está poniendo a prueba para corroborar si realmente digo la verdad.

Asegúrate de que sirva.

Afuera, se escucha un fuerte grito en las calles cuando estas cambian al rojo y dorado de los Jinetes de Fénix. Los autos tocan el claxon entusiasmados a medida que pasan por allí.

–Lo haré –le aseguro.

No hay respuesta.

Espero un poco más, y luego suspiro y tomo el mapa del Instituto de Innovación que consiguió Tremaine. Ingreso a su perfil y le envío un mensaje.

–Oye –murmuro, mirando cómo las palabras aparecen en mi visor–. ¿Estás listo para esta noche?

Espero un rato más. Puedo escuchar algo de estática del otro lado, pero nada más, y al ver que no responde, miro su perfil. Aún está conectado y su ícono está en verde.

Ey.

Le escribo de nuevo.

Blackbourne. Despierta.

Quizás no tiene buena señal. O quizás realmente no quiere hablarme más, no luego de haberme contado todo la otra noche. Desconecto mi patineta del cargador, intento no divagar pensando en otras razones por las que no está respondiendo.

Al no recibir respuesta luego de varios mensajes más, me levanto y tomo mi patineta. Ir al instituto sin Tremaine probablemente sea una mala idea, especialmente luego de la charla que tuve con Taylor. Al menos, les había dado algo a los Blackcoats como para dejarlos satisfechos de que estoy cumpliendo con mi trabajo; pero si me encontraré con Hideo mañana, cualquier información adicional sobre Sasuke tendré que obtenerla esta noche.

Me estoy quedando sin tiempo.

}{

No salgo del hotel por la puerta principal. Si Jax me está vigilando, esperará que pase por la entrada principal. Por lo que, en cambio, tomo mi viejo lanza cable de mi mochila, lo engancho al borde del balcón, me paro sobre la cornisa y desciendo.

Una corriente de viento levanta mi cabello, pero desde lejos no se ve más que una sombra ondulante moviéndose a un lado del complejo. Entrecierro los ojos, temblando de frío a medida que desciendo por el cable, hasta detenerme a poco menos de un piso del suelo.

Suelto el cable y me dejo caer con un pequeño golpe seco. Luego, arrojo la patineta al suelo y me encamino hacia el instituto.

Por primera vez en mucho tiempo, tomo el primer metro que puedo encontrar. Todavía están bastante congestionados a esta hora de la noche. Algunos trabajadores frustrados por todas las celebraciones que hacen más lento su viaje pasan junto a mí prácticamente sin mirarme, mientras otros grupos de fans desbordan los trenes, en su afán de llegar a alguna fiesta o partida callejera de Warcross que esté ocurriendo en la ciudad. Los puestos de ramen y panaderías que se encuentran en las estaciones aún están atestados de gente, al igual que otras tiendas más lujosas que también se encuentran abarrotadas con clientes, todos tratando de obtener bolsos, cinturones y zapatos de edición limitada por el campeonato que desaparecerán para el final de la temporada de Warcross. A cada lado de los carteles publicitarios que cubren las paredes de la estación puedo ver las figuras virtuales de otros dos de los mejores jugadores seleccionados para la ceremonia de cierre.

ABENI LEA de KENIA | TITANES
TREY KAILEO de ESTADOS UNIDOS | DRAGONES DE INVIERNO

Aguanto la respiración y me pierdo entre la inmensa multitud, esperando que nadie me reconozca dentro del metro. Tomo diferentes líneas de metro hasta sentir que ni siquiera yo misma me puedo encontrar entre tanta gente. Si Jax aún me sigue, con suerte le tomará tiempo suficiente para que pueda revisar el instituto por mi cuenta.

Media hora después, salgo hacia una de las calles residenciales más oscuras y tranquilas en las afueras de Tokio. Aquí, las ventanas superpuestas en mi vista se limitan a mostrar los nombres de los edificios con tenues letras blancas –**Restaurante, Panadería, Lavandería**– y el número de manzana en el que me encuentro, seguido de hileras de carteles comunes de casas: **Apartamentos 14-5-3. Apartamentos 16-6-2**.

Mi patineta se desliza en silencio sobre el pavimento hasta dejar atrás todas las casas. Una pared maciza de piedra rodea la siguiente manzana, en la cual hay una ventanilla de seguridad y una barrera baja. Me detengo frente a esta. Allí, asomándose en medio de un enorme jardín con fuentes, se encuentra un amplio complejo de oficinas, con un patio interior principal hecho completamente de vidrio.

Mi mirada se detiene ante las palabras grabadas sobre un bloque de piedra justo al otro lado de la barrera, el mismo que Tremaine me había mostrado en su fotografía.

El aparcamiento no se encuentra vacío. Puedo ver algunos coches negros allí en una esquina.

Se me eriza la piel ante esa imagen. Es completamente posible que algunas personas estén trabajando tan tarde, pero algo acerca de esos autos me recuerda al que tomé cuando Jax me llevó por primera vez ante los Blackcoats. Quizás Tremaine también está aquí. Al recordarlo, reviso rápidamente mis mensajes. Sigue conectado, pero aún no me ha contestado.

Vacilo por un segundo antes de ajustarme aún más la capucha, cambiar a un nuevo rostro y pasar a través de la barrera.

La entrada principal está cerrada, por supuesto. Desde afuera, es difícil descifrar exactamente qué hay detrás de ese frente de vidrio; el lugar tiene al menos tres o cuatro pisos de altura y una especie de gradiente de un color tenue ilumina su interior, desde arriba hacia abajo. El edificio entero luce cerrado por la noche. Miro nuevamente los autos, pensativa, y comienzo a bordear el edificio.

Rodeo todo el complejo, buscando alguna forma de ingresar, pero todo parece estar cerrado, sin fallas de seguridad. Me oculto tras unos arbustos a un lado del edificio principal y despliego el mapa de Tremaine, esperando encontrar alguna vulnerabilidad en la seguridad. Luego hago una búsqueda, en caso de que el complejo tenga algún sistema en línea por el cual pueda acceder. Una vez, ingresé a una tienda de moda cerrada en Manhattan simplemente pasando por las contraseñas simples de su sistema de cámaras de seguridad. Pero aquí, no encuentro ninguna debilidad.

¿Qué sentido tiene haber venido si no puedo encontrar una forma de ingresar? Suspiro y recorro el perímetro por segunda vez, tratando de encontrar alguna pista. Hay varios edificios conectados: el sector de física, el sector de neuroinformática, un centro de investigación de recursos tecnológicos y varias cafeterías. Nada de esto es información nueva; ya lo había visto en mi investigación del instituto.

Estoy a punto de dar por finalizada la noche, cuando de repente oigo unas pisadas tenues. Delante de mí, una de las entradas laterales de vidrio se abre y sale Jax de su interior. Mira hacia atrás por un instante y sus ojos monitorean el campus.

Me oculto detrás de los arbustos que rodean el edificio. Mi mente comienza a deambular frenéticamente entre posibilidades, cada una tan rápida como mi pulso. ¿Qué demonios está haciendo aquí? ¿Con quién está?

Es probable que no haya venido sola. Ella es guardaespaldas y asesina, lo cual significa que puede estar cuidando a Zero o a Taylor, o está en medio de una misión para atrapar a alguien. Cuento hasta tres en voz baja antes de animarme a dar un vistazo alrededor.

Algunos guardias emergen del edificio y se unen a ella. También están vestidos de negro y, por un momento, me pregunto si algunos de ellos son los que me vieron en el duelo contra Zero en el Dark World. Quizás son los matones de bajo nivel que contratas en el área de Kabukichō en Shinjuku.

Jax intercambia algunas palabras concisas con ellos y se dirige hacia el otro extremo del complejo a paso ligero. Algunos de los guardias la siguen, mientras que otros dos regresan por la puerta.

Me muevo antes de poder pensarlo bien; encorvada y con la vista hacia delante. Me escabullo entre los arbustos como una sombra, tan rápida y silenciosa como puedo hacia la puerta abierta. Al ver que el último guardia desaparece tras la puerta y notar que esta se empieza a cerrar, acelero el paso. Ingreso al interior oscuro del edificio sin hacer ruido, justo cuando las puertas terminan de cerrarse.

De inmediato, me escondo en la abertura más cercana que encuentro; una hilera de cestos altos de reciclaje. Los guardias ya desaparecieron por el corredor. Cierro los ojos por un momento y recuesto mi cabeza contra la pared. Luego, me quito la máscara para poder respirar hondo. Una capa de sudor frío recubre mi cuerpo entero.

En mi próxima vida, seré contadora.

Por el corredor, las pisadas de los guardias se tornan cada vez más lejanas. Espero hasta que está completamente en silencio y me compongo para seguir camino.

El edificio está oscuro y nadie parece estar trabajando. Camino hasta que el techo comienza a hacerse más alto y el sonido de mis pisadas cambia. Al cabo de un momento, llego a la sala principal, y me quedo congelada, boquiabierta.

El lobby principal del instituto podría ser un museo. El techo se eleva varios pisos por encima de mí y en el vasto espacio que allí queda cuelga una enorme escultura de lo que parecen ser pulsos eléctricos de un cerebro; excepto que a una escala masiva, abarcando toda la extensión desde el techo hasta casi tocar el suelo. Cientos de líneas de luces se conectan con orbes coloridos, los cuales se encienden y apagan, brillan y se oscurecen. Es hipnotizador.

Otros exhibidores de vidrio muestran otras obras; máquinas que aparentan ser humanos con extremidades de metal y piernas, estructuras hechas de miles de cilindros y círculos que se mueven con un patrón rítmico específico, cortinas de luces que parecen una cascada de neón.

Por un momento, me olvido de mí misma y deambulo entre los exhibidores, sorprendida por su escalofriante belleza. Me detengo frente a una línea de tiempo proyectada sobre una pared entera. Muestra el origen del instituto, con una sucesión de fotografías que se despliegan hasta el final de la línea, en donde se puede ver una imagen del instituto en la actualidad. Luego, todo cambia y las fotografías ocupan toda la pared, con la descripción de la imagen con letras blancas por delante, antes de pasar a la siguiente.

Los titulares aparecen repletos de halagos al instituto; un centro dedicado a entregarles a sus clientes tecnología de punta, a realizar experimentos muy avanzados para su tiempo, al avance constante de la ciencia.

El sonido envolvente y distante de unos llantos interrumpe mis pensamientos. Me apoyo contra la pared casi instintivamente, ocultándome entre las sombras. El llanto proviene de algún lugar más adelante en uno de los corredores. Algo en él me resulta familiar.

Espero. Cuando ya no oigo nada más, abandono la sala principal y me apresuro hacia el corredor más cercano a mí.

Está demasiado oscuro como para ver el techo ahora, aunque el sonido de mis pisadas me da indicios de lo alto que es el lugar. Dos delgadas luces de neón acompañan el camino a cada lado del pasillo. Pasan algunos minutos y, ocasionalmente, puedo oír algunos ruidos y voces en la distancia. En algún lugar por delante, se oye un golpe seco apagado, seguido de unas voces que no reconozco.

El corredor termina abruptamente, abriéndose paso hacia otro salón enorme; esta vez, con algunas habitaciones de vidrio bien iluminadas.

Dentro de una de ellas está Zero.

Frunzo el ceño. No, no es Zero; solo alguien que se parece a él, con un traje negro de metal, alto y esbelto, con el cuerpo y la cabeza completamente recubiertos por una armadura. ¿Un robot? Parado frente a la habitación de vidrio se encuentra el mismísimo Zero, manteniendo una conversación con Taylor. Tiene algunas pantallas desplegadas frente a ella, pero desde mi visor se ven completamente en blanco. A medida que Zero habla, ella se acomoda los lentes y escribe en una pantalla en el aire. Sus hombros lucen frágiles en su posición encorvada.

Zero se aleja de Taylor y se acerca el vidrio. Ella le asiente con la cabeza. Y, de pronto, *atraviesa la pared de vidrio e ingresa a la habitación en donde se encuentra su armadura*.

Parpadeo. No es él en persona, sino una simulación virtual. Entonces, ¿dónde está?

Camina hacia la versión robótica de él mismo y la inspecciona con cuidado. Un pitido fuerte suena en la habitación de vidrio y, de pronto, el robot se mueve. Zero extiende su mano; el robot mueve uno de sus brazos de la misma manera. Zero gira la cabeza; el robot también gira su cabeza. Taylor abre la puerta y se reúne con él en la habitación. Le arroja un objeto de metal al robot y Zero mueve la mano rápidamente. El robot hace exactamente el mismo gesto y atrapa el objeto a la perfección.

Me quedo estupefacta. Sea cual sea el propósito de este robot, está completamente conectado a la mente de Zero, con un nivel de precisión que me asusta.

El sollozo que había escuchado antes, regresa. Esta vez, volteo y veo a Jax emerger entre las sombras de un corredor en el otro extremo del lugar, llevando a alguien en dirección a la habitación de vidrio. Taylor y Zero salen mientras Jax obliga a esa persona a ponerse de rodillas.

En solo un instante, me olvido del robot. Me olvido del Zero virtual que controla al robot con su mente y de Taylor revisando la pantalla. Lo único que importa es la persona temblorosa y de rodillas que se encuentra allí, con la piel bañada de blanco por las luces, con su cabello sudoroso meciéndose sobre su boca amordazada.

Tremaine.

Las palabras de Jax llegan hacia mí, haciendo que su voz retumbe por todo el lugar.

–Lo encontré jugando con las cámaras de seguridad –comenta–. Trató de escapar hacia la habitación de pánico cuando descubrió que estaba tras él. Por alguna razón, sabe que el sistema de esa habitación no está conectado a la red principal.

Zero junta las manos a sus espaldas y observa a Tremaine en el suelo.

–Suena como si alguien hubiera estado estudiando los planos del instituto –responde.

–Suena como si alguien estuviera trazando un camino para alguien más –añade Jax–. No está solo.

Tremaine sacude la cabeza vigorosamente, con sus mejillas brillando por la humedad bajo la luz.

No puedo tragar. Todos los sonidos a mi alrededor se ven reemplazados por el latido de mi corazón; mi visión se nubla. Ahora entiendo por qué Tremaine no había respondido ninguno de mis mensajes esta noche. Vino aquí después de todo, y ellos lo sabían; quizás, incluso, lo estaban esperando.

Las palabras de Taylor regresan a mí. *¿Y eso es lo único que hiciste esta noche? Estoy aquí para advertirte*. Una parte de mí esperaba que ella lo defendiera de Jax y Zero. Pero simplemente se queda allí parada, aún rodeada de algunas pantallas.

Deben haber descubierto que Tremaine era quien estaba husmeando entre los archivos del instituto, que había pasado la información; quizás incluso que me la había entregado a mí. ¿Cómo lo hicieron?

Por mí. Quizás estaban espiando nuestra conversación; han

irrumpido en mi cuenta. O quizás lo han seguido por algún rastro que dejó accidentalmente.

De pronto, me inunda una sensación de náuseas; es la misma sensación que tengo cuando sé que estoy en peligro y lo único que quiero hacer es desligarme de todos los que me rodean para no arrastrarlos conmigo.

Tremaine levanta su rostro hacia Zero ahora. Incluso en su horror, puedo ver que lo reconoce; nunca antes lo había visto, pero sabe quién es. Jax se agacha y le quita la mordaza. Zero le pregunta algo, pero los labios de Tremaine no se mueven. Lo único que hace es permanecer en silencio. Los hombros de Jax se aflojan al suspirar. Zero da un paso hacia adelante, pero Jax niega con la cabeza y se levanta.

Déjamelo a mí, parece decir ella.

Aparta la mano del hombro de Tremaine y se aleja. El terror en mi interior alcanza un punto cúlmine. Todo a mi alrededor parece desvanecerse al ver cómo Jax toma su arma y acciona el martillo.

Esta debería ser la parte en la que grito algo, en la que una palabra hace que todos se detengan y miren en mi dirección.

Pero en cambio, no puedo emitir ningún sonido. Jax apunta el arma directo a la frente de Tremaine. Ejecuta un solo disparo.

El cuerpo de Tremaine convulsiona. Se desploma en el suelo.

Mis manos se cierran sobre mi boca, evitando soltar un llanto. El disparo resuena en mi cabeza.

El recuerdo del asesinato que cometió Jax regresa a mí de golpe; me reclino contra la pared mientras intento recobrar la compostura, contrarrestando la arremetida de mis recuerdos.

Creemos que hay demasiada gente en el mundo que no es juzgada por los crímenes terribles que cometen.

Esas fueron las palabras de Taylor que me persuadieron de unirme a los Blackcoats. Me había dicho que peleaban por causas en las que creían. Sus acciones estaban justificadas porque ella, todos ellos, en realidad, temían lo que pudiera hacer Hideo.

Pero en un solo momento, cada aspecto positivo que alguna vez pensé de los Blackcoats, cada palabra con la que me habían persuadido, se desvanece. Tremaine estaba vivo hacía tan solo unos segundos y ahora está muerto, y es por mi culpa.

Respira.

Respira.

Pero no puedo pensar con claridad. No puedo hacer nada en este momento que no sea esconderme como una cobarde, temblando sin control contra una pared. La habitación de vidrio frente a mí se nubla y se esclarece. Me parece ver a Taylor alejándose mientras dos guardias se deshacen del cuerpo, y otro limpia el suelo. Zero se inclina sobre Jax para decirle algo en voz baja, mientras Taylor les entrega algo a los guardias. Ninguno luce preocupado. De pronto, se me ocurre pensar que les pagaron para esperar y llevar el cuerpo de Tremaine afuera, de manera tal que puedan llevarlo hacia otro lado. Estaban preparados para ejecutarlo.

Mi pánico está haciendo que pierda el aliento. Me siento mareada. Los bordes de mi visión se oscurecen, apagándose, mientras trato de luchar contra esto; la parte lógica de mi mente me dice que si colapso ahora, *aquí*, me encontrarán. Y si saben que he visto todo, no dudarán en hacer exactamente lo mismo conmigo, tal como lo hicieron con Tremaine.

Jax luce aburrida *–exasperada* con esa persona que le hizo perder el tiempo–, ni siquiera miró nuevamente el cuerpo de Tremaine, que dejó tendido en el suelo. ¿A cuántas personas habrá asesinado de esta forma?

Los Blackcoats son asesinos. Tremaine me había advertido que me mantuviera alejada de ellos desde el comienzo; él solo estaba aquí porque me estaba cuidando a *mí*. Y de todas formas seguí adelante. Ahora está muerto. ¿Qué tal si los Blackcoats ya me están buscando, si se enteraron de la conexión entre Tremaine y mi trabajo?

¿Qué he hecho?

No puedo hacer esto. No puedo quedarme aquí. Cierro los ojos y cuento, forzándome a concentrarme en todos los números en mi cabeza hasta que son lo único que veo. Hideo tiene que saber de esto. Pero ¿qué le diré? Ni siquiera entiendo todo lo que acabo de ver. ¿Qué es ese robot que Zero estaba controlando? Y si no está aquí en persona, ¿dónde está?

Levántate, Emi.

Susurro las palabras una y otra vez, hasta que finalmente recobro el control de mi cuerpo. Me alejo de la pared, me pongo de pie y regreso por donde vine. Frenéticamente, despliego el mapa en mi visor y fijo una ruta hacia el hotel. Me alejo lo suficiente de esa horrible habitación para regresar al enorme lobby principal del complejo.

Preparo mi nueva patineta para soltarla en el suelo y subirme, pero, como mis manos están temblando, la dejo caer muy torpemente. Intento sujetarla, pero es en vano.

Algo suena a mis espaldas. El rostro pálido de Jax aparece entre la oscuridad de las paredes con el arma apuntando directo a mi cabeza. Sus ojos grises están fijos sobre mí con su penetrante mirada.

–Se supone que no deberías estar aquí –me dice.

DIECISIETE

No me atrevo a responder. Simplemente me quedo en donde estoy y llevo las manos a mi cabeza.

Mueve el arma una vez.

–Arriba.

Hago lo que me dice. Hay algunas gotas de sangre salpicadas sobre su guante, la sangre de *Tremaine*, y no puedo apartar los ojos. Me asesinará por estar aquí y no hay forma de esconderme. Moriré en el suelo de este edificio, al igual que Tremaine.

–¿Por qué diablos estás aquí? –suelta en un suspiro.

–Estaba buscando a Zero –le contesto; ni siquiera me creo mi propia excusa. Mis palabras salen entrecortadas y puedo oír el temblor en ellas–. Me encontraré con Hideo mañana por la noche. Yo…

Jax me observa con detenimiento. Sabe que estoy mintiendo.

–Lo viste, ¿verdad? –agrega, para mi sorpresa.

Muevo la cabeza, vigorosamente.

–Lo oí –suelo mentir mejor, pero en este momento, el pánico en mis ojos me delata–. Estaba demasiado oscuro. Lo único que oí fueron voces en el corredor.

Jax suspira; casi como si sintiera lástima por mí y me pregunto si reconoce la misma expresión en mi rostro de la vez que abatió a ese asesino.

–Es impresionante que hayas ingresado al edificio sin que te viera. Pero aquí estamos ahora.

El eco del disparo que asesinó a Tremaine aún resuena en mi cabeza, una y otra vez, lo cual me hace querer levantar las manos y llevármelas a los oídos.

Jax sujeta el arma con más firmeza. *Esto es todo*. Mi cuerpo está completamente congelado en el lugar.

–Camina.

¿Qué? Mis pies se sienten prácticamente arraigados al suelo.

Jax me toma del brazo y me sacude una vez. Sus uñas se entierran profundo en mi piel.

–Si se enteran de que estás aquí, estarás muerta –me dice entre dientes en el oído mientras me empuja hacia adelante–. *Vamos*.

Sus palabras penetran mi caótica mente y logro lanzarle una mirada confusa a medida que avanzamos a un lado de la pared entre las sombras del lobby principal.

–¿A dónde me llevas? –susurro.

Jax me conduce por otro corredor hacia el otro extremo de la sala.

–Menos charla y más acción –replica.

A pesar del silencio que había logrado mantener hasta el momento, las palabras salen sin siquiera pensarlo dos veces.

–¿Y luego qué? ¿También me llevarás afuera? ¿Un disparo en la cabeza al igual que Tremaine? ¿A dónde llevan su cuerpo?

Voltea hacia mí con sus ojos grises.

–Entonces sí lo viste.

Muevo la cabeza repetidamente, intentando en vano sacar de mi mente la imagen del cuerpo desplomado de Tremaine.

–¿Qué están haciendo aquí? –pregunto, una y otra vez–. ¿Qué es ese robot que Zero estaba controlando? ¿Dónde está él?

Jax no me contesta. Llegamos al final del pasillo y una pequeña entrada lateral se abre hacia la parte trasera del edificio, donde hay algunos autos aparcados.

Aquí, de pronto, Jax me presiona contra la pared y coloca una de sus manos enguantadas sobre mi boca. Luce más fría que nunca, pero hay algo de tensión en su mirada, ya que no deja de observar alrededor para asegurarse de que estamos solas.

–En un minuto, te diré que salgas y te subas al auto que está más lejos a tu izquierda. Te llevará de regreso al hotel. Los guardias del frente están ocupados con el cuerpo de Tremaine. Mantén la cabeza gacha y no intentes regresar. ¿Me entiendes?

–Pero tú… –le digo mientras intento soltarme de sus manos.

Me sacude nuevamente y coloca la pistola sobre mi cabeza. Está muy fría. Oigo que la acciona justo sobre mi sien.

–Sí, le disparé a quemarropa en la cabeza a tu estúpido amigo Tremaine. Haré que su auto se dirija directo al hospital. No te atrevas a visitarlo esta noche, a menos que quieras que Taylor se entere que de alguna forma sabías que iría allí antes de que llegara. Espera hasta mañana por la mañana.

Nada de esto tiene sentido en lo absoluto.

–¿Qué? ¿Taylor? –mi susurro se torna áspero–. *Tú* le disparaste. *Zero* es el jefe de…

Jax suelta una risa silenciosa y de sorpresa, y baja su arma.

–Crees que Taylor trabaja para Zero, ¿verdad?

–Trató de advertirme. Zero… –un rastro de dudas llena mi voz. Jax esboza una sonrisa fría.

–Zero no es quien opera todo. Taylor, sí. Nosotros seguimos *sus* órdenes.

Taylor es la jefa de los Blackcoats. Cierro los ojos. No puede ser cierto; es demasiado callada e insegura para eso. Su voz suave, sus hombros delicados, su mirada pensativa… ¿Acaso no había diferido con Zero la primera vez que los vi? ¿No lo había dejado hablar?

Dejado hablar. Como si él trabajara para ella.

–Pero… –intento decir–. Taylor no luce como…

Mi voz se apaga al ver la expresión de Jax. Está

completamente seria y, en sus ojos, veo una emoción que nunca antes había visto en ella. Miedo real. Miedo de *Taylor*.

Jax, la muchacha que puede comer un bocadillo y luego dispararle a alguien en la cabeza, a quien no se le mueve un pelo al ver sangre... está aterrorizada por Taylor.

Y ahora yo estoy completamente asustada.

Jax aparta su mirada y se acerca.

–Una vez que regreses al hotel –murmura sobre mi oído– te enviaré una invitación al Dark World. Nos encontraremos allí y te contaré más.

–¿Por qué debería creerte? –suelto, confiada de que mi ira detendrá las lágrimas.

–Porque todavía sigues con vida –me contesta–, y no estás desangrándote en el suelo.

Hay tantas cosas que quiero decirle. Que la vi parada en el balcón con Zero; que no sé por qué me está salvando o por qué apoyó a Taylor con el asunto de Tremaine. Pero no hay tiempo para presionarla. Lo único que puedo hacer es seguir sus instrucciones; aunque nada la detendría de perseguir mi auto ni bien me suba a él.

Quizás también esta es su estrategia para matarme esta noche. Me llevará hacia el auto y luego lo sacará del camino, digamos, como un accidente.

Unas pisadas suaves parecen venir desde el otro extremo del lobby principal. Jax voltea su cabeza rápidamente en esa dirección y vuelve a mirarme.

–Te lo advertiré una sola vez. Si alguna vez regresas aquí,

te pondré una bala antes de que siquiera puedas darte cuenta de ello. Ahora, cállate y márchate.

}{

De alguna forma, mis piernas adormecidas me llevan hasta el auto. Me siento en silencio mientras se pone en marcha y me lleva hacia el hotel. Quiero gritarle al auto para que me lleve hacia donde se encuentra Tremaine. Quiero saber a dónde se lo llevaron. Decirle cuánto lo siento y rogarle que me perdone.

Está en un hospital en algún lado, peleando por su vida, por mi culpa. Si muere, mis manos estarán llenas de su sangre.

Las últimas palabras de Jax resuenan en mi cabeza. Una parte de mí espera que la ventana del auto estalle por un disparo; que ella me haya tendido una trampa y que simplemente estaba esperando a que le diera la espalda.

Pero afuera todo luce exactamente como antes; el desfile de disfraces aún está activo, las calles todavía están iluminadas por luces de neón. Algunos incluso festejan ante el anuncio de otros dos mejores jugadores, haciendo crecer aún más el entusiasmo por la ceremonia de cierre.

OLIVER ANDERSON de AUSTRALIA | CABALLEROS DE LAS NUBES
KARLA CASTILLO de COSTA RICA | CAZADORES DE TORMENTAS

Otros silban a medida que un grupo de sus amigos pasa con atuendos de los Jinetes de Fénix de uno de los juegos del campeonato.

Para ellos, el tiempo no ha pasado. No vieron cómo le dispararon a alguien que conocían, no sintieron la sangre en el suelo. Realmente no se sienten como si hubieran visto un trozo de verdad que cambia todo lo que están haciendo. Para ellos, el mundo sigue intacto. No son culpables de haber puesto a su amigo frente a un peligro que puede costarle la vida.

Al llegar, la puerta del auto se abre y me bajo, como si todo estuviera bien. El elevador se abre como siempre. La cama en el hotel sigue allí, recién armada y un plato de frutas (lichi, carambola, peras) descansa sobre el escritorio, envuelto con un film plástico. Me quedo parada por un momento bajo las sombras de mi cortina, mirando los colores y disfraces pasar por la calle de afuera. Todo el mundo está riendo y disfrutando, dichosamente ignorantes del mundo oscuro que los rodea.

Lavo mis manos en el lavabo. Tengo algunas manchas de sangre sobre mi ropa y, por un instante, pienso que son de Tremaine, hasta que veo la herida en mi brazo. Debo haberme cortado al escapar. Me quito la ropa, me meto en la ducha y dejo que el agua me queme hasta dejar la piel roja. Luego me envuelvo en una bata de baño y me siento en la cama, con el sonido de los festejos aún sonando en la calle.

Noto los mensajes que le había intentado enviar a Tremaine, sin leer y sin respuesta.

Todas las lágrimas que no pudieron salir antes, brotan

ahora repentinamente. Lloro con todas mis fuerzas, ahogándome en sollozos que retumban en mi pecho, haciendo que me sea casi imposible respirar mientras dejo salir todo. Mis manos se cierran sobre las sábanas. ¿Acaso no pasaron solo unas horas desde que estaba junto a Hideo y le comentaba sobre su hermano? ¿No había pasado solo un instante desde que observé a Tremaine colapsar en el suelo?

Todavía tengo la imagen de su silueta bajo la lluvia, su mirada perdida y la forma en que se encogió de hombros, despreocupado. Ahora mismo, Tremaine está allí afuera, en algún hospital, recostado sobre una camilla mientras probablemente lo llevan a la sala de emergencias. Se acercó demasiado y recibió el disparo que tendría que haber recibido yo. Ahora estoy sola, perdida en esta batalla entre el algoritmo de Hideo y los secretos de los Blackcoats. ¿Cómo reaccionará Roshan cuando se entere de lo ocurrido? ¿Significa que los demás Jinetes de Fénix estarán en problemas también si los involucro?

Todas las puertas cerradas tienen una llave. Pero quizás eso no es del todo verdad. ¿Cuál es la llave ahora? Ya no sé hacia qué lado girar. No sé qué lado es el correcto o cuál es la salida.

La imagen de Tremaine sobre una camilla es rápidamente reemplazada por recuerdos de los pasillos de un hospital, ese olor familiar y horrible a desinfectante, sellado permanentemente en mi memoria. Por un momento, vuelvo a tener once años y estoy ingresando a la habitación de mi padre en el hospital con los brazos llenos de peonías y una bandeja con comida. Coloco las flores sobre una jarra y me siento con las piernas cruzadas al borde de la cama mientras comemos juntos la comida del hospital. El cabello oscuro azulino que papá supo tener alguna vez ya se encuentra gris y debilitado, cayéndose a diario. Su bata de hospital se arruga alrededor de sus delgados hombros de una forma extraña. Separa cada pieza de un brócoli pastoso y se la lleva a la boca, y continúa cortando el pastel de carne cuidadosamente con su tenedor. Pero evita el pequeño cuadrado de pastel de chocolate.

El azúcar también puede ser venenoso, me dijo una vez cuando le pregunté por qué lo había dejado en el plato.

Y todo lo que pude pensar en ese momento fue en el transbordador espacial *Challenger*, del cual había aprendido en la escuela esa mañana. Al gobierno le gusta la historia oficial de que la explosión del transbordador acabó con la vida de toda la tripulación de inmediato; pero la verdad es que la cabina quedó intacta luego de que el cohete estallara. Siguieron subiendo por algunos kilómetros más hacia el espacio para luego desplomarse por dos minutos y medio hacia el océano Atlántico a toda velocidad, completamente conscientes todo el tiempo. Y, en lugar de aceptar la muerte, tomaron sus máscaras de oxígeno y se abrocharon los cinturones.

Pelcamos por sobrevivir con todo lo que tenemos a nuestro alcance, como si las máscaras de oxígeno y los cinturones, y evitar comer un pastel de chocolate pudieran ser lo que nos salve la vida. Esa es la diferencia entre lo real y lo virtual.

La realidad es el lugar en donde puedes perder a tus seres queridos. La realidad es el lugar en donde puedes sentir las grietas en tu corazón.

Cuando el mundo se oscurezca, guíate con la firmeza de tu propia luz.

Las viejas palabras de mi padre subyacen en mi mente. Puedo verlo sonreírme con cansancio por detrás de la bandeja de comida, mientras sus dedos dan pequeños golpecitos sobre su sien y luego sobre su pecho a la altura del corazón.

Mantente firme, Emi. Sigue adelante.

Permanezco sentada en la oscuridad hasta que las lágrimas se secan y mi respiración se estabiliza. Son las dos de la mañana. El desfile afuera finalmente está más tranquilo y la gente comienza a regresar a sus hogares. Me quedo sentada hasta que puedo pensar con claridad nuevamente. Tremaine eligió este camino. Si me arrepiento ahora, su sacrificio habrá sido en vano.

De pronto, un nuevo mensaje aparece en mi visión. Es de una cuenta anónima que me pide conectarme en el Dark World. Es Jax. Jax, quien está en medio de esta oscura pesadilla y en quien confío simplemente por el hecho de que aún sigo con vida.

¿Estás lista?, pregunta.

Miro la invitación a través de mis ojos nublados por las lágrimas.

¿Por qué haces esto?

¿Quién crees que le dio la información a Jesse en primer lugar?

El contacto anónimo que le había mostrado a Jesse la identificación del instituto. Había sido Jax.

Ha estado vigilándome después de todo, sabía que estaba trabajando con Tremaine, sabía que Jesse estaba en el Dark World preguntando por el símbolo de Sasuke.

No tenemos toda la noche, Emika.

Miro el mensaje y me pongo firme. Levanto un brazo y acepto la invitación.

DIECIOCHO

Dos días para la ceremonia de cierre
de Warcross

La habitación a mi alrededor se desvanece en la oscuridad. Un segundo después, me encuentro en medio de una calle oscura, iluminada sutilmente por luces de neón rojas y azules; un pequeño grupo de transeúntes encriptados avanzan con paso firme de un lado a otro.

A mi lado hay una muchacha anónima con un rostro que no logro reconocer. Aunque tampoco necesito hacerlo. Al llevarse la mano de forma inconsciente hacia su cinturón y golpear rítmicamente contra él, ansiosa por sostener el arma, sé de inmediato que es Jax.

No se presenta. Simplemente gira su rostro hacia la esquina más cercana y me hace un gesto con la cabeza para que la siga. Lo hago sin decir una palabra. Mientras caminamos, nos topamos con un cartel gigante de **PARE**, pintado de amarillo en lugar de rojo, en la intersección de dos calles. Continúa hacia el otro lado del camino, en donde aparece otra señal de **PARE**. Estos continúan desplegándose a cada lado de la calle, duplicándose a medida que seguimos caminando. La ilusión óptica es bastante escalofriante y la forma en que cambia me marea.

–Cierra los ojos –me sugiere Jax al ver mi rostro–. Luego de que se activó el algoritmo de Hideo, el dueño de este lugar colocó estas medidas de seguridad para disuadir a cualquier visitante que esté compenetrado con delatarlo. Si lo sigues mirando, te hará sentir muy mal; a menos que sepas la nueva contraseña. Así que, cierra los ojos y sigue mis instrucciones.

Nuevamente, hago lo que me dice. En la oscuridad, Jax me avisa la cantidad de pasos que debo hacer antes de doblar. Lucho contra la constante sensación de que voy a tropezar con algo y me fuerzo a seguir adelante.

Finalmente, nos detenemos.

–Aquí está bien –dice Jax, y abro los ojos–. ¿Alguna vez oíste de este lugar? –me pregunta, señalando hacia delante con la cabeza.

Lo único que puedo hacer es negar con la cabeza y mirar

atónita. Irguiéndose delante de nosotras, hay un edificio imposible y enorme que luce como un domo gigante de vidrio que se eleva más alto que el Empire State, abarcando toda una manzana. Algunos estrechos puentes negros salen desde el domo como mondadientes en una burbuja para conectarlo con otros círculos enormes de vidrio que flotan en el aire. La estructura entera luce como una réplica a escala del Sol y los planetas. Todo el vidrio se encuentra recubierto por un tramado de metal negro, como si fuera necesario para mantener todo en pie, y sobre la base hay una serie de focos de luz que apuntan hacia la estructura, lanzando rayos de luz escarlata hacia el aire y el suelo. Algunas fuentes tan altas como extravagantes cascadas rodean el perímetro del domo, haciendo que luzca una docena de veces más grandiosa que cualquier otra fuente real.

–Es la Exposición Universal del Dark World –agrega Jax, haciéndome un gesto para que la siga hacia la enorme entrada en arco, en donde una marea de personas ingresa y sale del lugar–. Es como la Exposición Universal en la vida real, excepto que aquí, las cosas que se exhiben son un poco más ilegales.

Me quedo boquiabierta a medida que pasamos por debajo del imponente domo. La primera vez que había oído hablar sobre la Exposición Universal fue en la escuela y todavía puedo recordar estar mirando en mi computadora un artículo sobre ella. La Torre Eiffel fue construida originalmente para la Exposición Universal de París en el año 1889. Al igual que la primera rueda de la fortuna, creada para la Exposición Universal de Chicago en 1893. A papá le encantaba investigar sobre estas enormes exposiciones ya que le parecían increíblemente románticas, evocaba cada una el sueño de un creador. Recuerdo estar despierta por la noche y escucharlo describir una Exposición Universal tras otra.

Me pregunto qué diría si viera este lugar.

Ahora, ingresamos junto a otros avatares hacia un lugar que me quita el aliento. Por debajo del alto techo de vidrio hay un área repleta de pantallas, cada una con acceso restringido y rodeada de aficionados y compradores potenciales. Algunas cuerdas de luces cuelgan formando arcos elegantes desde el techo de cristal, agregándole un tono surrealista al aspecto del recinto. Además, unas aves mecánicas revolotean alrededor, como si estuviéramos dentro de un aviario. Al mirarlas más de cerca, noto que llevan papeles blancos en sus patas.

–Esas aves son paquetes encriptados. Para mensajear de forma segura con los visitantes aquí dentro –me explica y saluda con la cabeza a una pareja en un puesto al pasar–. Están financiados por patrocinadores secretos, desarrollados ilegalmente en el Instituto de Innovación –me comenta en voz baja–. Por Taylor.

Uno de los puestos es una nube de datos, un millón de pequeños puntos que se juntan y separan repetidas veces. Otro muestra armas con óvalos azules destellantes sobre su superficie que funcionan como sensores de huellas digitales.

Un tercero es una demostración de invisibilidad por medio del NeuroLink; en lugar de descargar un rostro generado aleatoriamente y colocarlo sobre el tuyo, escanea tus alrededores y lo transforma en un entramado que recubre todo tu cuerpo, haciéndote desaparecer de la vista.

La miro.

–Y Taylor... ¿ella vende toda esta tecnología? –le pregunto, y ella asiente.

–Gran parte. Por el precio justo.

Niego con la cabeza y me detengo debajo de un exhibidor rotativo gigante lleno de armaduras.

–¿Cómo es posible que Taylor esté desarrollando todos estos dispositivos ilegales dentro de un instituto de ciencia real? ¿Y cómo están vinculados los Blackcoats?

–¿Qué sabes sobre Taylor?

–No mucho. Solo lo que ella me dijo. Que su padre fue asesinado por algunos asuntos ilegales –la mandíbula de Jax se tensa.

–Dana Taylor creció en tiempos difíciles, justo cuando la Unión Soviética colapsaba. Su padre se ganaba la vida lavando dinero. De chica, Taylor tuvo mucho contacto con la muerte. Terminó estudiando neurociencia porque siempre le interesó el funcionamiento de la mente; la forma en la que esta elabora cada aspecto de nuestro mundo. La mente puede hacerte creer lo que sea que esta quiera que creas. Puede traer dictadores al poder. Puede derrocar naciones enteras. *Puedes hacer cualquier cosa, si te lo propones*. Conoces el dicho. Bueno, ella se lo toma muy en serio. Si la mente no dependiera del resto del cuerpo, podría vivir para siempre.

Asiento distraídamente ante las palabras de Jax. Eran el reflejo de lo que Taylor me había dicho.

–Cuando consiguió el trabajo en el Instituto de Innovación como investigadora junior y se mudó a Japón, se convirtió en su obsesión; aprender cómo desconectar la mente del cuerpo. Separar la fortaleza de su principal debilidad.

Su obsesión. Pienso en lo que Taylor me había dicho.

–¿Es por el asesinato de su padre? –pregunto, y hace una pausa por un momento.

–Todo el mundo le teme a la muerte, pero Taylor está completamente *aterrorizada* por ella. El final. Ver a tu padre muerto, perdido para siempre sin ninguna explicación. La idea de que su mente... simplemente se apague de un día para otro, sin ningún aviso.

Una sensación de malestar comienza a aparecer en mi estómago. A mi pesar, entiendo ese miedo. Puedo sentirlo en mi boca.

–¿Y qué hay de los Blackcoats? –pregunto.

–Taylor escaló en el instituto rápidamente hasta convertirse en directora ejecutiva. Pero hubo algunos estudios que quería hacer que el instituto simplemente no aprobaba. Como sabes, creció rodeada de tratos ilegales; la idea de no poder hacer lo que ella quería era inaceptable. Por esa razón, creó los Blackcoats. Originó el grupo como un escudo para todos los experimentos que quería llevar a cabo y no tenía permiso.

–No entiendo.

–Digamos, por ejemplo, que Taylor quería hacer algo que sabía que no lo aprobarían desde el instituto. Ella seguiría adelante con el proyecto de todas formas, escondiéndolo detrás de otra cosa. Algún otro estudio inocuo. Y se aseguraría de que todos los papeles y evidencia de ese experimento fuera dirigida hacia los Blackcoats. Si ella vendiera los resultados de ese experimento a alguien, a un gobierno extranjero o alguna fundación, solamente sería rastreado hasta los Blackcoats.

Entrecierro los ojos a medida que comprendo más.

–Entonces los Blackcoats…

–Son básicamente una empresa fantasma –agrega Jax–. Un caparazón vacío, debajo del cual se esconden todos los proyectos secretos de Taylor.

–Ninguna información llevará hacia ella –digo al entender.

–Claro. Digamos que los medios se enteraran de algún arma ilegal que Taylor estaba desarrollando en el instituto. Los investigadores seguirán los rastros no hacia el nombre de Taylor, sino hacia un grupo misterioso que se hace llamar los Blackcoats. Taylor podría declarar como testigo inocente, que su identidad fue robada y utilizada por los Blackcoats. Los clientes que le compraban tecnología también podrían apuntar a los Blackcoats. Entonces, los informes de los medios dirán cosas como "¿Quiénes son los Blackcoats? Una banda criminal misteriosa a cargo del desarrollo ilegal de tecnología". Los Blackcoats reciben toda la culpa y se ganan la reputación de ser una pandilla oscura.

–¿Qué ocurrió con todo eso de que los Blackcoats eran un grupo de justicieros que luchaban por las causas que creían justas? –pregunto.

–Mentiras –me responde, encogiéndose de hombros–. No somos justicieros, Emika. Somos mercenarios. Hacemos todo por dinero.

–Pero ¿cómo encaja el algoritmo de Hideo en todo esto? ¿Por qué Taylor se preocupa tanto por destruirlo? ¿Alguien le está pagando por eso?

Al oír eso, Jax me dedica una mirada profunda.

–Taylor no quiere destruir el algoritmo. Quiere controlarlo.

Controlarlo.

La obvia verdad me golpea tan fuerte que apenas puedo respirar.

Claro que quiere eso. ¿Por qué alguien como Taylor, obsesionada con el control de la mente, querría inutilizar el NeuroLink, desactivar un sistema tan complejo como el algoritmo? ¿Por qué no se me había ocurrido antes que ella podría tener otros planes para él?

Durante nuestro primer encuentro, Taylor estaba sentada frente a mí luciendo tan sincera, *tan* genuina, sobre lo que quería hacer. Ella sabía cómo poner mi propia historia en mi contra, recordándome lo que había hecho por Annie, lo que causó una marca roja en mis antecedentes. Me manipuló para aceptar que lo que los Blackcoats estaban haciendo era noble.

La conversación avanza a toda prisa en mi mente. Lo tímida y tranquila que había aparentado ser, lo bien que había actuado en ese momento.

Jax me mira mientras trato de comprender todos los pensamientos.

–Lo sé –dice, rompiendo el silencio. Asiento, sin emoción alguna.

Jax aparta la mirada de mí y la lleva hacia los puentes que recorren el techo del domo.

–Los Blackcoats utilizan la Exposición Universal del Dark World como depósito de sus archivos. Cada experimento que han realizado, cada misión, todo lo que hacen se encuentra guardado aquí en una cadena de bloques, un paquete asegurado tras otro.

Una *cadena de bloques*. Un registro contable encriptado, casi imposible de rastrear o modificar.

–Esto es lo que quiero que veas; la historia detrás de Sasuke –Jax se detiene justo al borde del vidrio del domo, en un rincón vacío–. Es lo que has estado buscando, ¿verdad?

Mi corazón comienza a latir con más fuerza al oír sus palabras y, nuevamente, viene a mi mente el Recuerdo de Zero, la imagen del pequeño Sasuke acurrucado en una habitación, con ese símbolo extraño sobre su manga.

Despliego la imagen para Jax. Sus ojos de inmediato se posicionan sobre Sasuke y su rostro se suaviza por un momento. *¿Cuál es tu historia?* Me encuentro pensando. *¿Cómo conociste a Sasuke?*

Finalmente, me toca un brazo y me lleva hacia adelante. Al hacerlo, desliza su otra mano sobre el vidrio. El panel cambia con su movimiento, como una puerta invisible sobre el domo, con escaleras que descienden hacia la oscuridad.

–Solo Taylor y yo tenemos acceso a estos archivos –de pronto, Jax vacila, y en su silencio puedo entender que si alguien se llega a enterar de que Jax me ha mostrado este lugar, Taylor también la asesinará a ella.

–¿Solo tú y Taylor? –pregunto–. ¿Zero no?

–En un segundo verás por qué –me hace un gesto hacia adelante para que la siga–. Ten cuidado, no dejes ningún rastro.

Observo cómo Jax atraviesa la puerta y mira alrededor para asegurarse de que nadie nos esté observando. Pero nadie parece vernos a nosotras o la entrada que Jax acaba de abrir. Es como si existiéramos en una dimensión virtual paralela a la de los demás. Regreso la vista sobre Jax y la veo desaparecer entre las sombras de la escalera. Respiro profundo y la sigo.

La escalera queda en completa oscuridad casi de inmediato y, si bien soy consciente de que me encuentro en un mundo virtual, instintivamente levanto las manos en busca de una pared. Moverme en la oscuridad aquí, en donde nada de esto es real, me hace sentir como si no me estuviera moviendo en absoluto. El único indicio que tengo de que estamos avanzando es el sonido de las pisadas de Jax, quien aún se mueve con firmeza delante de mí.

Gradualmente, el suelo comienza a suavizarse y, cuando llegamos al final de la escalera, todo está iluminado con un resplandor azul tenue y suave. Llegamos a una cámara enorme que me deja sin aliento.

–Bienvenida a la biblioteca –me dice Jax sobre su hombro.

Luce como si todos los libros del universo estuvieran guardados en estantes dentro de una habitación circular interminable, rodeada de escaleras que se elevan en ambas direcciones. Pienso que cada libro es un archivo que los Blackcoats han almacenado; archivos de investigaciones, información sobre personas específicas, registros de misiones. Es su directorio principal. Nos ponemos de pie sobre una plataforma desde donde miramos hacia arriba y abajo en el espacio interminable, y tengo que cerrar los ojos para contrarrestar el vértigo.

Jax me hace un gesto hacia una de las escaleras. Nos trabamos justo sobre esta, por lo que resultaría imposible caerse, aunque no dejo de sentirme un poco mareada.

–Almacenamos cada iteración de un Recuerdo y duplicados de cada archivo –abre un directorio de búsqueda y escribe "Sasuke Tanaka".

El mundo a nuestro alrededor se nubla y, un instante después, nos encontramos sobre la escalera en otro sector de la biblioteca, en donde algunos libros ahora están destellando con un halo azul. Jax los toma. Forman un anillo a nuestro alrededor y, cuando me quedo mirándolo el tiempo suficiente, comienza a reproducir los primeros cuadros de la grabación.

Hay registros de las cámaras de seguridad de los Blackcoats, de los Recuerdos de Sasuke, de los técnicos de laboratorio, y de lo que parecen ser pruebas y ensayos reales. Incluso hay registros de la policía, archivos sobre su desaparición e información de sus padres. También hay algunos archivos sobre el joven Hideo.

Recuerdo la primera vez en la que me senté en la oficina de Hideo, estudiando los engaños de Zero, preguntándome quién era mi presa. Recuerdo la forma en la que Hideo inclinó su cabeza hacia arriba en dirección al *onsen*, la versión sin fin de su Recuerdo construido sobre la desaparición de Sasuke.

Estos archivos me mostrarán lo que realmente le ocurrió a Sasuke durante todos estos años.

Jax me mira y hace un gesto hacia los archivos.

–No podemos quedarnos aquí para siempre –me recuerda–. Si quieres saber algo, búscalo ahora.

Vacilo por un segundo. Luego comienzo a moverme entre los archivos, ordenándolos por fecha para poder ubicar los más viejos primero. Encuentro uno de hace diez años, el año en el que Sasuke desapareció, y lo selecciono.

Es la grabación de una cámara de seguridad. Y comienza a reproducirse.

DIECINUEVE

Estamos de pie en una habitación con una docena de niños pequeños, probablemente de no más de diez años, cada uno con una banda amarilla alrededor de sus muñecas. Se encuentran sentados en pupitres blancos ordenados cuidadosamente en hilera, como si se tratara de alguna especie de salón de clases. Las paredes blancas están decoradas con algunos dibujos alegres de arcoíris y árboles. También acompañan algunos afiches con las inscripciones LEE, ¡APRENDE ALGO NUEVO HOY! y LO DIFERENTE ES ESPECIAL.

De hecho, la única parte que no luce como un salón son los técnicos con batas blancas al frente, observando a los niños.

En la pared trasera de la habitación hay una enorme ventana que recubre toda la pared. Un grupo de adultos se encuentra allí, mirando entusiasmados pero con ciertos aires de preocupación y curiosidad. Algunos frotan sus manos y otros hablan entre sí en voz baja. Sus rostros me dicen, sin ninguna duda, que son los padres.

Observo la fecha de la grabación. Esto fue antes de que secuestraran a Sasuke.

Mis ojos regresan a los niños. Estudio sus rostros; hasta que encuentro uno que reconozco. Sasuke se encuentra sentado casi en el centro de la habitación.

Jax está parada junto a mí, también mirando la escena. Esboza una pequeña sonrisa al ver al joven Sasuke, y luego asiente hacia una niña en el frente de la habitación, con su cabello castaño arreglado en dos coletas bajas.

–¿Esa eres tú? –pregunto.

–Tenía siete –explica Jax–. Al igual que todos en esta habitación. Era un requisito para participar de este estudio en particular realizado por el instituto; específicamente, por Taylor. Aquí conocí a Sasuke.

Miro hacia los padres en la ventana.

–¿Tus padres estaban allí? –pregunto, pero niega con la cabeza.

–No. Taylor me adoptó –ahora sí la miro sorprendida.

–Taylor es tu madre.

–No la llamaría de esa forma a juzgar por la forma en que me crio –musita Jax–. Pero sí. Me encontró en el hospital de un orfanato. Más adelante, comprendí que me adoptó para realizarme este estudio.

Jax señala a dos adultos que se encuentran a la izquierda de la ventana. Me toma un momento comprender que son los padres de Hideo y Sasuke; la misma pareja de ancianos que conocí una vez.

–Lucen completamente diferentes –murmuro. Décadas más jóvenes, como si no hubieran pasado diez años desde que su hijo desapareció. La madre, Mina Tanaka, se encuentra vestida con un traje y una bata blanca de laboratorio con el isotipo del instituto sobre su bolsillo, con facciones joviales y un cabello negro brillante. Su padre no luce para nada como el hombre débil y enfermo que vi en su casa, sino como una versión un poco más adulta de Hideo en la actualidad, con sus facciones atractivas y de alta estatura. Miro nuevamente a Jax–. ¿Qué clase de estudio es este? ¿Por qué Sasuke y tú están aquí?

–Cada niño que ves aquí está muriendo –me explica Jax–. Por causa de una enfermedad, una enfermedad autoinmune, algo terminal para lo cual la medicina no tiene la cura.

¿Muriendo? Hideo nunca mencionó eso. Mis ojos se posicionan nuevamente sobre Sasuke, con sus grandes ojos oscuros incrustados sobre ese rostro pequeño y pálido. Asumo que por la luz.

–¿Tú... lo sabías? ¿Los padres de Sasuke lo sabían? –tartamudeo–. ¿Qué hay de Hideo?

–No tengo idea de si sus padres se lo dijeron alguna vez –comenta Jax–. Si nunca te lo ha mencionado, es probablemente porque sus padres lo mantuvieran en secreto. Yo era demasiado joven como para comprender cuán enferma estaba. No entendía que la razón por la que nadie me quería era porque, bueno, ¿quién querría adoptar a una niña moribunda? Ni siquiera Sasuke lo sabía. Lo único que creía en ese tiempo era que se enfermaba con mucha más facilidad que los demás niños –se encoge de hombros–. Uno no cuestiona realmente las cosas cuando es así de pequeño. Todo te parece normal.

Pienso en Hideo pidiéndole a los gritos a Sasuke que corriera más lento en el parque, la forma en la que regañaba a su hermano menor mientras le envolvía la bufanda azul sobre su cuello.

–¿Y este estudio solo era para niños que estaban en estado terminal?

–El estudio era un ensayo para un fármaco experimental que se suponía que sería revolucionario –aclara Jax–. Algo capaz de curar varias enfermedades de la infancia al tomar ventaja de las células jóvenes de los niños para tornar sus propios cuerpos en una colección de supercélulas. Entonces, puedes imaginar que aquellos padres que se estaban quedando sin opciones, inscribirían a sus hijos para que participaran de este estudio tan radical. ¿Qué podían perder?

Miro nuevamente la habitación, pasando por el rostro de cada uno de los padres detrás del vidrio. Lucen esperanzados, mirando cada movimiento que sus hijos realizan. Mina Tanaka sostiene con fuerza la mano de su esposo contra su propio pecho, sin apartar los ojos de Sasuke.

Una sensación de náuseas comienza a asentarse en mi estómago. La escena me recuerda a la falsa esperanza que cada nuevo fármaco nos daba a mí y a mi papá. *Este sí. Este puede salvarte.*

–Siempre hay mucho que perder –susurro.

Continuamos mirando mientras un investigador ajusta un brazalete sobre la muñeca de un niño.

–Claro, el estudio era una fachada –continua Jax–. Mientras el pequeño equipo de estudio estaba trabajando seriamente en un fármaco real, Taylor también llevaba a cabo su propia investigación. El *verdadero* estudio.

–¿Y cuál era el experimento real?

–El tercer requisito para este estudio era la mente de cada niño. Un CI mínimo de sesenta era necesario para el ensayo. También debían demostrar poseer gran disciplina, y una gran energía y motivación. Sus cerebros debían iluminarse de una forma muy específica durante una serie de exámenes a los que Taylor los sometía –me mira–. Sabes lo listo que es Hideo Tanaka. Bueno, Sasuke lo era mucho más. Lograba ingresar casi sin esfuerzo a cada academia a la que se presentaba. La forma en la que Taylor me encontró en el orfanato en primer lugar fue porque oyó sobre mi alto CI. Encontró a Sasuke por medio de Mina misma, dado que ambas trabajaban para el instituto. Ambos pasamos los exámenes.

Trago saliva. Hideo me había contado esto sobre Sasuke, que su pequeño hermano había sido sometido a numerosos exámenes para medir su inteligencia.

–¿Qué era lo que buscaba Taylor? –pregunto.

–Un candidato cuya mente fuera lo suficientemente fuerte como para soportar separarse del cuerpo.

De pronto, hago una conexión tan horrible que me provoca mareos.

–Entonces, por eso Taylor quería que cada niño tuviera una enfermedad terminal –respiro hondo.

La mirada de Jax está completamente fría, desolada por la verdad.

–Si morían durante el estudio, fácilmente podrían culpar a la enfermedad. Cubrirlo. Los padres ya habían firmado su consentimiento. De esta forma, no sospecharían ni comenzarían a hacer preguntas.

Al seguir mirando, la grabación termina y automáticamente pasa a la siguiente. Miramos al menos una docena de videos. Algunos de los niños en el estudio cambian conforme pasan las grabaciones; el número de padres detrás de la ventana también comienza a reducirse. No quiero preguntarle a Jax a dónde han ido, si esos eran los niños que no habían logrado pasar las pruebas.

Cambiamos la grabación hacia una en la que el sol del atardecer baña el salón vacío. Taylor se encuentra hablando en japonés con otra investigadora, con la voz tan baja que la traducción aparece en la parte inferior de mi visor. Parpadeo. La investigadora es Mina.

–Es la tercera vez que tu hijo obtiene los mejores resultados de su grupo –le comenta Taylor, dedicándole a Mina la misma mirada solidaria y alentadora que siempre me da a mí–. De hecho, Sasuke obtuvo resultados tan altos que tuvimos que modificar nuestros parámetros.

Mina frunce el ceño y baja la cabeza en un gesto comprensivo.

–No me gusta cómo está actuando en casa. Tiene muchas pesadillas y no parece poder concentrarse en nada. Su doctor nos comenta que su recuento de células sanguíneas no ha mejorado lo suficiente. Y ha perdido mucho peso.

–No hagas esto, Tanaka-*san* –dice Taylor, con sutileza–. Puede que estemos ante un nuevo descubrimiento.

Mina vacila por un momento al mirar a su colega a los ojos. No sé qué es lo que ve, pero se las ingenia para esbozar una sonrisa.

–Lo siento, directora –responde finalmente, y en sus palabras puedo sentir un agotamiento profundo–. De todas formas, me gustaría retirar a Sasuke del ensayo.

Ante eso, Taylor le dedica una mirada de aflicción y pena; la misma que me hizo querer confiar en ella.

–Esta puede ser la única oportunidad de salvar a tu hijo –la culpa en los ojos de Mina se retuerce como un cuchillo en mi pecho. Niega con la cabeza nuevamente.

–Queremos que descanse en casa. En donde puede ser feliz, al menos por un tiempo.

Taylor no dice nada. En cambio, ambas hacen un saludo de cortesía con la cabeza. Taylor se queda mirando a la puerta por un largo rato luego de que Mina saliera por ella.

Continúa con la siguiente grabación, pero esta comienza con Taylor sentada en la que parece ser su oficina, frente a otro investigador.

–Me dijiste que tenías todo planeado –le dice Taylor con un tono suave. El hombre baja la cabeza, pidiendo disculpas.

–La señora Tanaka ya llenó el papeleo con el instituto. No quiere que su hijo siga siendo parte del programa. Usted sabe la buena relación que tiene con el CEO. Debemos dejar que se marchen.

–¿Acaso Mina sospecha lo que estamos haciendo?

–No –el investigador niega con la cabeza.

Taylor suspira, como si todo esto realmente le afectara. Gira una pila de papeles sobre su escritorio.

–Muy bien. ¿Tenemos algún otro participante en el programa que pueda funcionar?

–Su hija. Jackson Taylor –el investigador desliza otra pila de papeles hacia ella. Taylor los estudia en silencio.

–Sus números son buenos –contesta, levantándose los lentes–. Pero su reacción a las pruebas no son las adecuadas. Es demasiado impredecible para ser una candidata confiable.

El tono indiferente de Taylor me toma desprevenida. Miro a Jax para ver qué es lo que puede estar pensando, pero solo golpea sus dedos distraídamente contra su cinturón.

Taylor cierra los ojos y frunce el ceño, frustrada.

–Muéstrame el archivo de Sasuke otra vez.

El investigador hace lo que le pide y le entrega una pila de papeles, en la cual señala varias líneas en la primera página.

Los dos permanecen en silencio por un momento, pasando las páginas y asintiendo ocasionalmente.

–Mucho más consistente –la voz de Taylor suena entrecortada y eficiente en una forma que me hace sentir escalofríos por toda la espalda. Cierra la carpeta y comienza a refregarse la sien con ansiedad–. Hay demasiada diferencia. Él habría sido perfecto. Y ahora morirá en su hogar, marchitándose en solo un par de años. Qué lástima. Qué *desperdicio*.

–No podrá continuar con él –le recuerda el investigador. Y luego, agrega en voz baja–: Al menos no con el permiso de sus padres.

Taylor hace una pausa y lo mira fijo.

–¿Qué estás insinuando?

–Solo señalo los hechos –pero puedo oír la sugerencia en sus palabras.

Taylor baja sus manos y estudia su rostro. No habla por un largo rato.

–No estamos en el negocio del secuestro de niños –dice finalmente.

–Quiere salvar su vida. ¿Cómo puede eso ser peor de lo que ya está destinado a ocurrirle? Usted misma lo dijo, morirá pronto.

Taylor junta las manos, perdida en sus pensamientos. Me pregunto si está pensando en el asesinato de su padre, si está afligida por su pérdida, por su miedo a la muerte. Sea lo que sea que esté atravesando su mente, deja una expresión tranquila en su rostro. Algo completamente *justificable* y *honesto*.

–Esos pobres niños –finalmente susurra, casi para sí misma–. Qué lástima.

Puedo verlo en sus ojos. Piensa que lo que hará es noble.

Comprender eso me hace retroceder del miedo. Me recuerda a la determinación que demostró Hideo cuando me contó sobre el algoritmo.

La imagen flota en mi mente mientras pienso en ambos, dispuestos a hacer algo terrible para salvar el mundo.

–Si este experimento es un éxito –agrega el investigador–, tendrá en sus manos una de las tecnologías más lucrativas del mundo. El dinero que alguien pagaría por ella sería colosal. Y piense en todas las vidas que salvará –se acerca hacia ella–. Nunca más volveremos a encontrar otro paciente tan perfecto para este ensayo. Se lo aseguro.

Taylor descansa su barbilla contra una de sus manos con la mirada perdida en la nada. La luz de la habitación cambia antes de que pueda hablar de nuevo.

–Hazlo rápido. Sé discreto.

–Claro. Comenzaré a preparar el plan.

–Bien –respira hondo y se endereza sobre su silla–. Entonces sugiero que sigamos adelante con Sasuke Tanaka para nuestro Proyecto Zero.

VEINTE

Proyecto Zero

Mi corazón se estremece. Pensé, *Hideo pensó*, que ese apodo era simplemente un nombre de hacker, su objetivo. Y así lo era. Pero a lo que en realidad hacía alusión era a la forma en la que Taylor lo llamaba. Proyecto Zero. *Estudio* Zero. Su primer experimento.

Taylor suelta un suspiro profundo antes de cerrar la carpeta y deslizar los papeles hacia el investigador.

–El tiempo de Sasuke es limitado. No podemos darnos el gusto de esperar.

Antes de poder comprender por completo lo que acabo

de ver, la escena cambia a la de un pequeño niño acurrucado en el rincón de una habitación. De inmediato, reconozco la habitación como la misma en la que había visto a Sasuke durante el Duelo.

Entonces, Taylor fue quien se lo llevó. Ella fue la única responsable de lo que ocurrió aquel día en el parque, cuando el joven Hideo llamaba a su hermano y no obtenía respuesta. Sin saberlo, ella fue quien disparó la creación del NeuroLink mismo, el resultado del dolor abrumador de Hideo. La razón por la que Tremaine yace inconsciente en la camilla de un hospital.

Ella es la razón por la que incluso yo estoy aquí, atrapada en esta locura.

La escena luce como el atardecer, un tenue rayo de luz ingresa desde las ventanas, pero la cama de Sasuke luce intacta, como si hubiera estado sentado en esa misma posición toda la noche. Se queda allí en el rincón con las rodillas presionadas contra su barbilla, vistiendo ese suéter blanco de mangas largas con el símbolo bordado en la manga. Sus dedos se mueven inquietos sobre la bufanda azul alrededor de su cuello.

La misma bufanda que Hideo le había entregado el último día que estuvieron juntos.

La puerta finalmente se abre, proyectando un haz de luz dorada rectangular sobre el niño. En lugar de ponerse de pie, se presiona aún más contra la pared y sujeta con mayor fuerza su bufanda. En la entrada, hay una mujer alta que reconozco como Taylor.

–¿Cómo te sientes hoy, Sasuke? –le pregunta con un tono amable.

–Doctora Taylor, usted dijo que si estaba tranquilo, me dejaría ir hoy a casa.

Sasuke le contesta en inglés y su joven voz suena tan inocente que atraviesa mi corazón. Esto era cuando todavía era él.

Taylor suspira suavemente y se apoya contra la puerta. Su rostro amable parece tan sincero que, si no la conociera, creería genuinamente que lo amaba al igual que una madre.

–Y lo dije en serio, querido, desde lo más profundo de mi corazón. Te has portado tan bien. Solamente tenemos que aprender un poco más sobre ti y, luego, te llevaremos a casa. ¿Puedes hacer eso por mí?

Sasuke inclina su cabeza ante las palabras de la mujer.

–Bueno, pero quiero llamar a mi mamá primero –agrega–, para decirle que volveré a casa hoy.

Solo tiene siete años, pero ya intenta negociar. En este momento, estoy completamente orgullosa de él por no dejarse engañar por la voz amable de Taylor con tanta facilidad como lo hice yo.

Taylor debió haber pensado lo mismo que yo, porque las palabras de Sasuke la hacen esbozar una sonrisa.

–Eres un niño muy listo –dice con cierta admiración en su voz. Camina hacia él y se agacha–. Pero hoy solo necesitamos hacer un escaneo rápido de tu cerebro. Si hablas con tu mamá por teléfono, puedes preocuparte y tu mente no estará tan tranquila como necesitamos que esté. Pero prometo que será muy sencillo; terminará en un abrir y cerrar de ojos. Luego, seguirás tu camino. ¿No suena bien, Sasuke-*kun*?

–No –el pequeño Sasuke ignora su intento de sonar afectiva y honrada. Taylor sonríe nuevamente ante su respuesta, pero esta vez se queda en silencio, justo cuando un investigador ingresa al lugar. Sasuke comienza a mover la cabeza de lado a lado al notar que el hombre se acerca y lo sujeta por el brazo–. No quiero ir –dice, adquiriendo un tono de desesperación en su voz.

–Ahora, Sasuke-*kun* –continúa Taylor–. Si no vienes, me veré obligada a quitarte la bufanda –se acerca y toca la tela de la bufanda como advertencia–. Y sé que eso te hará sentir muy triste.

Ante eso, Sasuke se queda congelado. Coloca sus grandes ojos sobre ella.

–Solo intento ayudarte, sabes –le comenta suavemente, dándole una palmadita en la mejilla–. Eso es lo que tu mamá y tu papá deseaban cuando te inscribieron. Ellos querían esto para ti, ¿lo sabías? Es por eso que estás aquí.

Sus pequeños dedos se cierran con firmeza alrededor de una de las puntas de su bufanda, tornándose blancos de la fuerza, algo que incluso puedo ver a través de la grabación. Sasuke voltea para mirar la habitación con recelo antes de seguir a Taylor y al investigador. La puerta se cierra, y deja el lugar en completa oscuridad.

Me llevo las manos a la boca. Mientras los padres de

Hideo lo buscaban frenéticamente, mientras Hideo perdía su propia infancia por la desaparición de su hermano, Sasuke estaba recluido aquí contra su propia voluntad.

La siguiente escena muestra nuevamente la sala de pruebas. Esta vez, Sasuke se encuentra solo en uno de los pupitres con la cabeza descansando entre sus brazos. Tiene la mirada perdida en la nada. Cuando gira, noto la marca de una aguja sobre su brazo izquierdo. También me percato de que le rasuraron un mechón de su cabello cerca de la sien.

La puerta se abre e ingresa una niña, a quien reconozco como la joven Jax. Ella lo ve, vacila por un segundo, y luego envuelve una de sus coletas sobre sus dedos. Se sienta junto a él.

–Hola –lo saluda, pero él no dice nada. Ni siquiera parece notar que están en la misma habitación.

Al notar que se queda en silencio, Jax se muerde el labio y le sacude el brazo. Sasuke levanta la cabeza y la mira.

–¿Qué quieres? –musita, y ella cierra y abre los ojos, sorprendida.

–Soy Jackson Taylor –le responde.

–Ah. Eres la hija –contesta y aparta la vista antes de bajar la cabeza–. Te recuerdo del estudio.

Jax refunfuña y se lleva las manos a la cintura.

–Mamá dice que te vendría bien algo de compañía con alguien de tu edad, para variar.

–Dile a tu mamá que no estoy interesado en lo que esté planeando –hace una pausa para dedicarle una mirada escéptica–. No luces enferma.

Ella sonríe.

–¿Recuerdas el estudio de la medicina que estaban probando en nosotros? Está funcionando bastante bien en mí. Mamá dice que es un milagro.

Sasuke se queda mirándola por un segundo más antes de voltear otra vez.

–Bien por ti.

–Oye, también disminuyó tu enfermedad. Quizás estás llenándote de supercélulas. Eso es lo que mamá dijo. También dijo que el estudio ayudó a un diez por ciento de nosotros –vacila por un segundo. Sus ojos deambulan hacia los mechones rasurados a un lado de su cabeza–. ¿Qué te están inyectando?

Sasuke descansa la cabeza contra sus brazos y cierra los ojos.

–¿Por qué no le preguntas a tu mamá? –contesta, enojado. Jax no dice nada, simplemente sus mejillas se ruborizan un poco en señal de disculpa.

Al notar que ella no contesta, Sasuke levanta la vista y ve su expresión. Suspira. Luego de un momento, parece sentir lástima por ella.

–Rastreadores –le explica–. Los necesitan en mi sangre. Para eso fue la inyección. Dicen que son parte de los preparativos para la intervención.

–Oh –estudia su rostro–. No luces muy bien.

Sasuke cierra los ojos nuevamente.

–Márchate. Me duele el estómago y me siento mal.

Jax mira a Sasuke, quien mantiene un ritmo estable de respiración. Luego de un momento, ella se endereza, lista para marcharse.

–Quería preguntarte si te interesa ver un escondite secreto que encontré cerca de la azotea del instituto. Mi mamá *no* sabe nada de esto –comienza a alejarse–. Hay una reja de metal que lleva al aire libre. Quizás te haga sentir mejor.

Mientras se está yendo, Sasuke levanta la cabeza y la mira desde atrás.

–Espera –la llama. Cuando voltea, se aclara la garganta, inundado por la timidez–. ¿Dónde está?

–Te mostraré –dice Jax, sonriendo e inclinando la cabeza.

–No se supone que abandone esta habitación –le explica, pero Jax le guiña un ojo.

–Nadie te tiene atado, ¿o sí? Ahora, vamos –sale por la puerta y, un segundo después, él hace a un lado la silla y la sigue.

Hay varias escenas como esta, en las que se puede ver a ambos pasar el tiempo en la sala de pruebas vacías, o en los pasillos, o incluso entre los estantes traseros de la biblioteca del instituto. Una escena es desde el punto de vista de Jax; ella se encuentra arrodillada sobre las cerámicas del suelo del baño, dándole palmaditas en la espalda a Sasuke mientras él vomita una y otra vez en el retrete. Otra en la que Sasuke hace caras graciosas y ella estalla de la risa.

Y otra los muestra a ambos escondidos en un pequeño recoveco, sobre el cual una rejilla de metal deja ver el cielo nocturno. Jax parece perdida en sus pensamientos, señalando de forma ausente una constelación tras otra. Deja de hablar por el tiempo suficiente para mirar a Sasuke, a quien encuentra mirándola a ella en lugar de las estrellas. Él voltea la cabeza apresuradamente, pero no sin antes dejar ver el rubor en sus mejillas. Ella sonríe. Pero se vuelve a poner seria.

–Oye, ¿sabes lo que es un beso? –le pregunta, y él niega con la cabeza.

–Quieres decir, ¿un beso de mi mamá?

–No, tonto, qué asco –le contesta Jax, riendo antes de recobrar la compostura–. Quiero decir del tipo que le das a alguien que te gusta –murmura–. De *esta* forma –y en ese instante, ella se inclina hacia adelante y presiona sus labios rápidamente y en silencio contra una mejilla de Sasuke, apartándose al instante.

Sasuke se queda mirándola atónito, con el rostro sonrojado bajo la luz de la noche.

–Oh –dice, casi sin aliento.

–Lo vi en la televisión –le comenta Jax. Se ríe nerviosamente, un poco fuerte, lo cual hace que Sasuke también ría. Él le devuelve el beso en la mejilla, y ella suelta una risita más fuerte. Pronto, las risas de ambos se disuelven hasta quedar en silencio.

Miro a Jax, quien se encuentra parada junto a mí. Señala con la cabeza hacia su versión más pequeña.

–Estos son mis Recuerdos –me dice mientras seguimos buscando–. Taylor los grabó y archivó luego de que lanzaran el NeuroLink.

En un tercero, ambos lucen un poco mayores. Se encuentran sentados frente al televisor –un modelo viejo, probablemente de hace unos siete u ocho años– y en la pantalla, un Hideo de trece años que camina hacia el estrado de una rueda de prensa, en donde se ve envuelto en una avalancha de flashes. Luce tan inseguro de sí mismo a esa edad, alto y con la mirada tímida, vistiendo ropa suelta y aparentando estar enfermo; apenas luce parecido al hombre en el que se convertiría. Saluda a los reporteros con un gesto nervioso.

Sasuke toma a Jax por el brazo. Por un instante, la sonrisa en su rostro es genuina.

–¡Ese es mi hermano, Jax! –exclama, señalando a la pantalla–. ¡Allí! ¡Está en la televisión! ¿Lo ves? ¡Míralo! ¡Luce mucho más alto! –sus ojos están completamente abiertos, brillan por algunas lágrimas, fijos sobre la televisión como si estuviera aterrorizado de que la transmisión se cortara–. ¿No me parezco a él? ¿Crees que me está buscando? ¿Crees que está pensando en mí?

Entonces aún se preocupaba por su hermano. Aparto la mirada. Es demasiado difícil de observar.

A mi lado, Jax lo mira con completa tranquilidad.

–Era parte del estudio de Taylor, sabes, dejarlo ver la televisión –me comenta.

–¿Por qué? –pregunto. Jax simplemente señala la escena con la cabeza y otra comienza a reproducirse.

–Ya verás.

Sasuke se encuentra recostado en la misma habitación

oscura en la siguiente escena. Esta vez, luce alarmantemente más delgado, con sus brazos reducidos a simples sacos de huesos filosos y sus ojos mucho más grandes para su rostro pequeño. ¿Cuántos años han pasado? La enfermedad debe estar consumiéndolo.

Esta vez, cuando la puerta se abre, se pone de pie y mira a Taylor.

–¿Cómo te sientes hoy, Sasuke? –le pregunta la mujer.

Sasuke permanece en silencio, sus ojos de niño la miran con sospecha más allá de sus años. Sus manos aún están presionadas sobre la bufanda azul.

–Haré un trato contigo –dice finalmente. Esas palabras firmes que salen de un muchacho tan pequeño hacen reír a Taylor–. Dame el día libre y comeré la comida.

Ante eso, la mujer comienza a reír con más fuerza. Cuando finalmente se detiene, mueve la cabeza de lado a lado.

–Me temo que no. No puedes saltearte un día. Y lo sabes.

Sasuke le dedica una mirada pensativa.

–Déjame saltearme un día y te daré la bufanda –al oír eso, Taylor lo mira con una sonrisa curiosa.

–Pero amas esa bufanda –dice con un tono de voz persuasivo–. Ni siquiera podemos sacártela cuando estás durmiendo. De seguro no hablas en serio, ¿renunciar a ella solo por un día libre?

–Hablo en serio –afirma Sasuke.

Me inclino hacia adelante, incapaz de apartar la atención de ese intercambio.

Taylor camina hacia Sasuke, mirándolo desde arriba por un momento y luego extiende una mano.

–La bufanda –le dice.

–Mi día libre –contesta Sasuke, con la mano aún presionada sobre la tela.

–Tienes mi palabra. No irás al laboratorio hoy. No te molestaremos. Tómate tu tiempo y descansa. Mañana, comenzaremos de nuevo.

Sasuke la mira fijo. Finalmente, sus dedos sueltan la bufanda. Cuando la toma, puedo ver la mano de Sasuke visiblemente temblando, como si le tomara todas sus fuerzas no arremeter para recuperarla en ese momento. Pero la entrega, sin emitir ningún sonido.

Taylor mira la bufanda, la sujeta con fuerzas y voltea para marcharse de la habitación.

–Nos veremos pasado mañana, Sasuke-*kun* –dice sobre su hombro–. Estoy orgullosa de ti.

Sasuke no responde, ni llora. Ni siquiera se acuesta sobre el suelo como lo hizo en el primer video que vi de él. Simplemente mira fijo a Taylor, alerta, a medida que ella sale de la habitación y cierra la puerta con suavidad detrás de ella. Cuando esta se cierra, los hombros de Sasuke se desploman. Su mano quiere sujetar instintivamente la bufanda que ya no está alrededor de su cuello. Al mirar más de cerca, noto que se está secando algunas lágrimas. Luego, se pone de pie, camina hacia la cámara de seguridad y la rompe.

Me quedo atónita. La cinta comienza a hacer un zumbido

de estática. Cuando se vuelve a reproducir, veo a Sasuke luchando contra unas correas de cuero en una habitación poco iluminada. Cerca de él se encuentra Taylor, mirándolo con una expresión tranquila y serena.

–¿Y quién te ayudó a intentar escapar, Sasuke-*kun*? –le pregunta Taylor.

Sasuke no la mira. Sus ojos están fijos en la puerta de salida de la habitación, como si pudiera escapar a fuerza de su propia voluntad del laboratorio. Cuando Taylor se acerca y se para a propósito entre él y la puerta, sus ojos finalmente se posicionan sobre la mujer.

–¿Quién te ayudó a intentar escapar, Sasuke? –repite.

Él permanece en silencio.

Al notar que aún no contesta, Taylor mueve la cabeza de lado a lado y le hace una señal a uno de los investigadores para que traiga a una muchacha. Abro los ojos sorprendida. Tiene el cabello más corto, pero sin ninguna duda se trata de Jax. Ella sigue al investigador obedientemente para pararse detrás de su madre. Verla en ese estado, tan asustada, me resulta tan extraño que apenas puedo creer que es ella.

–¿Acaso Jackson te ayudó? –pregunta Taylor, aún con ese tono frío y tranquilo en su voz.

Sasuke niega con la cabeza nuevamente, aunque ahora sus ojos están fijos sobre Jax. Camino invisible alrededor de la grabación, y noto que las correas de cuero están tan tirantes en sus brazos tensos que puedo ver las venas marcarse en su piel. Aún no contesta.

Taylor asiente una vez a los demás, quienes se acercan a Sasuke y le liberan las cintas, de modo que sus muñecas y tobillos pronto están libres.

Sasuke no lo duda. Se levanta enseguida y baja de la mesa, con los ojos puestos sobre la puerta. Pero los demás también ya se están moviendo. Taylor sujeta a la joven Jax por la muñeca y la empuja hacia adelante, hacia el mismo lugar en el que Sasuke estaba atado hacía tan solo unos momentos.

–Acércate, mi vida –le dice Taylor.

Ese movimiento es lo único que hace que Sasuke se congele cerca de la puerta. Jax comienza a llorar, demasiado asustada como para correr mientras su madre la acomoda sobre el banco.

–Quieres irte cuanto antes, ¿verdad, Sasuke? –le dice Taylor con un tono reconfortante mientras uno de los investigadores le frota la sien a Jax con un trapo húmedo.

Sasuke se queda mirando con una expresión fría. Me toma un momento reconocer esa expresión de miedo. Tentación. Culpa.

–Entonces vete. Muere allí afuera y no nos dejes salvarte –lo intimida Taylor, dándole la espalda a Sasuke y centrando su atención en Jax–. No eres el único paciente que tenemos en nuestra lista. Además, tu progreso ha caído más de lo que esperaba. Si no quieres cooperar, entonces simplemente tendré que reemplazarte por alguien más. Jax siempre fue la alternativa para nuestro estudio.

La muchacha mira a Sasuke con una expresión de

desesperación, pero no le suplica nada. En cambio, mueve la cabeza de lado a lado. *Vete*, parece estar repitiéndole.

Taylor voltea para encontrarse con la mirada paralizada de Sasuke.

–¿Bueno? La puerta está abierta. ¿Qué estás esperando?

Y por un momento, realmente luce como si estuviera a punto de marcharse. No hay ningún guardia que lo detenga, nadie en su camino. Taylor está demasiado lejos como para atraparlo. Nadie irá tras él, no si se marcha corriendo ahora.

Pero simplemente se queda parado allí, inmóvil. Sus puños se abren y cierran, alternando la vista entre Taylor y Jax, con una expresión dura.

Taylor suspira.

–Me estás impacientando –dice, volteando hacia Jax.

Sasuke da un paso hacia ellos. El movimiento es suficiente como para que Taylor haga una pausa. Sasuke mira a Jax a los ojos, y da otro paso hacia adelante. Cuando habla, trata de mantener la firmeza de su voz, pero puedo oír cierto temblor en ella.

–Ella no es parte del programa.

Taylor no se mueve para liberarla.

–Tienes mucho potencial, Sasuke –le comenta–. Pero necesito que elijas, que elijas decididamente. Si quieres marcharte, entonces hazlo. No iremos tras de ti. Pero sabes que eres el único del que depende todo este experimento, y lo que tú puedas hacer cambiaría todo. El resultado de tu estudio podría salvar millones de vidas. Podría salvar *tu* vida.

Hemos trabajado tan duro para ti. Y aquí estás, listo para arrojar todo a la basura.

Taylor lo mira, decepcionada.

Si bien Sasuke aún parece tener miedo de adelantarse, puedo ver algunos rastros de culpa en su rostro, a medida que la manipulación de Taylor se apodera de él. Como si de pronto le *debiera* algo a esta operación, como si se sintiera obligado; pero más importante, como si lo que fuera que le pudiera ocurrir a Jax fuera su culpa si se marchara. La mira a los ojos, y puedo ver rastros de un vínculo invisible entre ambos, los días que pasaron juntos y las noches que transitaron acurrucados en su escondite.

Me doy cuenta de que deseo en silencio que Sasuke voltee y se marche corriendo, que deje todo atrás. Claro que no lo hace. En cambio, veo que deja caer sus hombros, baja la cabeza y se aleja lentamente de la puerta, para regresar a la mesa del laboratorio.

–Déjala ir –le dice a Taylor, haciendo referencia a Jax. Sobre la mesa, ella le lanza una mirada desconcertada, un rastro de pánico que le pide que no lo haga.

Taylor sonríe.

–Y no te irás corriendo.

–No lo haré.

–Y te comprometerás con la causa.

Sasuke vacila por un momento, mirándola brevemente a los ojos.

–Lo haré –responde.

La grabación finaliza. Me percato de que mi corazón está latiendo tan rápido que debo sentarme en el suelo de mi propia habitación.

La siguiente escena tiene fecha de tan solo un mes más tarde, pero Sasuke es un poco más alto, sus brazos son más largos. El cambio más notable en él es una cinta negra delgada de metal que lleva a un lado de su cabeza, en donde una parte de su cabello también fue rasurada. Está de nuevo en el mismo laboratorio, respondiendo una serie de preguntas del mismo técnico que había estado trabajando con Taylor antes.

–Nombre.

–Sasuke Tanaka.

–Edad.

–Doce.

Hago una cuenta rápida. Para este momento, Hideo tenía catorce años, yo tenía once, y Warcross ya se había convertido en un fenómeno internacional, con el NeuroLink aceptado en millones de hogares.

–Lugar de nacimiento.

–Londres.

–¿Cuál es el nombre de tu hermano?

–Hideo Tanaka.

–¿El de tu madre?

–Mina Tanaka.

Las preguntas siguen por un rato, una larga lista de hechos simples y detalles de su vida. Observo el rostro de Sasuke a medida que dice los nombres de sus seres queridos y, por primera vez, noto que no parece mostrar ningún tipo de reacción a ellos. Ni siquiera un rastro de miedo, de dolor. En sus ojos se puede notar el reconocimiento, pero es como si estuviera diciendo los nombres de algunos conocidos en lugar de sus familiares.

–Muéstrale la televisión –le dice Taylor.

El técnico se detiene para encender la pantalla. Mientras seguimos mirando, en la televisión comienza a reproducirse una entrevista con Hideo, quien gradualmente gana más fama. Vuelvo a mirar a Sasuke. No hace mucho tiempo, había tomado a Jax por el brazo y llorado al ver a su hermano. Pero ahora mira la entrevista con poco de interés, sin verse realmente afectado por ella. Es como si estuviera fascinado por una celebridad y no por su hermano.

Las preguntas regresan.

–¿Quién es él?

–Hideo Tanaka.

–¿Es tu hermano mayor?

–Sí.

–¿Lo extrañas?

Duda por un momento y luego se encoge de hombros. A medida que contesta cada pregunta, el técnico observa una serie de datos que aparecen en una pantalla a su lado, mientras hace algunas anotaciones sobre un bloc de notas que tiene en sus manos. A medida que continúa, lee una serie de reacciones.

–Los signos de reconocimiento de Zero aún se mantienen

estables en un ochenta y ocho por ciento. En general, los tiempos de respuesta han mejorado en un treinta y tres por ciento –el hombre continúa hablando a medida que Sasuke responde cada pregunta.

Fuera lo que fuera que le estuvieron haciendo, le quitaron *algo*; algo real y humano, el tono de su voz y la luz de sus ojos; algo que lo define como Sasuke. No hay rastros de lucha interna ahora, y él parece perfectamente dispuesto, incluso entusiasmado, de hacer lo que le ordenan.

–Las habilidades cognitivas de Zero están completamente intactas –el técnico concluye, al hacer la última pregunta. Alguien le pone una inyección en el brazo a Sasuke y noto que sus ojos se ponen en blanco, haciendo que su cuerpo se desplome sobre la plataforma.

–Bien –dice Taylor con los brazos cruzados–. ¿Y qué hay de su reacción al mencionar a su familia? Todavía responde con cierto grado de emoción. Eso debería estar disminuyendo a mayor velocidad.

–Está aferrándose más de lo que esperaba. No te preocupes. Será nuestro pronto y creerá que siempre trabajó para ti. Debería estar completo en un par de semanas. Estará totalmente descargado antes de que perezca.

Antes de que muera.

Mientras el técnico habla, noto algo más en la grabación. Ahora que el sistema pasó al NeuroLink, puedo caminar dentro de la grabación, y noto algo en una de las pantallas que llama mi atención. Por encima de esta, se encuentra el símbolo que había visto en la manga de Sasuke, con la siguiente inscripción escrita en mayúsculas por debajo: PROYECTO ZERO.

Me acerco hacia allí, aterrorizada por lo que pudiera llegar a encontrar. A mi lado, Jax hace lo mismo, hablando suavemente durante el trayecto.

–El Proyecto Zero es un programa de inteligencia artificial –me explica–. Durante los últimos años, la inteligencia artificial ha mejorado todo, desde motores de búsqueda hasta reconocimiento facial, o la posibilidad de que una computadora derrote a un humano en juegos mentales complicados como el Go. Pero el Proyecto Zero se basa en eso para implementar los avances de la IA en las mentes de los humanos y viceversa, mezclarlas para que podamos tener todos los beneficios de la mente de una computadora, su lógica, velocidad, precisión; y que la mente de la computadora tenga los beneficios de la humana, reflejos, imaginación, instinto, espontaneidad.

Taylor está literalmente separando la mente de su cuerpo, transformando su mente en datos. Está transfiriéndola a una máquina. Una máquina que ella pueda controlar.

Me recuesto, con todo el mundo girando a mi alrededor y con la mente llena de preguntas. ¿Por qué no conformarse con lo artificial? ¿Con instalar instintos humanos en una máquina? ¿Por qué destruir a un humano de esta forma?

–¿Cuál es el propósito de esta tecnología? –le pregunto entre susurros a Jax.

–La inmortalidad –responde Jax a medida que nos acercamos al final de la grabación–. Sabes lo mucho que Taylor le teme a la muerte. Quiere que la mente viva más allá del cuerpo. Con esta tecnología, puede hacerlo.

En esta grabación, Sasuke ya no luce como él mismo, sino como el Zero que conozco. Se encuentra parado en medio del laboratorio con su mirada fría y sin sentimientos.

–Pero ¿qué le hicieron? –finalmente pregunto mientras observo a Zero, aún impactada–. Ha llegado tan lejos, ha sido sujeto de prueba en este programa de inteligencia artificial; pero ¿cuál fue el resultado final? ¿Qué puede hacer ahora que no podía hacer antes?

Al oír eso, Jax fija una mirada vacía sobre mí.

–El objetivo final es transformarlo en nada más que datos –parpadeo, sorprendida.

–¿Datos?

–Emika, Zero no es real.

Justo cuando lo dice, veo a un técnico caminar *a través* de Zero, como si no fuera más que una simulación virtual. Un holograma. Al igual que lo había visto esta noche en el laboratorio, cuando lo vi atravesar una pared de vidrio.

Comienzo a sentir palpitaciones en mi cabeza. No puede ser verdad.

–¿Qué quieres decir con que no es real? Lo he *visto*. Ha estado físicamente en mi habitación, en el mismo lugar que nosotros, cientos de veces. Él...

–¿De verdad? –me interrumpe Jax, con ojos distantes y

lúgubres–. Zero no es real. Es una ilusión. El cuerpo real de Sasuke Tanaka murió hace años en una camilla del laboratorio. Lo que estás viendo frente a ti es una proyección virtual. Emika, Zero es la mente humana de Sasuke convertida en datos. Él *es* un programa de inteligencia artificial.

VEINTIUNO

Zero no es real.

Todo este tiempo, creí que era de carne y hueso. Pero no es más que una ilusión, una proyección, una imagen virtual tan real que apenas puedo notar la diferencia.

Es imposible.

La idea brota en mi mente y comienzo a sentir una necesidad desesperada de reír ante las palabras de Jax. Seguramente entendí mal.

Pero luego los recuerdos regresan, una y otra vez. La primera vez que lo vi fue en la Guarida del Pirata, un lugar virtual. La segunda vez, dentro de un juego de Warcross. La tercera vez, estaba parado en medio de mi dormitorio, desde donde se desvaneció cuando todo estalló. Cuando llegué al hotel y lo conocí junto con los Blackcoats, Jax y Taylor también estaban allí, y él se encontraba recostado contra la pared, sin tocar a nadie.

Pero ¡no! Cuando lo vi en el balcón con Jax, ¿acaso no la había sujetado y acercado hacia él? Mi mente comienza a divagar frenéticamente, recordando ese momento mientras intento buscar una señal que demuestre la falsedad de tal conclusión.

No, Jax solo se había parado *cerca* de él, y él solo se había inclinado cerca de ella para susurrarle algo al oído.

Yo nuca toqué a Zero, y él nunca me tocó a mí. Solo hemos estado cerca el uno del otro, pero sin tener ningún contacto físico. Esa mirada fría y artificial en sus ojos es porque en verdad *es* artificial.

Comprender eso me marea, por lo que me veo obligada a llevar las manos sobre el escritorio para mantenerme firme.

Zero no es real. Es una ilusión.

Sasuke Tanaka murió hace mucho tiempo.

Jax me mira mientras intento asimilar toda la información. Tiene una expresión de aflicción en su rostro.

–Vivir por siempre dentro de una máquina es algo de lo que siempre hemos hablado, ¿cierto? Solo que ahora, Taylor lo ha logrado. La mente de Zero es tan precisa y ágil como la de un humano; en capacidad intelectual, es exactamente lo mismo que era cuando era Sasuke. Solo que ahora, Zero puede existir en cualquier lado. No tiene forma física. No tiene edad. Siempre que haya Internet, siempre que existan las máquinas, él vivirá por siempre.

–¿Qué...? –mi voz se detiene y tengo que intentarlo nuevamente–. ¿Qué hay de su memoria? ¿Los recuerdos de su familia?

–Taylor no puede dejar que los visite, ¿no crees? ¿Reportarlos a las autoridades? ¿Te suena? –me contesta Jax–. Le dio la inmortalidad. Pero, a cambio, borró su memoria, al conectar su mente con la suya. Él hace lo que ella quiere. Cree lo que ella cree. Y cuando ella muera, él se apagará.

Jax se desplaza hacia otro archivo, y me quedo atónita frente a una lista detallada de nombres. Clientes.

El ejército. El complejo médico industrial. El uno por ciento. Empresas de tecnología. Funcionarios del gobierno.

Me duele la cabeza. Hay cientos de personas dispuestas a beneficiarse de los resultados de esta investigación; quizás para hacer supersoldados obedientes o como cura a una enfermedad terminal, o sea lo que sea que necesiten. Quizás solo para vivir por siempre.

–Es irónico, ¿no lo crees? –agrega Jax, resignada–. De cierto modo, Taylor mantuvo su promesa con Mina Tanaka. Le salvó la vida a Sasuke al hacerlo eterno. El único precio fue matarlo.

Pienso en lo que vi en el instituto, Zero moviendo al mismo tiempo la armadura; la forma en que sus gestos manipulaban la máquina.

–¿Qué hay del robot en el laboratorio? –pregunto–. El que Zero estaba controlando.

–Una forma física de él –me explica–. Puede sincronizarse con esa máquina, tanto como si fuera su propio cuerpo. Puede controlar una o varias, si quisiera.

Supersoldados.

–Ahora, imagina que esto esté conectado al NeuroLink. Cuán fácil Taylor podría replicar esto mismo a una escala más masiva.

–Pero… –digo, con voz rasposa, aclarándome la garganta–. ¿Acaso todos estos clientes, patrocinadores, saben cómo hizo este experimento? ¿Lo que costó?

–¿Importa realmente? –se encoge de hombros–. Si el resultado es un descubrimiento extraordinario, ¿desecharías toda la investigación porque el proceso no fue ético? Experimentar con la inmortalidad humana siempre ha sido un tema recurrente, ya sea en tu país, el mío, o en todo el mundo. ¿Crees que la gente no quiere resultados de este tipo de investigación, sin importar cómo se obtuvieron? La gente últimamente no se preocupa por el trayecto si el destino lo vale. ¿Y cuál es el precio de la inmortalidad?

Una vida.

Tiene razón. Si el experimento sale a la luz, la culpa puede caer sobre los Blackcoats y todos esos clientes pueden simplemente señalarlos a ellos, denunciarlos por cometer crímenes atroces y poco éticos, mientras ellos mismos son quienes quedan absueltos de haber financiado la investigación.

Nadie arrojaría a la basura todos estos descubrimientos solo por la muerte de Sasuke.

–Sus padres –susurro–. La madre de Sasuke. ¿Ella...?

–Nunca supo qué ocurrió con él. Sabe que desapareció algunos meses después de sacarlo del programa y llegó a mi conocimiento que casi comete suicidio tratando de encontrar qué le ocurrió, pero ¿qué podía hacer? La gente desaparece con frecuencia en Japón. No hay siquiera un registro nacional que catalogue las desapariciones. Taylor era directora del instituto. Tenía el poder de esconder todo lo que fuera necesario, y una acusación de este tipo solo habría hecho lucir a Mina como una madre loca.

–¿Y qué hay de ti? –pregunto con suavidad.

–Taylor a menudo contrata personas de acuerdo a las necesidades de sus proyectos. La mayoría de los que trabajaron con nosotros no son exactamente ciudadanos respetables. Por lo que, a medida que su ambición crecía, quería alguien como yo para reforzar su control y protección. Puede que no haya sufrido el mismo destino que Sasuke, pero puse a prueba mis reflejos. Me tiene entrenada –esboza una sonrisa amarga. De nuevo, puedo ver el miedo en sus ojos–. Nada demanda más autoridad que un asesino profesional, y ningún asesino sorprende más que una joven muchacha.

Si bien Jax no lo dice, sé que aún ve a Taylor como su madre. Una madre cruel, una a quien no le importa. Pero familia, después de todo. Es difícil cortar los lazos de la mente, sin importar cuán dolorosos sean.

Taylor me había hecho creer que era una fuerza del bien, que su misión aún era fundamentalmente moral, la necesidad de deshacerse de un mundo de regímenes y tecnología como el de Hideo al intentar controlar a los demás.

Pero muchas veces, la necesidad de proteger al mundo de este control se traduce en acaparar el poder para uno mismo.

Jax nos saca de las grabaciones. Miro la vasta biblioteca nuevamente, un depósito de los secretos de los Blackcoats, luego la Exposición Universal del Dark World, y luego las calles del Dark World mismo. Enseguida, salimos del espacio virtual y regreso a mi habitación, iluminada solo por la luz de la luna y las lámparas de la calle. La imagen virtual de Jax todavía está presente, de pie a mi lado mientras reposo contra la cama.

–¿Por qué me cuentas todo esto? –le pregunto–. Estás arriesgando tu propia vida.

–Porque no creo que Sasuke haya desaparecido por completo –me dice con una expresión firme, como siempre.

Se queda en silencio pero sus ojos se fijan directo en mí. Mis pensamientos ya están pasando a toda prisa. El recuerdo específico que Zero me había mostrado cuando me enseñó a irrumpir en la mente de Hideo. Zero había dicho que no quería que viera eso. Pero ¿qué tal si *Sasuke* sí quería, desde algún lugar profundo en la mente de Zero?

–El símbolo –le susurro a Jax–. El recuerdo de Sasuke en esa habitación.

Ella asiente.

—No creo que haya sido un accidente que Zero te haya dejado ver ese recuerdo. Creo que Sasuke lo hizo.

La esperanza con la que dice su nombre contrasta demasiado con su tono seco usual. Para ella, Sasuke aún sigue con vida. No hay dudas de que nunca intentará asesinar a Taylor; no mientras Sasuke pueda estar atrapado dentro de la mente de Zero.

De pronto, Jax mira hacia un lado, con una expresión alerta nuevamente. Escucha por un momento. Me quedo tensa, preguntándome qué es lo que está oyendo y en dónde se encuentra en la realidad ahora mismo. Luego se acerca.

—Escucha con atención —me dice apresurada—. Zero está completamente bajo el control de Taylor. Por la naturaleza de su programación, debe obedecer sus órdenes y lo que ella dice. Debes acceder al algoritmo de Hideo. Pero una vez que lo hagas, no puedes dejar que Taylor tome el control. Si puedes utilizar el algoritmo para forzar a Taylor a renunciar al control de la mente de Zero, podrás liberarlo de sus garras.

Estudio el rostro de Jax al hablar. La urgencia repentina y la incertidumbre en su voz me hacen temblar. Ahora mismo, no suena como una asesina despiadada, sino como una pequeña niña, aterrorizada de su tutor.

—Al igual que el resto de nosotros, Taylor utiliza los lentes beta. No están conectados al algoritmo —lleva las manos a sus bolsillos y toma una pequeña caja—. Pero lo *estarán* durante un breve momento, justo después de que logres acceder al algoritmo de Hideo durante la ceremonia de cierre.

Tiene razón. Por un segundo, los lentes beta de Taylor estarán conectados al algoritmo y, antes de que su código la nombre a *ella* como la controladora del algoritmo, será vulnerable a que Hideo tome el control de su mente.

–Solo tendremos un segundo para hacer esto –le comento. *Y solamente si logro persuadir a Hideo de que colabore.*

Jax asiente.

–Será el segundo más importante de toda la historia.

Si sale mal, mis propios lentes beta también estarán conectados al algoritmo. Estaré bajo el control de *Taylor* en lugar del de Hideo. Todos lo estaremos. Trato de no pensar en lo que Taylor hará con todo ese poder. En lo que nos convertirá.

–¿Qué pasará luego de que liberemos a Zero? –pregunto, tras un instante.

–Esa biblioteca que te mostré contiene todo, ¿recuerdas? Cada estudio y experimento que Taylor le haya realizado. También contiene cada iteración de la mente de Sasuke Tanaka, durante cada etapa del ensayo.

Al decir eso, levanta un paquete comprimido de datos entre nosotras. No necesito decir una palabra para saber qué es lo que contienen esos registros.

–Necesitas acceder directo a la mente de Zero. Descargar todos los Recuerdos de Sasuke en Zero, quien no tiene ningún deseo de revelarse contra Taylor... Pero *Sasuke* puede que sí.

Utilizar el algoritmo para salvar al hermano de Hideo. Es un plan que casi de seguro saldrá mal.

Pero, de todas formas, asiento.

–Lo lograremos.

Jax aparta la cabeza, como si hubiera oído algo. En un segundo, todo rastro de debilidad desaparece de su rostro.

–Debo irme –susurra. La miro a los ojos una vez más y luego se desconecta, dejándome sola en mi habitación otra vez.

Está completamente silencioso aquí. El contraste es sorprendente.

Me quedo recostada contra mi cama en silencio. Las grabaciones que vi se repiten en mi mente una y otra vez, negándose a desaparecer. Las hago aparecer una vez más, una por una, cada archivo que Jax me dio. Las imágenes de Sasuke, todos sus Recuerdos, me envuelven en un halo.

Esta es la llave que he estado buscando.

Lentamente, el plan comienza a tomar forma.

VEINTIDÓS

Apenas puedo dormir por la noche. Cada vez que cierro los ojos, lo único que veo es a Sasuke de joven en esa habitación, con el rostro cubierto de lágrimas. Lo veo besando a Jax, gritando mientras está amarrado durante los procedimientos. Los recuerdos se fusionan entre sí, creando otros nuevos y más retorcidos. Aparece Jax de pie junto a Zero en el balcón, su rostro hacia él, quien se acerca y la besa en el cuello. Jax se transforma en mí; Zero, en Hideo. Estamos de nuevo en la torre de cristal, recostados en la cama. Su cabeza se sacude hacia atrás justo cuando Taylor le dispara, y se transforma en Tremaine, quien se desploma en el suelo.

Enseguida, despierto de un sobresalto, llorando y con el cuerpo completamente húmedo por el sudor.

Estoy demasiado asustada como para volver a dormir, por lo que me quedo sentada en la cama jugando con el cubo brillante que Zero me había entregado, la llave que me dejaría entrar en la mente de Hideo.

Usa el algoritmo para forzar a Taylor a que renuncie al control sobre Zero.

¿Acaso Hideo se unirá para hacer eso? ¿Le permitirá acceder a alguien más a su algoritmo? Incluso Zero se había negado a revelarle su identidad a su hermano, dada lo impredecible que puede ser su reacción. Nada me garantiza que Hideo me crea.

Pero Sasuke está enterrado en algún lugar dentro de ese monstruo que Taylor ha creado. Si existe la más mínima posibilidad de que podamos rescatarlo… Debo creer que Hideo me escuchará.

Y si no lo hace… Si no lo hace, tendré que entrar a su mente por la fuerza. Y obligarlo.

Estudio la información hasta que el amanecer comienza a esparcirse en mi habitación. En el instante en que la luz cambia de un tono azul a uno dorado, recibo una llamada en mi visión. Me exalto, pensando que puede ser de Zero mismo; que él o Taylor descubrieron lo que Jax ha hecho.

Pero es de Roshan. Acepto la llamada y su voz rasposa inunda mis oídos, y me anticipa lo que ya sé.

–Tremaine está en el hospital –me dice–. Está muy

malherido –sus palabras titubean un poco–. Em, me tenía en su lista de contactos de emergencia. Por eso el doctor me llamó. No… No puedo…

Apenas puedo soportar el dolor en su voz. Mis manos tiemblan sobre mi regazo mientras me dice el nombre del hospital.

–Estoy en camino –susurro y me levanto de la cama a toda prisa antes de que pueda responder.

Media hora después, llego al hospital para encontrarme a Roshan perdido en una conversación con uno de los médicos, quien trata de explicarle en vano que aún no puede visitar a Tremaine.

–¡Hemos estado aquí por horas! –la voz de Roshan resuena a lo largo del pasillo–. ¡Hace una hora nos dijo que podríamos verlo! –le está gritando en japonés al doctor, por lo que sus palabras traducidas aparecen a toda prisa en mi visión. A su lado, Hammie y Asher se encuentran callados, sin molestarse en detenerlo. Debió haber perdido su temperamento antes de que yo llegara.

–Lo siento, señor Ahmadi –le explica el doctor, haciendo un pequeño gesto de disculpa–. Pero usted no es el cónyuge legal del señor Blackbourne; a menos que tenga un certificado oficial deberá esperar con sus amigos hasta que se les permita visitarlo…

–Somos *pareja* –suelta Roshan, olvidándose por la tensión del momento que eso ya no es verdad–. ¿Acaso no aprobaron la ley de matrimonio igualitario el año pasado?

–Pero no están casados –continúa el doctor–. ¿O sí? ¿Tiene los papeles?

Roshan levanta sus manos y se dirige a toda prisa hacia la sala de espera en donde estoy yo. Detrás de él, Asher y Hammie intercambian una mirada rápida. Roshan pasa junto a mí y me hace un gesto con la cabeza.

Tengo el corazón en la garganta cuando llego adonde se encuentra él. Roshan luce pálido y demacrado, con los ojos completamente irritados.

–¿Por qué no estabas con él? –me pregunta furioso–. Dijeron que lo dejaron aquí solo.

La ira de Roshan me atraviesa el pecho. Comienzo a darle excusas; que no pude contactarlo, que los Blackcoats descubrieron que Tremaine ingresó a su base de datos. Pero eso no es lo que Roshan necesita oír.

–Debería haber estado con él –logro soltar–. Es mi culpa que le haya ocurrido esto. Él nunca debió…

Roshan gira para mirar hacia la habitación de Tremaine, y luego cierra los ojos al bajar su cabeza.

–Lo siento. Agradezco que no hayas estado allí.

–¿Puedes verlo por la ventana? –le pregunto y Roshan asiente.

–Sus vendas están completamente ensangrentadas. Los doctores dicen que están esperando a que baje la inflamación, pero no saben cuánto tardará. Dicen que tiene mucha suerte de haber recibido el disparo de esa forma. Un poco más a la derecha o a la izquierda y habría llegado ya sin vida.

Pienso en la promesa de Jax al decirme que el disparo a Tremaine estaba fríamente calculado. Fue fiel a su palabra, después de todo.

–¿Qué ocurrió? –pregunta Asher al acercarse a nosotros en su silla de ruedas, seguido de Hammie.

Otros jugadores, la Brigada de los Demonios y algunos otros de otros equipos, también se acercaron al hospital, llenaron la sala de espera de rivales. Por tal motivo, mantengo la voz baja y les cuento a mis compañeros todo lo que sé, que Tremaine y yo habíamos ido al instituto y que todo salió completamente mal.

Pero no les digo nada sobre Sasuke. No puedo arriesgarme a llevarlos a problemas reales.

–Tienes que detenerte –me dice Hammie cuando termino de hablar–. Esa podrías ser tú; podría ser mucho peor.

Quiero escucharla, pero esta noche me encontraré con Hideo. La ceremonia de cierre ocurrirá en dos días. Nos estamos quedando sin opciones. Simplemente no hay tiempo para detenerse. Todo lo que puedo hacer es asentir débilmente a sus palabras, aunque seguro nota la mentira en mis ojos. Sin embargo, no me presiona.

Mientras nos acomodamos en las sillas de la sala de estar, miro la fecha en mi visión. Cuando comience el juego de la ceremonia de cierre, todo terminará o se convertirá en una pesadilla lúcida.

}{

Hideo no está en su casa esta noche; al menos, no en la que recuerdo. El auto que me vino a recoger me lleva a través de un puente que cruza la bahía de Tokio, donde el océano se encuentra con la ciudad y el reflejo de los rascacielos se mece sobre el agua. Esta noche, el puente está completamente iluminado con los colores de los Jinetes de Fénix, y a través de mis lentes, los cruceros y barcos de turistas que aparecen por el puerto llevan corazones y estrellas flotando sobre ellos.

Las luces escarlata de los Jinetes de Fénix se reflejan sobre el mar como manchas de sangre que se desparraman sobre el agua, haciendo que el paisaje urbano luzca como millones de trozos de vidrio. Bajo la mirada hacia mis piernas, donde me encuentro presionando las manos con fuerza entre sí.

Viajamos por la ribera hasta dejar atrás la mayoría de los botes antes de encaminarnos por una vía estrecha de lujosos edificios. Aquí, un equipo de guardias de seguridad le hace señas al auto para que ingrese por una puerta. Finalmente, se detiene justo donde termina un muelle, en donde más guardaespaldas con traje se acercan para abrirme la puerta.

Salgo del auto y me paro de cara al agua, respirando la brisa salada, boquiabierta por la vista.

Flotando serenamente frente a mí se encuentra el yate más grande que jamás he visto. El barco entero es de un color negro mate, lo cual hace que se pierda en la noche, salvo por las suaves líneas plateadas que recorren cada lado de la cubierta y las luces que tiene por encima.

–El señor Tanaka la está esperando –me dice uno de los

guardaespaldas. Extiende una de sus manos enguantadas hacia mí, haciéndome un gesto para que suba al yate por una de las rampas. Asiento sin decir nada, sintiéndome de pronto un poco mareada por la ansiedad y el miedo, y enseguida me encamino hacia la cubierta interior del barco.

El lugar tiene una altura de dos pisos, desde cuyo techo cuelga un candelabro de cristal. Las paredes de vidrio, polarizadas para tener privacidad, rodean toda la recámara, y en el otro extremo una puerta doble se encuentra abierta, invitándome a pasar. Camino hacia allí, deteniéndome dubitativa en la entrada al ver la enorme habitación que hay del otro lado.

La iluminación es bastante tenue, las paredes aún más polarizadas revelan el reflejo de la ciudad contra el agua. Varios gruesos tapetes blancos y divanes mullidos ocupan el lugar. Unas finas cortinas blanquecinas se mueven sutilmente por la brisa marina desde una ventana entreabierta, bajo la cual yace una lujosa cama.

El lugar luce tan impecable como la casa principal de Hideo; al menos, hasta notar la porcelana rota en el suelo.

–Cuidado por dónde caminas.

La voz familiar de Hideo suena desde el otro lado de la habitación. Ingresa desde el balcón con una chaqueta negra sobre sus hombros, la cual arroja bruscamente hacia una silla cercana. En la tenue luz, tan solo puedo ver su silueta alta y cabello plateado, pero noto que su camisa está atípicamente arrugada, con las mangas levantadas sin cuidado alguno y el cuello levantado. Las sombras cubren casi la totalidad de su rostro.

–¿Qué ocurrió? –pregunto. Se endereza y camina lentamente hacia el largo sofá, posándose bajo la luz.

–Lo limpiaré en un minuto –responde, con su típico hábito de responder sin decir nada.

Mis ojos se posan directo sobre sus manos. Tiene los puños cerrados, rojos de la ira, llenos de sangre. Alrededor de sus ojos, noto unas marcas oscuras.

¿Está aquí desde la noche del museo, agonizando por lo que le dije? Nunca lo había visto tan descuidado; parece como si todo su corazón estuviera luchando con un gran peso.

Me siento frente a él y espero, hasta que se inclina y me mira fijo con sus ojos penetrantes.

–Tú nos trajiste aquí –dice con voz tranquila–. Así que, dime. ¿Qué sabes de mi hermano?

No hay necesidad de una charla para romper el hielo. En su voz noto una ira que recuerdo solo de la noche en la que Jax intentó asesinarlo, cuando se agachó hacia su guardaespaldas herido y les ordenó al resto de ellos encontrar al culpable. Incluso esa noche no se compara con lo que ocurre ahora. Siento que estoy mirando hacia un vacío que se abrió en su interior, que amenaza con tragárselo por completo.

No le respondo enseguida. No hay palabras que pueda decir que hagan nuestra conversación más amena. En cambio, me conecto con él y despliego una pantalla para mostrarle un Recuerdo que guardé de mi primer encuentro con Zero en la habitación del hotel.

Hideo se queda mirando el rostro de su hermano. Puedo

notar un maremoto de emociones en sus ojos. Primero, desconfianza, al pensar que esta persona puede ser él. Luego, aceptación, porque no hay dudas de que este joven es el mismo niño que despareció hace varios años.

–¿Cómo lo encontraste? –finalmente me pregunta.

–Lo descifré luego de la final, ni bien me marché de tu habitación –continúo, esperando llenar la pesadez del silencio–. El truco que utilicé al final para detenerlo también expuso su identidad, y fue ese el momento en el que vi su nombre.

–No es él.

Le comparto otro video de Zero, esta vez caminando a mi lado mientras me lleva hacia mi habitación.

–Es él –insisto en voz baja.

Hideo lo mira por un largo rato. Lo mira hasta que luce como si estuviera congelado.

–¿Qué...? –su voz se quiebra por un momento y siento que mi propio corazón se agrieta ante ese sonido. Creo que nunca lo había visto vacilar de esta forma–. ¿Qué le ocurrió?

Suspiro, pasando una mano sobre mi cabello.

–No debo ser yo quien te lo diga –contesto–. Pero tu hermano... cuando desapareció, estaba muy enfermo. Tu madre, en un momento de desesperación, lo inscribió en un ensayo experimental que podría curarlo.

Hideo mueve la cabeza de lado a lado al oír eso.

–No –dice–. Mis padres me lo habrían dicho. Sasuke estaba jugando en el parque conmigo el día que desapareció.

–Solo te digo lo que sé –mientras Hideo mira, le muestro

cada grabación duplicada, en orden cronológico. La habitación de prueba del Instituto de Innovación, con un niño en cada pupitre. La preocupación y esperanza de los padres de Hideo asomándose por detrás de la ventana. La reunión privada entre Dana Taylor y Mina Tanaka. La pequeña silueta de Sasuke, recluida en un rincón de una habitación, él rogando volver a casa con su familia. La bufanda azul brillante alrededor de su cuello. Su amistad con Jax y todos esos momentos que pasaron juntos. La forma en la que negociaba su libertad con Taylor, cuyo precio fue su bufanda; la forma en la que falló al intentar escapar. La desaparición lenta y devastadora de su identidad con cada intervención que le hacían, provocando que Sasuke fuera menos persona y más una serie de datos.

La verdad detrás del Proyecto Zero.

Tengo esperanzas de que Hideo aparte los ojos en algún momento, pero no lo hace. Lo mira fijo, en silencio, sin quitar la mirada de su hermano a medida que Sasuke crece un poco con cada video. A medida que pierde su identidad. El momento en el que Taylor le quita la bufanda a Sasuke; cuando ve el primer anuncio público de su hermano. Cada escena que pasa abre una nueva herida en el corazón de Hideo.

Cuando las grabaciones finalizan, Hideo no dice ni una palabra. Me concentro en la sangre seca de sus nudillos. El silencio que ruge en nuestros oídos como un animal.

–Sasuke murió hace varios años –susurra Hideo finalmente en la oscuridad, repitiendo las palabras que Jax me había dicho–. Entonces, ya no está en este mundo.

–Lo siento –susurro en respuesta. El peso que ha estado soportando en su corazón, la distancia rígida y amable, todos los escudos que ha levantado, ceden. Sus hombros caen. Su cabeza se entierra en sus manos y, de esta forma, comienza a llorar.

Ese peso era la carga de no saber, de años y años de angustia, de imaginar miles de posibilidades, de preguntarse si su hermano alguna vez volvería a entrar por esa puerta. De todas las iteraciones que ha hecho en su memoria, tratando de descifrar cómo pudo haber desaparecido Sasuke. Era la delgada línea de una historia inconclusa.

No hay nada que pueda decir para reconfortarlo. Lo único que puedo hacer es oír cómo su corazón se rompe una y otra vez.

Cuando ya no quedan más lágrimas, Hideo se queda sentado en silencio mirando a través de la ventana. Luce perdido, obnubilado, y por primera vez, veo incertidumbre en sus ojos.

Me inclino hacia adelante y recobro la voz.

–Puede que Sasuke se haya ido de este mundo –murmuro suavemente–, pero aún puede estar con vida en otro.

Hideo no responde, pero levanta la cabeza sin abrir los ojos.

–Zero es una creación de Taylor –continúo. Mi voz suena ensordecedora–. Está conectado a ella por completo. De la misma forma en la que tu algoritmo controla a aquellos que llevan los nuevos lentes NeuroLink, Taylor controla la información de Zero. Su mente. Pero Sasuke no desapareció por completo. Creo que intentó contactarse conmigo a través de Zero porque aún sigue atrapado en algún lugar en esa oscuridad, pidiendo a gritos liberarse.

Hideo hace una mueca visible de dolor. Sigue sin decir nada.

Coloco una mano sobre su brazo, vacilando.

–Hideo, Taylor está tras tu NeuroLink. Su gente es la culpable de cada ataque reciente en tu contra.

–Déjalos que vengan –las palabras de Hideo son una amenaza clara y tranquila. Se levanta del sofá, voltea y camina hacia la ventana. Allí, se lleva las manos a los bolsillos y observa el reflejo de la ciudad en el agua.

Mis palabras se desvanecen. Luego de un momento, me reincorporo sobre el sofá y me acomodo de pie a su lado junto a la ventana.

Cuando lo miro, puedo ver las lágrimas en sus mejillas, en sus ojos rojos.

Finalmente, luego de un largo rato, voltea despacio hacia mí, con la mirada aún sobre la ciudad.

–¿Recuerda algo? –me pregunta con voz grave.

Puedo oír la verdadera pregunta que me está haciendo. *¿Me recuerda a mí? ¿Recuerda a sus padres?*

–Sabe quién eres –le contesto, suavemente–. Pero solo de la forma en la que un extraño puede conocerte. Lo siento, Hideo. Desearía poder decirte algo mejor que eso.

Hideo continúa con la mirada perdida sobre la ciudad. Me pregunto qué estará pensando, si quizás desea poder usar el NeuroLink para borrar lo que ocurrió en el pasado.

–Jax me explicó que la única forma de ayudar a Sasuke es por medio de tu algoritmo para volver a Zero contra Taylor.

Esto rompe su trance. Hideo me mira de lado.

–Quieres que la conecte al algoritmo.

–Exacto. Si abres el algoritmo y conectas a Taylor, podrás controlarla y liberar a Zero.

–¿Qué hay de Sasuke? –la mandíbula de Hideo se tensa al decir el nombre de su hermano.

–Taylor tiene archivos de la mente pasada de Sasuke. Todas sus iteraciones. Si podemos combinar esas versiones con lo que es ahora, podremos hacer que su mente se restaure otra vez –me detengo–. Ya sé que nunca podrá ser *real*... pero podrás tenerlo de regreso de cierto modo.

–Me estás pidiendo que te dé acceso a mi algoritmo.

–Sí –respondo, vacilante.

Está luchando por creerme, pero con la guardia baja, puedo sentir los latidos de su corazón detrás de esa armadura. Las miles de posibilidades de lo que podría haber ocurrido con Sasuke desaparecen de su mirada y son reemplazadas por una visión clara, un camino hacia adelante. Tiene la oportunidad de hablar con su hermano otra vez, traerlo de regreso en cierta medida.

Para esto, sé que es capaz de romper el orden del mundo en pedazos. Está dispuesto a arriesgarlo todo.

Hideo vuelve a mirar hacia el agua. Pasa un largo rato antes de que finalmente me conteste.

–Lo haré.

Sin pensarlo, doy un paso hacia él hasta estar casi tocándolo. Mi mano descansa sobre su brazo. No digo nada, pero igualmente gira, sintiendo mi propia mezcla de emociones; la confianza indecisa que estoy poniendo sobre él, el impulso que siempre siento cuando estoy cerca de él. El miedo de dejarlo entrar otra vez. Debajo de su camisa, su piel está cálida. No puedo recomponerme y alejarme.

Voltea para mirarme.

–Estás arriesgando tu vida al contarme esto –me dice–. Podrías haber regresado a Nueva York y dejado todo esto atrás. Pero sigues aquí, Emika.

Por un instante, recuerdo el momento en el que estaba en el pequeño bar con Hammie y los demás Jinetes. Veo a Hammie reclinarse hacia mí con la mirada firme y fija en mí. *¿Por qué haces esto?*

Luego, hago algo que nunca pensé que haría. Recuerdo la mañana en la que me encontraba acurrucada, delgada, vacía y sin esperanzas, en la cama de mi hogar de acogida oyendo su historia en la radio. Dejo que el Recuerdo se forme, cristalizándose en una imagen clara, y luego se lo envío, cada cosa que vi, sentí y oí ese día. Dejo ver ese lado roto de mí que había mezclado al conocerlo, las piezas que de alguna manera se volvieron a encontrar otra vez.

No sé cuánto de esto puede ver y entender. Es una mezcla de pensamientos y emociones, y no la grabación real de un Recuerdo. De pronto, temo que no entienda lo que estoy tratando de decir. Que este momento vulnerable, al desnudo, no pueda significar nada para él. Volteo, avergonzada. Pero cuando lo miro, sus ojos están fijos sobre mí, observándome como si yo fuera todo lo que importa. Como si entendiera todo lo que intenté compartir.

Es mucho más de lo que puedo soportar. Trago saliva y me fuerzo a mirar hacia otro lado. Mis mejillas están ardiendo.

–Hideo... nunca estaré de acuerdo con lo que estás haciendo. Nunca me sentiré bien por las muertes vinculadas a tu algoritmo o con justificaciones. Pero ese día –continúo–, cuando eras un simple niño en una entrevista en la radio, escondiendo tu corazón roto, llegaste a una niña que buscaba algo a lo que aferrarse. Ella te encontró a *ti*, y tú la ayudaste a recomponerse.

Hideo se me queda mirando, penetrando hasta lo más profundo de mi ser.

–No lo sabía –susurra.

–Serás por siempre una parte de mi historia. No podía darte la espalda sin darme la espalda a mí misma. Tenía que intentarlo –mis palabras tranquilas flotan en el aire–. Tenía que estirar mi mano hacia ti.

Está tan cerca ahora. Estoy en un terreno peligroso; nunca debí haber venido hasta aquí. Pero me quedo quieta, no intento alejarme.

–Tienes miedo –murmuro, notando las emociones que palpitan en él.

–Estoy aterrorizado –responde susurrando– de lo que eres capaz. Porque estás aquí, caminando en la cuerda floja. Siempre tuve miedo desde que te conocí, cuando me miraste directo a los ojos y rompiste mi sistema en cuestión de minutos.

Pasé hora tras hora después de eso estudiando qué fue lo que hiciste. Recuerdo todo lo que me has dicho alguna vez –un rastro de dolor comienza a sonar en su voz–. Temo que cada vez que te veo pueda ser la última.

Recuerdo la mirada penetrante que me había dedicado durante nuestra última reunión. Debajo de ella yacía el miedo, todo el tiempo.

–Me dijiste que no querías volver a verme –le recuerdo.

–Porque cada vez que te veo, me cuesta mucho alejarme –responde con una voz grave y rasposa.

Me percato de que me estoy acercando, anhelando algo más. Debe ser capaz de sentirlo por nuestra conexión y, como si me estuviera respondiendo, siento esa misma necesidad provenir de él también, sombras de lo que desea poder hacer, pensamientos efímeros de su mano en mi cintura, acercándome más hacia su cuerpo. El espacio entre ambos se siente vivo, destellante bajo un deseo abrasador de cercanía.

Vacila. Con el corazón expuesto y vulnerable, puedo ver el miedo en su rostro.

–¿Qué quieres, Emika? –susurra.

Cierro los ojos, respiro profundo, y los abro nuevamente.

–Quiero quedarme.

Es lo único que lo retiene. Desparecen los centímetros que nos separan, lleva las manos a mi rostro y se inclina hacia mí. Sus labios tocan los míos.

Toda sensación de control que había sentido estalla en mil pedazos. Tiene la piel cálida, su cuerpo resulta familiar, y me desplomo sobre él. No hay rastros de la vacilación suave de nuestro primer beso; esto es más profundo, más intenso; ambos estamos compensando el tiempo perdido.

Mis brazos se envuelven alrededor de su cuello. Sus manos presionan mi espalda, llevando mi cuerpo contra el suyo. Mis dedos corren por su cabello. Rompe nuestro beso solo para posar sus labios sobre mi cuello, y exhalo, estremecida por la calidez de su aliento sobre mi piel. Miradas y fantasías, sensaciones que se disparan desde su mente a la mía, desde la mía a la suya, dejándome un hormigueo que me llega hasta los pies.

Apenas noto que me levanta sin esfuerzo hacia sus brazos. Me lleva hacia la cama.

No hagas esto, me advierto a mí misma. *Estás caminando sobre la cuerda floja. Necesitas mantener la mente clara.*

Pero cuando caemos sobre las sábanas, lo único en lo que puedo pensar es en la sombra de su boca. Contemplo el haz de luz azul oscuro sobre su piel mientras desabrocho su camisa y aflojo su cinturón. Sus manos me quitan la camisa por encima de la cabeza, deslizándola sobre mi piel. El aire frío de la habitación golpea en mi pecho desnudo, y me abarca un instinto repentino de cubrirme. Pero él me mira, con esos ojos oscuros, llenos de deseo. Una sonrisa tímida aparece en sus labios. El resplandor de la ciudad afuera ilumina sus largas pestañas.

Al reclinarme sobre él, me besa en la mejilla, y deja avanzar sus labios hasta mi cuello y clavícula. Su respiración se encuentra más agitada e irregular, sus manos, más cálidas y suaves. Tiemblo sobre él y, en un abrir y cerrar de ojos, noto que él también está temblando. Deslizo un dedo por los músculos de su pecho hacia su estómago, sonrojándome por la forma en la que este simple toque lo hace temblar. Su boca choca con la mía y, en un susurro, me pregunta qué es lo que quiero, y le respondo, y él me lo da. Y en ese momento no pienso en nada más, ni en los Blackcoats, ni en Zero, ni en los peligros que nos depara el futuro. Solo pienso en el ahora. En mi cuerpo entrelazado con el suyo. En su respiración, en mi nombre sobre sus labios, en las frías sábanas debajo de nosotros, en el calor de su cuerpo contra el mío, en mis dedos aferrándose desesperadamente a su espalda.

Solo yo.

Él.

Y afuera, el vaivén del océano, esa tinta negra bajo el cielo de medianoche que nos separa de una ciudad brillante que nos espera.

VEINTITRÉS

Un día para la ceremonia de cierre de Warcross

No me muevo sino hasta que los primeros rayos de luz inundan la habitación, arrojando una tenue paleta de colores sobre las sábanas enmarañadas. Por un momento, no puedo recordar dónde estoy; una habitación desconocida, una cama desconocida. El espacio junto a mí está vacío. La habitación se mueve con mucha delicadeza. ¿Un barco?

Lentamente, los recuerdos de la noche anterior regresan.

Frunzo el ceño, subo las sábanas sobre mi pecho y me

siento. ¿Acaso Hideo se marchó? Miro alrededor hasta que mis ojos finalmente se posan sobre la puerta de vidrio entreabierta y, detrás de ella, la silueta de un hombre bañado en oro, reclinado sobre el barandal del navío con vista a la ciudad.

Lo miro por un momento. Luego, tomo mi ropa, me visto y salgo de la cama.

El aire afuera sigue frío, con aroma a sal y mar, y provoca que mi piel se erice al detenerme sobre la puerta abierta. Dos tazas calientes descansan sobre una pequeña mesa a un lado de Hideo. El rocío de la mañana recubre las puertas de vidrio, por lo que paso un dedo sobre estas, sintiendo la humedad, esa que me recuerda que estoy en el mundo real y no en el virtual.

Hideo mira hacia un lado y veo el perfil de su rostro.

–Te levantaste temprano –dice.

–Sabías que lo haría –respondo, señalando las tazas de café con la cabeza–. O no me habrías servido eso.

Me mira por un breve momento, esbozando una pequeña sonrisa en sus labios, y toma un sorbo de su propia taza. Luce pálido esta mañana, con ojeras bajo sus ojos, pero más allá de eso, no sabría decir qué es lo que está atravesando. Cada vulnerabilidad que ha dejado expuesta para mí anoche ha sido recluida nuevamente y, por un momento, temo que no vuelva a confiar en mí. Pienso que todo esto fue un gran error.

Luego encuentro su mirada y, en ella, veo algo abierto. No, no se ha retractado por completo. El verdadero Hideo que he estado buscando está aquí.

Mientras me encuentro junto a la puerta, me hace un gesto con la cabeza para que me acerque y me entrega la taza de café.

–Taylor esperaba que estuvieras aquí –dice suavemente, moviendo la vista hacia la ciudad.

Asiento. Mi mente regresa por un momento a Zero. Pueden estar mirándonos ahora mismo desde algún lugar desconocido junto a la ribera.

–Quieren que esté cerca de ti –contesto, colocando la taza sobre la mesa.

Parpadea, y sé que está pensando en su hermano. Sea lo que sea, no lo dice en voz alta. En cambio, camina hacia mí y me acerca a él. Sus manos se sienten cálidas por la taza de café. Aguanto la respiración al voltearme de forma tal que mi espalda queda sobre el balcón y sus manos se aferran a la cornisa, presionándose contra mí.

–Esto es lo que esperan ver, ¿verdad? –murmura, con su rostro cerca de mi oído.

–Sí –mi piel se eriza por su cercanía y en lo único que puedo pensar es en lo que ocurrió anoche. Tiene razón, por supuesto, y si los Blackcoats *están* mirando, ayudará a mi misión que me vean cerca de Hideo. Nuevamente, estoy perdida en el sueño de vidrios rotos, en donde Zero nos mira desde el otro lado de la habitación. Es suficiente para hacerme girar hacia un lado, una parte de mí espera que él esté aquí en el yate.

Pero solo estamos nosotros.

Hideo esboza una leve sonrisa, se acerca y presiona los labios contra mi cuello.

–Entonces bésame –murmura y me lleva hacia él.

Cierro los ojos ante su tacto, temblando, y volteo mi rostro hacia el suyo. Lo beso lentamente, saboreo el momento. Si solo pudiera mantenerse todo así de simple entre nosotros.

Finalmente, me obligo a alejarme.

–No tenemos mucho tiempo para actuar durante la ceremonia de cierre mañana –le susurro–. Necesitamos hacerlo ni bien tus lentes beta se actualicen.

Me mira minuciosamente por el rabillo del ojo. El fuego en su mirada es oscuro, emana cierto odio furioso.

–Bien –dice, con un tono de voz que me incomoda–. Estaré listo para Taylor. Quiero ver su rostro.

El recuerdo de las hileras de los culpables en las estaciones de policía regresa a mí, todos esos suicidios de criminales ocasionados por el algoritmo. Los suicidios de algunos que no eran criminales en absoluto.

–¿Y qué ocurrirá si tenemos éxito?

–¿A qué te refieres?

–Si hacemos que tu hermano regrese, aunque solo sea un eco de él… ¿Qué ocurrirá después? ¿Qué ocurrirá con el algoritmo? ¿Seguirá funcionando?

Se queda en silencio. Todo lo que ha hecho ha sido para encontrar a la persona culpable de llevarse a su hermano y para prevenir que lo mismo le ocurra a otro. Ahora sabe quién lo hizo. Estará frente a ella en un día.

–Siempre dijiste que el algoritmo se desactivará en algún momento –agrego–. Pero eso no es verdad, ¿cierto? No cuando está controlado por un humano. Destapé todo lo que pude sobre Sasuke porque me preocupaba saber lo que le ocurrió. Porque me preocupo por *ti*. Pero la razón principal fue para darte una razón más para que dejes de utilizar el algoritmo.

No admito que oí lo que les dijo a Mari y Kenn, o que sé que está usando el algoritmo para cazar al secuestrador de Sasuke. Pero no lo necesito. Hideo sabe de lo que estoy hablando.

–Por favor, Hideo –añado suavemente–. Esta es tu oportunidad de hacer lo correcto. Desactiva el algoritmo.

Por primera vez desde que me contó sus planes, puedo verlo luchar con las elecciones que ha tomado. Pero no responde. Se endereza y se para a mi lado, desde donde descansa su brazo en el barandal. Del otro lado del mar, los rascacielos de Tokio se encuentran rodeados por un halo de luz.

Hago lo mismo, volteo hacia la ciudad y estudio el día a medida que este se torna más brillante. Hideo no me contesta, no directamente, pero siento la pesadez en sus ojos. Aparta la luz de la mirada hacia las sombras que aún recubren el puerto, inundando las calles de un tono azul grisáceo.

¿Qué es lo que haré *yo* si tenemos éxito y Hideo sigue adelante con su algoritmo? ¿Qué tal si siempre estuve equivocada con él?

El pensamiento deambula en mi cabeza, oscuro y problemático. Entre mis archivos, selecciono el cubo que Zero me había entregado. Flota frente a mí, en el aire, invisible para Hideo.

Si Hideo no cambia de parecer, sé lo que debo hacer. Y esta vez, no me perdonará. No habrá segundas oportunidades.

Si no renuncia al algoritmo por propia voluntad, entonces tendrá que hacerlo por la fuerza.

VEINTICUATRO

El día de la ceremonia de cierre
de Warcross

El cielo del atardecer del día de la ceremonia de cierre está repleto de nubes. Si bien tengo los lentes puestos, sé que debajo de los halos de luz que impregnan el cielo con los colores de los equipos oficiales, Tokio está recubierto de tonos grises que se tornan cada vez más oscuros.

Qué conveniente. El temporizador en mi visión me dice que me queda una hora para que se instale el parche en los lentes beta.

Un coche negro viene a buscarme al hotel en Omotesando y, una vez dentro, se encamina en dirección al Tokio Dome. Por la ventanilla, veo que la fiebre por las celebraciones en la ciudad llega a su punto máximo, todo el mundo alienta a medida que nos desplazamos por la ciudad en nuestros autos negros. Como si hoy fuera otro día más del torneo de Warcross.

Aparto la mirada de sus rostros felices y la centro en mis manos. ¿Cómo será la ciudad cuando todo se termine?

Un mensaje de Zero interrumpe mis pensamientos.

Cuando la ceremonia de cierre comience, estarás en el centro de la arena con los otros jugadores estrella. Hideo los felicitará uno por uno.

Zero conoce cada detalle de los protocolos del torneo de hoy. Me imagino a su versión virtual accediendo al programa de Henka Games y descargando todo. Luego, me imagino a Sasuke, el Zero *real*, acurrucado en algún rincón de esa mente. *Si es que* está allí. Incluso si así fuere, ¿qué tan consciente está de todo esto? ¿Sabe lo que está por ocurrir?

Le envío una respuesta.

¿Cuándo los veré a ti y a Taylor?

Cuando Hideo termine de agradecerte, el nuevo mundo de Warcross para la ceremonia de cierre se desplegará. Hideo mismo lo anunciará al público. Por un instante, tú, los otros jugadores y Hideo estarán dentro de este mundo al mismo tiempo. Ese es el momento indicado antes de que los lentes beta reciban el parche, y el momento exacto en el que podrás acceder a su mente.

Zero hace una pausa.

Prepárate.
Nos veremos en el suelo de la arena.

Lo haré.

La conversación termina. Tomo el cubo en mi mano nuevamente, y dejo que flote sobre mi palma. Sé que Hideo no perderá la oportunidad de atrapar a Taylor en el algoritmo para liberar, con suerte, a su hermano. Pero el algoritmo mismo… Vuelvo a pensar en la incertidumbre del rostro de Hideo cuando estaba junto a mí sobre la cubierta de su yate.

Abro el cubo y me quedo mirando el código, dejo que las líneas de texto iluminen de azul el interior del auto antes de cerrarlo. Tengo que creer que hará lo que sabe que es lo correcto. Desactivarlo.

Pero si no lo hace, estaré lista.

Respiro hondo. Luego, me contacto con Hideo, pidiéndole que se conecte conmigo en el Link. Por un momento, miro el halo verde brillante alrededor de su perfil, me pregunto si cambió de parecer.

Enseguida, suena una campanilla placentera. Siento el hormigueo familiar de sus emociones en mi mente. Lo noto tenso e incómodo. Pero, por sobre todas las cosas, *listo*, rodeado de un aura oscura de seguridad. Ninguno de los dos dice una palabra.

Cierro los ojos ante su presencia, me permito sumergirme en este destello de sus sentimientos y pensamientos. Luego, llegamos a los alrededores del Tokio Dome, en donde abro los ojos por los gritos de la multitud reunida fuera del estadio.

Treinta minutos para la descarga del parche en los lentes beta.

Sobre las paredes del edificio se pueden ver proyecciones enormes de los jugadores del día de hoy, acompañadas por hologramas de los logros del campeonato alrededor del perímetro del estadio. Al ver mi propia proyección, puedo oír unas palabras que la acompañan.

–*... seguimos con la controversial amateur, Emika Chen, originalmente miembro de los Jinetes de Fénix, quien jugará en la ceremonia de cierre luego de ser apartada del equipo. Chen, la jugadora de este año seleccionada en primera ronda, tiene demasiados votos que...*

Por un breve instante, vuelvo a sentir ese hormigueo de ser escoltada hacia el domo para otro juego de Warcross, de estar con mis compañeros de equipo y moverme inquieta, ansiosa de pertenecer al equipo ganador.

Ahora, voy a la arena por un motivo diferente.

Pronto, me uno a los otros autos negros que llevan a los jugadores oficiales hasta que se forma una caravana en la misma dirección. Me encuentro presionando y aflojando los puños rápidamente. Líneas de los colores de todos los equipos adornan las paredes del domo y, suspendido por encima de este, girando lentamente, el enorme logo de Warcross en un color cromo plateado.

Bajo del auto, aturdida, y sigo a los guardaespaldas que se encuentran esperándome en la alfombra roja que lleva al estadio. Las personas que nos rodean, vestidas de sus jugadores favoritos, mueven sus pancartas y posters. Dejan salir un grito ensordecedor de aliento cuando me ven. Lo único que puedo hacer es mirarlos y sonreírles desesperadamente, incapaz de decirles lo que realmente está ocurriendo. Por detrás y por delante de mí, reconozco a algunos de mis compañeros que forman parte de los diez mejores jugadores que jugarán hoy. Todos están aquí. Más gritos sacuden el suelo a medida que van pasando uno por uno entre la multitud.

Y enseguida, estamos dentro del domo, inmersos en la oscuridad de la arena, iluminada solamente por un camino de luces de colores que llevan hacia el centro del estadio. Las estruendosas voces de los comentaristas retumban por todo del lugar.

—*¡Y aquí viene otra ronda de jugadores, muchachos! Vemos al* *equipo Andrómeda con la Capitana Shahira Boulous liderando a sus jugadores, Ivo Erikkson, Penn Wachowski...*

»... seguidos por la Brigada de los Demonios con Jena MacNeil y su equipo...

Sus palabras son casi inaudibles por el fervor del público. Al ingresar a la arena, veo a los Jinetes de Fénix. Hammie y Roshan ya se encuentran aquí, esperando a los otros jugadores del juego del día de hoy. Asher está entre el público, con los jugadores que no fueron seleccionados o que lo fueron el año pasado.

De todos los jugadores, mis compañeros son los que lucen más tensos. Saben lo que está por ocurrir. Verlos me llega a la fibra más sensible del corazón, por lo que, inconscientemente, volteo hacia ellos.

Roshan me ve primero y le da un leve empujón a Hammie antes de saludarme. Entre el fervor de la multitud, los comentaristas dicen mi nombre, mientras algunas imágenes de cuando todavía era jugadora oficial se repiten alrededor de la arena.

Incluso en un estadio lleno de personas, me siento vulnerable. La última vez que estuve expuesta al público de esta manera, casi muero. Mis ojos deambulan entre la gente, buscando en vano a Taylor y esperando ver a Zero en las sombras de los corredores. Se me erizan los vellos de la espalda al igual que cuando estuve en las calles lluviosas de Shinjuku. Podría estar en cualquier lado. En todos lados. Y, si bien no puedo verlo, sé que él sí lo está haciendo.

Aun así, mantengo la sonrisa, consciente de que todo el mundo tiene los ojos puestos sobre mí. *Jax.* Si Zero está aquí, entonces eso significa que ella probablemente también esté buscándome. Pensar en ella me tranquiliza un poco, por lo que, por un segundo, mi sonrisa es genuina.

Quince minutos para la descarga del parche en los lentes beta.

A medida que los últimos jugadores llegan al centro de la arena, las luces que rodean el estadio disminuyen, dejando solo las que están sobre nosotros. Todo el mundo desaparece detrás del resplandor que nos rodea. Me quedo mirando hacia la oscuridad cuando una voz comienza a presentar a cada uno de nosotros.

–*¡Damas y caballeros, hemos llegado al final de este inesperado y realmente épico Campeonato de Warcross!* –la audiencia estalla con un grito ensordecedor que ahoga los comentarios de la presentadora. Hace una pausa y luego continúa con nuestros nombres, seguidos de la posición en la que jugamos en nuestros equipos y las que tendremos esta noche. Al terminar, una versión 3D del mapa del día flota sobre nuestras cabezas, lentamente, para el disfrute de la audiencia. Los otros jugadores y yo vemos una versión más pequeña frente a nosotros. Es un mapa en el espacio exterior, con los anillos enormes de un planeta abriéndose paso en el cielo detrás de una serie de pequeñas estaciones de batalla.

»*Y, por supuesto* –continúa la presentadora–, *detrás del juego mismo está el responsable de toda esta revolución, ¡Hideo Tanaka!*

Ante eso, el estadio entero estalla con gritos de aliento salvajes, justo cuando un foco de luz ilumina una de las entradas. Lo veo a él: Hideo, con la cabeza en alto y las manos en sus bolsillos, caminando hacia nosotros con su séquito de guardaespaldas a cada lado. Los miembros del público sentados cerca de su camino se reclinan sobre el barandal en un intento inconsciente de estar cerca de él.

A pesar de todo, Hideo luce tan equilibrado como siempre, esboza su típica sonrisa amable y entrenada. Al levantar la mano para saludar a la multitud, recibe gritos de afecto hacia él. Parece tener la atención puesta en la audiencia, pero a juzgar por las emociones que deja salir por medio del Link, noto que tiene su atención puesta en mí, y resulta abrasadora aunque no me mire directamente. Me quedo quieta, prudente de copiar a los demás jugadores y mantener la vista hacia el domo. Puedo oír los latidos rítmicos de mi corazón en mis oídos.

Me encuentro maravillada por enésima vez al notar que es capaz de tener tanto control sobre sus emociones, incluso luego de todo lo que le dije. Quizás significa que estará igual cuando se vea obligado a confrontar a Taylor o, incluso, cuando vea a Zero él mismo, con esa calma fría.

Hideo saluda a cada uno de los jugadores, dándoles las gracias usuales por la temporada del campeonato. El fervor del estadio llega a su punto más alto y todos los ojos se posan sobre él, siguiendo cada uno de sus movimientos. Se acerca lentamente hacia mí. Mis palmas están sudadas y las froto contra mis piernas repetidamente.

Diez minutos para la descarga del parche en los lentes beta.

Hideo saluda a mis otros compañeros de equipo. Le da la mano a Roshan, felicita a Hammie.

Y, enseguida, está frente a mí, esbozando una sonrisa tensa mientras extiende una mano en mi dirección. La audiencia está perdiendo la cabeza. Levanto la mano y la estrecho con la suya; al hacerlo, la aprieto con más fuerza de la que debería.

Tiene los ojos fijos en mí. A través de nuestro Link siento su voz, profunda y fuerte.

Aún estamos en la misma página, dice. Es una pregunta.

No parpadeo ni aparto la vista. *Lo estoy si tú lo estás*.

Nuestras manos permanecen juntas por otro momento, hasta que nos percatamos de que hacerlo por más tiempo comenzará a avivar rumores. Finalmente, las apartamos al mismo tiempo. Mi respiración comienza a agitarse.

Camina hacia el centro de nuestro anillo de jugadores y voltea para dirigirse a la audiencia. Las luces comienzan a encenderse nuevamente sobre las hileras de asientos. Cuando comienza a agradecerle a la multitud por su entusiasmo, centro mi atención en el resto del estadio. Arriba de todo, cerca del techo del domo, el temporizador para el inicio de los juegos comienza a disminuir.

Cinco minutos para la descarga del parche en los lentes beta.

Todo a mi alrededor se siente irreal. Quizás no ocurrirá nada. La ceremonia de cierre parece estar avanzando como de costumbre; Hideo saluda a los jugadores, le habla a la audiencia, la gente grita, ansiosa por que comience el juego. En algún universo paralelo, estarán mirando la partida sin ningún incidente, saldrán del estadio y regresarán a sus casas, tomarán sus vuelos o trenes, o se subirán a sus autos. Todo estará bien.

—¡...para dar inicio al juego!

Las palabras finales de Hideo me hacen regresar al presente. El mapa del juego se despliega a nuestro alrededor, envolviéndonos en la oscuridad del espacio, con un cielo infinito repleto de estrellas, un arco de anillos planetarios iluminados en un tono plateado.

Por un momento, me atrevo a pensar que puede que en verdad juguemos esta última partida. Quizás los eventos de las últimas semanas nunca ocurrieron.

Pero ni bien termino de pensar eso, el mundo del juego se congela. Se apaga y nos regresa al domo; justo en el instante en el que Zero aparece sobre la arena. Y no está solo.

VEINTICINCO

Él y Jax acompañan a Taylor. Dan algunos pasos hacia el centro de la arena, y se detienen justo frente a Hideo, quien se encuentra parado cerca de mí.

Uno de los guardaespaldas de Hideo se acerca hacia ellos, pero Hideo le hace una seña con la cabeza.

–¡Alto!

Los guardaespaldas se quedan congelados en el lugar, con la mirada perdida, como si estuvieran en trance. Pero no son los únicos. Todo a nuestro alrededor se detiene: los comentaristas se quedan en silencio a mitad de una oración; la audiencia deja de mover los brazos, los gritos de aliento se apagan. La mayoría de los jugadores (todos aquellos que no tienen los lentes beta) dejan de moverse

Hammie y Roshan son los únicos que no se ven afectados. Aun así, están atónitos ante Zero, Hammie con la boca entreabierta, Roshan mira como si estuviera a punto de arrojarse delante de mí para protegerme.

En donde hacía solo unos momentos había un ruido ensordecedor, ahora abunda un silencio escalofriante que abarca todo el estadio. Es como si alguien hubiera presionado un botón y pausado el mundo, dejando solo a algunos funcionando.

Eso es exactamente lo que acaba de ocurrir.

Hideo está utilizando el algoritmo para controlar a todos aquí. Comienzo a temblar. No había visto el verdadero poder de sus habilidades con mis propios ojos hasta ahora.

Hideo, digo, a través de nuestra conexión mental. Pero no responde. Tiene la atención centrada en Taylor.

Ella lo mira fijo con una leve sonrisa que he llegado a conocer muy bien. Al mirarla a los ojos, en cambio, noto que está bastante tensa.

–He estado siguiendo tu carrera por un largo tiempo –finalmente le dice–. Es muy impresionante, al igual que este algoritmo que has creado.

Hideo se encuentra tan quieto que por un momento pienso que también está siendo controlado. No dice nada mientras mira a la mujer que secuestró a su hermano y le quitó la vida.

Pero sus emociones, el odio oscuro e inquietante que se transmite en nuestra conexión, son como un flujo de espinas, una fuerza tan poderosa que casi puedo sentirla atravesando mi piel.

–Tu director creativo aceptó dejarnos pasar –dice–. Entre otras cosas.

Kenn.

Me quedo sin aliento ante la abrumadora ola de emociones de Hideo. Mis ojos se posan directamente sobre Taylor. Kenn los dejó ingresar al domo. ¿Qué más los dejó hacer?

La mirada de Hideo se encuentra tensa y brillante.

–¿Hace cuánto? –pregunta en voz baja.

–Meses –le contesta, dando un paso hacia adelante juntando los brazos–. Es difícil encontrar amigos en los que confiar, ¿verdad? Supongo que todos tienen su precio.

Todos tienen su precio. Recuerdo que Zero me había dicho esas mismas palabras una vez, cuando lo enfrenté durante el campeonato de Warcross. *Meses*. Entonces Kenn ha estado trabajando con ella desde antes de que el campeonato iniciara.

Enseguida, recuerdo la discusión entre Kenn y Hideo. Las ganas que tenía de no llevar a cabo el estudio de Mari sobre las fallas del NeuroLink.

Pero quizás sus frustraciones eran más profundas que eso. Lo suficiente como para traicionar a Hideo y dejar ingresar a Taylor.

Y de pronto comprendo cómo es que Zero siempre supo tanto. Cada detalle de la ceremonia de cierre. Todas las partes del plan de Hideo para instalar el parche en los lentes beta durante la inauguración del juego del día de hoy. Esa falla que permite ingresar a la mente de Hideo. La existencia del algoritmo en primer lugar.

Kenn fue quien les entregó toda esa información. Quizás es por eso que siempre me pedía que estuviera atenta a Hideo. Pero nunca fue por preocupación, sino para mantenerlo *vigilado*.

La verdad me golpea tan fuerte que apenas puedo respirar. Mis ojos se apartan de Taylor y se posicionan sobre el palco de cristal sobre la arena, en donde Kenn se encuentra sentado. Su silueta está inclinada hacia nosotros.

Quizás fue él quien le dio acceso a Jax al palco de Hideo en el estadio durante el intento fallido de asesinato.

Mi respiración comienza a acelerarse. ¿Acaso Taylor le ofreció una recompensa a cambio de su ayuda? Debió haberlo hecho. Y él, frustrado y ambicioso, la aceptó.

Cincuenta y nueve segundos para la descarga del parche en los lentes beta.

La atención de Hideo ya no está sobre Taylor. Ahora mira a Zero, cuyos ojos –sin lugar a duda los de su hermano– se encuentran fríos y sin emociones.

Hideo estudia a Zero como si todo lo que le hubiera dicho no pudiera ser real.

–Sasuke –dice con voz áspera, haciendo que ese dejo de ira se transforme en aflicción.

Toda apariencia de practicidad se desvanece de él. Tiene un aire de esperanza en su voz, como si Zero fuera a recuperarse al instante con solo hablar con él. Y, por un momento, incluso sabiendo que eso es imposible, creo que podría funcionar.

Pero Zero no reacciona de ninguna manera. Verlo parado frente a su hermano por primera vez en años no me da indicios de ningún tipo de emoción. A su lado, la mano de Jax sujeta con firmeza la empuñadura de su arma.

Nos encontramos parados sobre un barril de pólvora que está a punto de estallar.

Treinta segundos para la descarga del parche en los lentes beta.

–Este es el trato, ¿verdad, Hideo? –dice finalmente Zero. Su voz suena igual que siempre y no hay ningún rastro de reconocimiento en él . ¿O Emika no te dijo lo que tenía que decirte?

Hideo me mira. Sus ojos oscuros llenos de angustia, impregnados con el más profundo sentimiento de pérdida, comprenden que todo lo que le dije fue verdad, que Sasuke lo está mirando, que dice su nombre pero no reacciona a lo que esto significa. Cuando habla nuevamente, su voz suena irritante, impregnada de desesperación.

–No eres solo código –le contesta–. Eres mi *hermano*. Sé que eres incapaz de hacernos daño. Puedo oír en tu voz el recuerdo de lo que eres. Lo sabes, ¿verdad?

–Claro que lo sé –contesta Zero, con esa calma inquietante.

Las palabras atraviesan a Hideo como balas.

Taylor simplemente le esboza una sonrisa manipuladora y astuta.

–Míralo de esta forma, Hideo. Creaste el trabajo de tu vida por la desaparición de tu hermano –agrega ella–. Todo ocurre por una razón.

–Esa frase de mierda es la peor de todo el mundo –suelta, furioso.

–Vamos. Ahora tu hermano está aquí, cuando podría haberlo dejado morir por su enfermedad. ¿Acaso esto no es mejor?

Hideo entrecierra los ojos al mirarla. El odio puro en su mirada, la ira que ha emergido ante la vista de lo que Taylor le hizo a su hermano, el hecho de que ella está amenazando con mi vida, está llegando a su punto máximo. La furia profunda y desalmada que he visto en él antes, los nudillos lastimados... no se comparan en nada con todo esto.

Taylor me mira. Espera que siga con mi promesa de irrumpir en la mente de Hideo.

Zero segundos.

Una corriente eléctrica me recorre dentro de la cabeza. A mi lado, Hammie y Roshan también hacen una mueca de dolor. Los lentes beta comienzan a instalar el parche, descargando el algoritmo a un ritmo estable.

Tomo el cubo que Zero me había dado. El engaño. Y durante un segundo, vacilo.

No sé qué es lo que me delata ante Taylor. Seguro algo en mis ojos, el cambio de mi postura, la leve vacilación en mis acciones.

¿Sabe que tengo otros planes?

De pronto levanta el arma y la apunta directo a mi cabeza. Tiene la mirada fija en Hideo, mientras su dedo deambula por encima del gatillo.

–Abre el algoritmo, Hideo –dice con total tranquilidad.

Los labios de Hideo se doblan al notar que me está amenazando. Su odio se desparrama como petróleo en el océano.

Al mismo tiempo, Jax, quien se encuentra completamente quieta, de pronto levanta su arma y la apunta hacia Taylor.

–Dispárale y yo te dispararé a ti –sus manos se cierran lo suficientemente fuerte sobre la empuñadura como para hacer que su piel se torne más blanca en esa parte.

Taylor la mira. Esta vez, está sorprendida.

–¿Qué es esto? –murmura–. ¿Tú también estás en esto, Jackson?

Jax hace una mueca de dolor al oír su nombre completo.

Taylor presiona los labios con más fuerza. Su rostro emana una ira más profunda. Recuerdo lo que Jax me había dicho sobre el miedo más grande de Taylor. *La muerte*. Ahora su hija la amenaza con acabar con su vida.

En los ojos de Jax noto pánico, ese terror que tenía cuando era una pequeña niña que se escondía bajo la influencia de alguien que se suponía que debía ser su madre. Su mano tiembla. Pero esta vez, no da marcha atrás. Todo lo que fue gestándose en su interior desde la muerte de Sasuke sale a la luz, y su fuerza es lo que la hace mantener el brazo levantado.

Aparta los ojos de Taylor lo suficiente como para mirarme.

–*Ahora* –susurra.

Hideo, le indico por medio del Link.

Taylor vuelve a mirarlo y tensa el dedo sobre el gatillo.

Hideo se mueve.

Chasquea sus dedos una vez y hace aparecer su propia caja pequeña entre nosotros. Antes de siquiera tener tiempo de comprender que esta es la llave a su algoritmo, gira su muñeca y la abre.

Un laberinto de colores emana desde la caja, millones de nódulos brillantes conectados entre sí por medio de líneas lumínicas, al igual que la configuración de un cerebro. Es masivo e intrincado, se extiende más allá de donde nos encontramos para abarcar todo el estadio. Por un breve momento, estoy frente a una red de comandos que puede controlar la mente de cada persona en el mundo que esté utilizando el NeuroLink. Si el tiempo se hubiera detenido ahora mismo, habría admirado toda esta aterradora pieza maestra.

Hideo se ubica sobre la cuenta de Taylor, la sujeta y la conecta al algoritmo. Su paleta de mente de pronto aparece como un nuevo nódulo en la matriz, conectada a Zero por un hilo de luz brillante.

Hideo gira la muñeca nuevamente. El hilo se rompe.

Taylor tiembla violentamente al perder el control sobre Zero.

Ahora, Hideo, grito en silencio. El cubo en mi mano temblorosa destella una y otra vez. *Destruye el algoritmo*.

Pero los ojos de Hideo están oscurecidos por el odio. Y

comprendo, abruptamente, que todavía no terminó; no está satisfecho con esta parte del plan, con tan solo conectar a Taylor al algoritmo y forzarla a liberar a Zero de su control. Se desprende de su autocontrol y deja fluir libre su ira. Desatará toda la fuerza inimaginable de su poder sobre ella.

–*No* –comienzo a decir, pero ya es demasiado tarde.

En ese mismo instante, los labios de Taylor se abren aterrorizados al comprender lo que él está a punto de hacer. Levanta una mano instintivamente frente a ella.

Hideo entrecierra los ojos. Por medio de nuestra conexión puedo oírlo enviarle un mensaje silencioso a Taylor.

Muere.

VEINTISÉIS

Todo ocurre en cámara lenta.

Taylor ni siquiera tiene tiempo de producir un sonido. Solo toma una fracción de segundo; lo único que puede hacer es fijar su mirada incrédula sobre Hideo, con las pupilas dilatadas como las de un ciervo a punto de ser cazado, justo antes de que el depredador entierre sus dientes en él. Abre levemente la boca, pero en ningún momento tiene oportunidad de decir unas últimas palabras. Quizás quería gritar.

Luego, su rostro queda pálido como la leche. Sus ojos quedan en blanco. Sus piernas ceden, como si sus huesos hubieran sido destrozados dentro de la carne.

Colapsa con un golpe seco sobre el suelo, quebrándose la cabeza con un sonido horroroso. Se queda desplomada allí en una posición repugnante, errónea, la cual me recuerda a la forma en que Tremaine cayó al suelo, la salpicadura de sangre sobre la pared.

Al mismo tiempo, el nódulo que representaba su mente suelta una luz blanca enceguecedora; luego, se desvanece, eliminada del resto del algoritmo. Las conexiones que de este salían se conectan con otros nódulos, como si la mente de Taylor nunca hubiera estado allí. El comando forzó instantáneamente a que su cerebro se apagara.

Está muerta.

Mi mente es una hoja en blanco, con un solo pensamiento, listo para interrumpir mi estado de shock.

Hideo la asesinó con un simple comando.

Esta se suponía que era la única situación que el algoritmo debía prevenir que ocurriera; debía curar a la humanidad de actos impulsivos de violencia o de infringir dolor o sufrimiento a cualquier otra persona.

Pero, así y todo, en este único instante, en un ataque de ira, por todo lo que ella le había hecho a su hermano, por todas las amenazas que hizo en mi contra... Hideo echó por la borda todo por lo que había trabajado.

Jax luce impactada. Pero Zero...

Zero voltea hacia Hideo. No hay nada en su rostro más que una sonrisa fría. No está para nada sorprendido. Asiente, como si todo hubiera salido de acuerdo a su plan.

Levanta una mano, la mueve una vez y toma un trozo de código que nunca antes había visto. No es el virus que me mostró. Antes de que Hideo pueda reaccionar, Zero lo instala en el algoritmo.

La red de nódulos a nuestro alrededor se sacude; enseguida, justo delante de mis ojos, los colores cambian de manera tal que los millones de nódulos azules, rojos y verdes se tornan, uno por uno, negros. El cambio fluye como una ola en la marea. Alcanza a Hideo y, en un instante, le quita todo control sobre el algoritmo.

El casco de Zero vuelve a su lugar, ocultando su rostro una vez más. Luego, el algoritmo se une *con él*.

Comprendo lo que acaba de suceder antes de que alguien lo diga.

Zero no tenía planes de destruir el algoritmo, sino de *unirse* a este. Miro horrorizada la situación a medida que el nuevo algoritmo se solidifica alrededor de Zero.

Su mente artificial logró evolucionar, logró eludir el control de Taylor, y lo ha logrado por cuenta propia, a sus espaldas.

Hideo intenta luchar para recuperar el control, pero ya es demasiado tarde. Fue desconectado por completo de su creación.

Al mirar a Jax a los ojos comprendo que el plan de Zero nunca fue el mismo que el de Taylor. Nunca tuvo intenciones de que ella tomara el control del algoritmo o que, muy probablemente, lo destruyera; al igual que tampoco era su objetivo evitar que Hideo utilizara el NeuroLink para controlar a las personas.

Había hecho todo esto solo para obtener el control del NeuroLink y del algoritmo. Él sabía que esto ocurriría. Había acertado al suponer que si Hideo veía a Taylor, él mismo la asesinaría. Es la única razón por la que me dejó reconectarme con Hideo en primer lugar, por qué elaboró todo este plan para que me encariñara con Hideo y lo persuadiera de mostrarme el algoritmo. Es probablemente la razón por la que nunca nadie me atrapó haciendo lo que estaba haciendo, porque Zero sabía y quería que cumpliera con todos mis planes.

Y deduzco que eso significa que Zero siempre *quiso* que Taylor muriera. Había torturado su mente tan severamente que lo amoldó hasta parecer el mismo monstruo en el que ella se convirtió.

Con un solo movimiento, Zero se deshizo de la persona que le quitó la vida, forzó a Hideo a mostrarle el sinsentido de su algoritmo y tomó el control. Con un solo movimiento, se adueñó del instrumento más poderoso de todo el mundo.

Mi asombro se ve reflejado en los rostros de Hideo y Jax. ¿Qué hemos hecho?

El cubo. El virus que tengo. Este es el único momento en el que tengo oportunidad de irrumpir en la mente de Zero. Podría hackearlo. Me inclino hacia adelante, con la idea de sincronizar el cubo a su cuenta. Suelta una luz blanca azulina enceguecedora.

Pero ya es demasiado tarde.

Zero voltea y me mira.

–Gracias, Emika –me dice.

No comprendo qué es lo que ocurre luego, ya que todo se vuelve negro.

VEINTISIETE

Sonidos y sensaciones me rodean una y otra vez: Jax gritándome, algunas voces tenues que no reconozco, y luego la impresión de estar flotando en medio del aire. Quizás el asombro fue demasiado fuerte. Quizás Zero escribió un comando que acabó con mi vida, y simplemente no soy consciente de que estoy muerta.

Mis sueños –tienen que ser sueños, ya que carecen de sentido– son intensos y extraños, con cambios abruptos de una escena a otra. Una de ellas muestra a un niño pequeño con una bufanda azul, al cual estoy siguiendo, tratando en vano de decirle que regrese. Soy pequeña de nuevo, estoy tomada de la mano con mi papá mientras caminamos juntos a través del Central Park. El día de hoy, él luce elegante, con el cabello peinado y bien arreglado, y sus jeans y camisa negra reemplazados por un saco y pantalones de vestir. Salimos de una tarde de conciertos en el Carnegie Hall, y está de un humor estupendo, tararea fuera de tono una parte de la pieza del concierto, mientras yo giro con mi vestido de tul. Quiero verme envuelta por esa familiaridad, por esa alegría fuerte y auténtica.

Señala algo en la distancia y me pongo en puntas de pie para poder ver. Hay un punto negro frente a nosotros, justo camino al parque, como una mancha de pintura. Al mirarlo por más tiempo, noto que comienza a crecer, expandiéndose hasta que empapa el camino y cubre todo a nuestro alrededor.

Papá se detiene, con miedo, sujeta mi mano con fuerza. Cuando miro a mi alrededor, el parque desaparece y, en su lugar, es reemplazado por el Dark World, los rascacielos imposibles que se elevan hasta el cielo negro, las calles tenebrosas y las luces rojas de neón con nombres flotando por encima.

Despierta, Emika Chen.

Una voz alegre comienza a sonar gradualmente desde la oscuridad.

Cuando logro volver a ver, me encuentro en una habitación poco iluminada con un techo y suelo blanco. Cada una de las paredes es un ventanal alto de cristal.

Esta es la habitación en la que vi a Jax dispararle a Tremaine.

Estamos de regreso en el Instituto de Innovación, solo que

ahora estoy del otro lado del vidrio. Me toma un momento darme cuenta de que estoy atada con fuerza a una silla y otro momento más notar que hay una persona parada a solo unos metros de mí.

Claro que era la voz de Zero. Está protegido detrás de su armadura, y voltea casualmente sobre su hombro para mirarme, veo que su rostro está cubierto detrás de metal y vidrio virtual. Tiene las manos juntas a sus espaldas y la barbilla hacia abajo con una curiosidad pensativa. Es un gesto muy típico de Hideo.

Un cierto dejo de terror atraviesa mi mente nublada. *Hideo. ¿Dónde está? ¿Está aquí? ¿Se encuentra bien?*

–¿Qué pasó? –pregunto. Mis palabras suenan un poco fuera de lugar, más lentas a comparación de mis pensamientos.

–Quédate quieta –me ordena Zero, con una voz que resuena por todo el lugar.

Cerca, una muchacha con el cabello corto y plateado me da la espalda mientras toma algunos contenedores con lentes de un estante y los coloca sobre un mostrador.

Jax. El nombre emerge desde mi mente atontada. Jax, quien había estado trabajando conmigo. La observo y quiero gritar. ¿Qué tal si ella siempre estuvo involucrada en este plan? ¿Me engañó como una tonta? ¿Acaso no le había disparado a Tremaine sin pensarlo dos veces? ¿Qué me hizo pensar que podía confiar en ella?

Da media vuelta, de modo tal que la puedo ver de frente colocando una caja de lentes en el fregadero. Hay algo en la forma en que se mueve que la hace ver como si estuviera en piloto automático, sin control sobre su consciencia.

Zero debe estar controlándola, usando la paleta de su mente para hacer que se mueva; la chica que una vez amó, por quien renunció a su libertad con tal de proteger, ahora es una marioneta más.

Una sensación de frío se apodera de mi corazón.

Eso significa que Zero ahora debe estar controlando a todo aquel que esté usando los lentes de Hideo, todo aquel al que Hideo tenía conectado a su algoritmo.

Jax, intento decir, pero se me quiebra la voz, seca por la aspereza. ¿Acaso estuve gritando?

–Eliminé tu cuenta del NeuroLink y reinicié la conexión –me dice Zero a medida que camina hacia el otro lado de la habitación–. Se está actualizando y no habrá problemas si te relajas. No te gustaría causar una falla técnica, Emika.

Central Park. Mi padre. El niño con la bufanda azul. Lo que había creído que eran sueños, probablemente era una mezcla de todos mis Recuerdos y grabaciones, como si se estuvieran deshilando a medida que se iban eliminando de mi cuenta.

Y lo que me pareció ser un desmayo, la oscuridad que se apoderó de mí, fue en realidad Zero apagando mi NeuroLink, por lo que todo lo que podía ver en mi visión era un campo negro. Todo lo que tenía, mi nivel, mi cuenta de Warcross y todo lo que había en ella, se perdió para siempre, almacenado en algún lugar externo al que no tengo acceso.

No te gustaría causar una falla técnica, Emika

–¿A qué te refieres? –logro decir finalmente, a pesar de mi desorientación–. ¿Qué clase de falla técnica? ¿Qué me estás haciendo?

–No te haré daño –responde–. Tus lentes, y tu conexión conmigo, no son tan estables como esperaba, comparado con el control que tengo sobre los demás. Creo que puede que hayas dañado algo cuando activaste el código en mi contra.

El cubo que había usado. Una vaga recolección de esos momentos regresa a mí, borrosa e incompleta, como una luz brillante de un blanco azulino seguida de la sofocante oscuridad. No había funcionado… no tuve acceso a la mente de Zero. No que yo supiera.

Pero se supone que debo estar bajo el control absoluto de Zero… y realmente tampoco siento eso. El código habrá alterado algo en mis lentes al colisionar con la mente de Zero, evitando dejarme completamente conectada a él.

Eso es lo que Jax debe estar haciendo ahora; preparando los nuevos lentes para reemplazar los míos y, finalmente, conectarme a Zero y al algoritmo que se encuentra bajo su completo control.

Lucho contra los grilletes que me mantienen sujetada, pero están amarrados con tanta fuerza que no puedo hacer otra cosa más que retorcer levemente los brazos y piernas. *Tengo que salir de aquí.*

Zero se detiene al otro lado de la habitación junto a

una segunda camilla, sobre la cual alguien más se encuentra amarrado. Dejo de luchar al verlo.

Es Hideo.

Parece drogado y apenas consciente, con la cabeza inclinada sobre el reposacabezas y una leve capa de sudor que recubre su rostro. Es un contraste muy drástico a comparación del último momento en el que estuvimos uno junto al otro. Cuando levantó la mano, sus ojos se tornaron negros de furia y *deseosos* de que Taylor muriera.

Luego de todo este tiempo, sin importar cuál fuera la situación o el humor con el que se encontrara, siempre lo he visto mantener el control; en su oficina, en el estadio, en su casa. Incluso en momentos de desesperación, con el corazón completamente abierto, nunca lucía como ahora. Indefenso. Sin el control de su creación.

A pesar de todo lo que lo he visto hacer, no puedo evitar sentir miedo ahora que no tiene control del NeuroLink y del algoritmo. Significa que alguien mucho peor está al mando ahora.

Zero se para frente a la camilla. Si siente algo al ver a su hermano, no lo demuestra; levanta su mano de metal y sujeta a Hideo por el cuello.

Enseguida, me quedo atónita.

Creí que Zero estaba caminando como una simulación virtual. Pero no, está dentro de la armadura que lo había visto probar con Taylor la noche en la que le dispararon a Tremaine. El robot que había movido el brazo en sincronía con Zero.

La mente de Zero está trabajando dentro de un traje *real* de metal, un ser artificial que parece estar vivo en todo sentido.

Fuerza a Hideo a levantar su rostro y mirarlo. Un hermano contra el otro. Zero lo estudia con curiosidad, como un espécimen, antes de soltarlo. Junta sus manos detrás de su espalda y mueve los dedos de metal suavemente, mientras camina alrededor de su hermano herido.

Presiono los dientes, sintiendo el calor de la ira crecer dentro de mí.

–Déjalo en paz –grito.

Zero se detiene para mirarme.

–Todavía te preocupas demasiado por él –responde en voz baja.

–¿Lo crees? –retruco.

–Cuéntame, Emika, ¿qué se siente? –ahora suena fascinado–. Ha hecho cosas terribles. Y aun así puedo sentir tu conexión con él.

Comprendo enseguida que es porque Sasuke nunca fue lo suficientemente grande como para saber lo que significa el amor. Ni siquiera los sentimientos inocentes y prematuros que tuvo hacia Jax podían compararse con lo complicado que es el verdadero amor. Había perdido su humanidad antes de poder siquiera experimentar eso. Mi furia se debilita al sentir mi corazón rompiéndose por él.

–Sea lo que sea que hayas hecho, Emika –continúa Zero, mirándome al voltear nuevamente hacia Hideo–, parece que has afectado los lentes de aquellos con los que te has conectado antes también. Y eso incluye el suyo –termina de rodear a Hideo y se acerca a él–. Pero no te preocupes. Eso se arregla fácilmente.

Sus palabras, burlonas con su tono relajante, tienen cierto rastro de la forma de pensar de Taylor. Incluso aunque esté muerta, su influencia sobre él debió ser tan completa, tan extrema, que aún subyace debajo de esas placas de metal.

–Pero primero –continúa Zero, finalmente alejándose de Hideo y acercándose hacia mí. Cada músculo de mi cuerpo se tensa al sentirlo más cerca–. Te repararé a ti.

Lo miro, deseando ver algún rastro de Sasuke atrapado en su interior, pero lo único que distingo en su máscara opaca es mi propio reflejo.

Junto al fregadero, Jax abre la caja de lentes y toma un par. La miro. Aún tiene esa expresión vacía en su rostro, acompañando movimientos que no son completamente suyos.

Luego... sus ojos parpadean al verme. Comprendo que Zero no sabe que estaba conectada con ella antes. Su iris grisáceo brilla balo la luz fluorescente. En ese instante, veo su astucia familiar, su mente alerta detrás de una expresión controlada. No está bajo la influencia de Zero, no; simplemente aparenta estarlo.

Mueve la cabeza una vez hacia mí y sus ojos se posicionan sobre la puerta. Una luz roja la ilumina desde arriba, marcando que está cerrada; pero a un lado de esa puerta está la caja de emergencia que recuerdo de la primera noche que ingresé al instituto. Miro de nuevo a Jax, quien voltea para preparar mis nuevos lentes sobre un mostrador cerca de la puerta.

La esperanza interrumpe mi temor. Quizás Jax sigue siendo mi aliada, después de todo. Si puedo ganar más tiempo, quizás pueda ayudarme a salir de aquí antes de que Zero me fuerce a utilizar los nuevos lentes.

–No eres real –trato de decirle mirándolo fijo–. No te creo. No eres más que una simulación.

–Entonces, míralo tú misma –se inclina y presiona un botón en la cabecera de mi camilla. El grillete de metal que me sujeta por la muñeca izquierda se abre con un chasquido y libera mi mano.

La levanto de inmediato, moviéndola aliviada. Mis ojos regresan hacia él. Con indecisión, extiendo la mano. Él no se mueve.

Toco su brazo. Casi hago una mueca de dolor. Frío y duro metal. No hay nada humano entre estas placas metálicas que mis dedos tocan, nada que sugiera que un alma pueda existir en su interior. Y aun así... aquí está, moviéndose y funcionando, vivo en todo sentido.

–¿Puedes... sentir eso? –le pregunto.

–Soy consciente de que me estás tocando –contesta–. Puedo *sentirlo*, lógicamente, si quieres llamarlo de esa forma.

–¿Puedes sentir dolor?

–No. No percibo mis extremidades de la misma forma en que tú lo haces.

–¿Recuerdas lo que se sentía?

–Sí. Recuerdo todo.

–Excepto lo que importa.

–Excepto lo que no importa –me corrige.

Retiro mi mano y regreso el brazo a mi lado. Zero cierra sus dedos sobre mi muñeca. La coloca de regreso en el grillete, ignorando mis ojos de súplica mientras lo cierra una vez más.

–No entiendo –susurro–. ¿Por qué quieres esto?

Sonríe, entusiasmado, como si alguien como él pudiera entender una emoción tan humana.

–Ya lo sabes. Es la misma respuesta que Taylor te hubiera dado, que Hideo mismo probablemente te dio alguna vez.

–Pero ellos tenían objetivos porque son *humanos*, de carne y hueso. Taylor quería el control porque tenía miedo si no lo tenía. Hideo lo hizo por el amor que sentía hacia *ti* –me levanto, tensando las muñecas y presionando los dientes–. ¿Qué obtienes al controlar a los demás, además de satisfacción?

–Libertad, por supuesto –responde–. Ahora puedo hacer lo que quiera. Entrar a las mentes de todos –señala con la cabeza el corredor oscuro más allá de estas paredes–. Puedo estar en todas partes y en ninguna a la vez.

Y es así que comprendo a lo que se refiere. Es completamente lo opuesto a lo que Sasuke le había confiado a Taylor. Cuando era humano, había sido su prisionero, atrapado en los confines de este instituto por años y sujeto a horrores innombrables, hasta morir, haciendo que su mente fuera atada con la de ella. Había estado a su entera disposición.

Al intentar obtener el control de todo, Zero está reclamando su libertad y más. Es su venganza contra Taylor por todo lo que le ha robado.

La muerte de Taylor.

–Pero hay más que eso –agrego–. Preparaste todo para que Hideo asesinara a Taylor, ¿verdad? Te aseguraste de que ella estuviera entre nosotros porque *sabías* cómo reaccionaría Hideo al verla. Querías que su creación se derrumbara alrededor de él y querías ver el momento en el que Taylor comprendía que perdió en su propio juego –mi voz se torna más desesperada, más enojada, al hacer todas las relaciones–. Querías que muriera y querías que Hideo fuera quien causara eso.

Zero permanece en silencio. Algo en mis palabras mueve algo en su interior. Continúo antes de que pueda agregar más.

–Querías mostrarle cuán defectuoso era su plan desde el principio –mi corazón comienza a estremecerse mientras hablo–. Querías que Hideo comprendiera cómo había corrompido el NeuroLink con su algoritmo y la única forma de mostrarle eso, la *única* manera de llegar hasta el hermano que amas, era forzándolo a demostrarlo frente a todo el mundo –respiro hondo–. Y eso es porque *Sasuke* quería que tú lo hicieras. Porque él todavía está allí, en algún lugar dentro de ti.

No sé cuánto de mis palabras asimila Zero. Quizás no le importa en lo absoluto. Después de todo, no es más que una red de algoritmos que controlan una máquina, y todo rasgo humano en su interior simplemente es un conjunto de códigos.

Pero Zero se tensa al oír el nombre de Sasuke.

En ese momento, lo entiendo. Todo lo que Jax y yo suponíamos es verdad. Sasuke todavía está allí dentro. Intentó, a su manera, detener a su hermano de destruirse a sí mismo.

–No estás completamente perdido –susurro.

–Te gusta resolver las cosas, ¿cierto? –dice Zero.

–Todas las puertas cerradas tienen una llave –le contesto.

Zero voltea levemente, como si hubiera estudiado las palabras tatuadas sobre mi clavícula. Detrás de él, Jax gira en nuestra dirección, con los nuevos lentes en sus manos, lista para colocarlos sobre mis ojos. No me animo a mirarla directamente. ¿Cuándo hará su jugada?

Zero se inclina sobre mí, su presencia dominante.

–No somos tan diferentes, Emika –dice–. Tu deseo de control y resolución es el mismo que el mío. Nada te gustaría más que tener el control de tu mundo. Todas las cosas horribles que alguna vez te pasaron eran cosas que no podías controlar. La muerte de tu padre. Tu estadía en el hogar de acogida. Que Hideo traicionara tu confianza.

Zero hace un gesto casual en el aire y, de pronto, despliega una proyección virtual de mi padre en la habitación, con su sonrisa familiar y rostro agradable, su silueta contra la puerta, rodeada por un halo de luz. Se inclina mientras sujeta con un alfiler un trozo de tela sobre un corsé. Lo oigo tararear.

La imagen sube a través de mí con el dolor preciso de una aguja. Papá me mira y sonríe, y todo el aire desaparece de mis pulmones. Una parte ilógica de mí se extiende, desesperada por tocarlo. *Es él. Es real.*

No. No lo es. Zero está creándolo allí frente a mí, mostrándome cómo habría sido la vida si papá todavía estuviera aquí. Me está mostrando el interior del NeuroLink conectado directamente con su mente, cómo pronto podrá controlar todo lo que veo, todo en el mundo virtual para todos.

–¿No preferirías haber salvado a tu padre en un conjunto de datos para hacerlo vivir para siempre? –me presiona Zero. Es una pregunta genuina, sin ningún rastro de malicia–. ¿No te gustaría verlo en tu vida de la misma forma en la que yo estoy en la suya? ¿En verdad crees que esta media-vida es tan mala?

No me animo a admitir en voz alta que tiene razón. Que sus palabras me tentaron más de lo que puedo decir. *¿Es tan malo?* Imagino a Zero como Sasuke, el pequeño niño que podría ser la versión fantasma de su vida, aquel que podría crecer, ir a la escuela, jugar con su hermano y reír con sus amigos. Enamorarse. Si Zero lo quisiera, podría crear esta realidad para él mismo ahora, una versión virtual de su vida para sí mismo. Podría vivir un millón de vidas diferentes.

Aparto los ojos de mi padre. Las lágrimas nublan mi visión. Zero me está manipulando. Si logra colocar los nuevos lentes sobre mí, puede atraparme en esta realidad falsa y hacerme creer todo.

–Vete al infierno –susurro, furiosa.

Zero finalmente tiene clemencia y se aparta de mí. Asiente una vez a Jax, quien tiene los lentes listos para mí.

–Colócaselos –le ordena–. No tengo tiempo para lidiar con esto.

Jax me mira a los ojos. Por un momento, creo que hará exactamente lo que Zero le ordena.

Pero luego, lleva la mano a toda prisa hacia el arma que tiene en su cintura. Con un solo movimiento, la saca, apunta a la puerta y dispara casi sin mirar.

La bala impacta contra el sensor de emergencia.

Cada luz en el edificio se apaga enseguida. La habitación queda en completa oscuridad; al cabo de un instante, la luz roja de emergencia comienza a parpadear.

La puerta se abre justo cuando la alarma comienza a sonar a nuestro alrededor.

Jax apunta el arma hacia el botón de mi camilla, justo a un lado de mi cabeza, y dispara. Otro disparo perfecto. Los grilletes de metal se abren. Casi colapso en el suelo.

Apunta hacia la camilla de Hideo y dispara otra vez. Está libre y se desploma sobre sus manos y rodillas en el suelo.

Entre el resplandor escarlata, la silueta de Zero se levanta como un amenazante agujero negro. Aunque está dentro de una máquina, noto que está sorprendido.

La adrenalina, producto del terror, comienza a recorrer mi cuerpo. Me pongo de pie y corro hacia Hideo.

Zero gira hacia Jax.

–Estás con ellos –dice con una voz baja amenazante.

Jax no responde. Simplemente lo enfrenta, con la mirada firme y levanta el arma hacia él.

–No –le responde–. Estoy contigo.

Y dispara.

VEINTIOCHO

Los reflejos de Zero son inhumanamente rápidos. Su cuerpo gira hacia un costado; el disparo de Jax apenas roza su cuello e impacta en su hombro, provocando un estallido de chispas contra el metal.

Jax le dispara de nuevo, pero Zero arremete contra ella. El segundo disparo impacta en su pierna, soltando otra lluvia de chispas. Su pierna se dobla de un modo extraño, y hace desaparecer la gracia de sus movimientos.

Alcanzo a Hideo. Está luchando para ponerse de pie, pero a causa de la droga que recorre su cuerpo, sus movimientos son lentos. Coloco su brazo sobre mis hombros y lo ayudo a ponerse derecho. Nos dirigimos a toda prisa hacia la puerta.

Zero voltea para detenernos, pero Jax golpea las partes rotas de su armadura, debilitándolo. Aun así, es terroríficamente ágil. Al llegar a la puerta, los dedos metálicos de Zero se cierran sobre mi camisa.

Jax se encarga de él en un instante. Debajo de las luces rojas, sus ojos tienen el destello salvaje de una asesina. Golpea su muñeca tan fuerte como puede.

No puede romper el metal, pero es suficiente para hacer que me suelte y pueda seguir mi camino.

–Por aquí –grita con dificultad por encima de la alarma, abriendo la puerta y saliendo al corredor.

Hideo y yo la seguimos. Detrás de nosotros, Zero gira en nuestra dirección.

Los corredores están bañados en una luz sangrienta. Desde las esquinas, podemos escuchar pisadas violentas que suenan cada vez más fuerte.

Jax me mira.

–Todos en el edificio están bajo su control –susurra–. Salgan del instituto. No vayan por el frente, hay guardias allí. ¿Recuerdas el camino a la entrada lateral?

Repaso el camino que había tomado para ingresar al edificio la primera noche que estuve aquí y asiento. A mi lado, Hideo recupera un poco su fuerza, pero todavía sigue reposando su peso contra mí. No vamos a lograrlo si no nos movemos rápido.

–Bien –agrega–. Salgan, luego encuentren una forma de ingresar a la mente de Zero. Cuando...

Se detiene. Posa su mirada detrás de mí sobre mi hombro, por lo que volteo para encontrarme con la silueta oscura de Zero.

Apoya una de sus manos metálicas sobre la pared. Arriba, todos los altavoces instalados en el techo comienzan a emitir estática, seguidos de su voz profunda.

–*Están perdiendo el tiempo*.

Cada luz escarlata del edificio se apaga, y quedamos en total oscuridad.

No puedo ver nada, ni siquiera mis manos o a Hideo a mi lado. Es como si nos hubiera tragado el vacío. Al mismo tiempo, una serie de chasquidos comienzan a sonar en las puertas del edificio, el inconfundible sonido de las cerraduras activándose.

Puedo estar en todas partes, había dicho Zero. Y ahora, su mente está operando sobre el sistema de seguridad del instituto, atrapándonos en su interior.

Desde los altavoces, la voz de Zero nos envuelve con su impenetrable oscuridad.

–*¿Por qué haces esto?* –pregunta, dirigiéndose a Jax.

Ella no responde, pero siento que sus dedos se cierran sobre mis brazos y me jalan hacia adelante.

–La habitación de pánico –me dice–. Es el único lugar en todo el edificio que no está conectado al sistema digital central. Ve hacia el fondo de este corredor y toma las primeras escaleras. Continúa subiendo hasta que ya no puedas más. Una vez que alcances el último piso, verás dos puertas al final del pasillo. A tu izquierda hay una tercera, empotrada sobre una pared. Tendrás que abrirla manualmente. Enciérrense allí.

La habitación de pánico. Tremaine había intentado en vano alcanzar esa habitación antes de que lo atraparan.

Puedo oír en el tono de voz de Jax que ella no vendrá con nosotros.

–Pero tú...

–Solo *háganlo*. Yo lo retendré –no hay ningún rastro de preocupación en sus palabras, ningún rastro de miedo. Suena exactamente de la misma forma en la que lo hizo el primer día que la conocí, fría y confiada.

Quiero gritarle que venga con nosotros pero, en cambio, siento que el peso de Hideo aumenta sobre mí a medida que ella se aleja de nosotros. Voltea sobre su hombro y nos grita.

–¿Por qué siguen aquí?

Maldigo en voz baja y sigo sus órdenes, por lo que activo mi grilla virtual.

En un instante, el corredor destella con una serie de líneas que conforman el plano del pasillo, como si todavía hubiera una tenue luz iluminando el lugar.

Pero algo no está del todo bien. Usualmente, cuando activo la grilla virtual, puedo superponerla a cualquier cosa para guiarme entre la neblina, lluvia o nieve. Pero aquí, Zero debe haber alterado lo que el NeuroLink puede ver del instituto, dado que mi grilla desaparece en varios sectores, su información incompleta. El edificio probablemente tiene todo tipo de barreras virtuales, que transforman los corredores en meras ilusiones.

Al menos puedo ver el contorno de Hideo a mi lado. Jax se encuentra de espaldas a nosotros, con su figura recubierta por líneas verdes de frente a Zero, una silueta completamente negra alzándose en medio del pasillo que dejamos atrás.

Muévete. Comenzamos a caminar a toda prisa con dificultad. Por algunos de los corredores cercanos, podemos sentir las pisadas de los guardias que se avecinan, atrapados bajo el hechizo de Zero. Si nos alcanzan, no tendremos la ayuda de Jax para ahuyentarlos.

Por detrás de nosotros se oye su voz mientras confronta a Zero.

–¿Recuerdas cuando no pudiste abandonarme? –le grita.

–Sal de mi camino, Jax –oigo las pisadas metálicas de su traje y me animo a voltear.

Jax desenfunda sus dos armas, las hace girar a la vez y se recuesta sobre una de las paredes del corredor, lista para el ataque de Zero. Su posición me recuerda a la que tenía cuando apareció a mi lado con tanta destreza que parecía estar lista para volar.

–Es mi turno ahora –contesta–. Y de una forma u otra, esta vez, saldremos juntos de este lugar.

El peso de Hideo disminuye sobre mis hombros a medida que recobra fuerzas para moverse por su cuenta. Su mano se topa con la mía y, en la oscuridad, la sujeto, presionándola tan fuerte como puedo. Nos forzamos a seguir adelante.

Por delante, el pasillo comienza a recubrirse con una neblina virtual, haciendo que sea más difícil ver la grilla del corredor. Me detengo lentamente, deslizando mi mano contra la pared. A través de la neblina, noto algunas siluetas de sombras, figuras que se mueven de izquierda a derecha, acompañando a otras que parecen moverse hacia nosotros. El sudor comienza a caer por mi frente.

–No son reales –suspira Hideo, con los ojos fijos sobre ellos en la oscuridad–. La grilla no los marca en verde.

Como era de esperarse, una de las sombras se esfuma el instante en el que nos alcanza. *No es real.* Cierro los ojos y continúo avanzando a tientas. Comienzo a repasar los pasos que hicimos como una lista de números en mi mente. ¿Alcanzaremos las escaleras en algún momento? Quizás ni siquiera estamos en la dirección correcta…

Luego, mi mano se topa con una puerta. Me quedo congelada, recorriendo los dedos sobre una barra de metal para abrirla.

La empujo y nos encontramos con la escalera, en donde la grilla reaparece con total claridad, resaltando los escalones que se elevan hacia arriba. En el corredor que acabamos de dejar atrás oímos unos disparos.

Jax.

Me fuerzo a seguir adelante mientras Hideo toma el barandal y comienza a subir por la escalera. Sus movimientos aún se ven exhaustos, pero al menos es capaz de seguirme el ritmo. Subimos tres pisos hasta que la escalera termina. Abro la puerta y nos topamos con un nuevo corredor.

Lo primero que veo es un par de figuras acercándose hacia nosotros. Mis ojos se posicionan directamente sobre las líneas verdes que los rodean. *Son reales*.

Guardias.

Me percato de eso justo a tiempo. Me arrojo al suelo y giro hacia el otro lado del corredor, arrastrando mi pierna y golpeando a uno de ellos por el tobillo. Pierde el equilibrio y cae al suelo con un grito.

El segundo guardia voltea y apunta su arma en mi dirección. Me agacho, lista para el impacto; pero en un instante, Hideo lo empuja y sale despedido contra la pared. El guardia le arroja algunos puñetazos al rostro, pero Hideo es demasiado rápido, los esquiva, sujeta al hombre del brazo y lo coloca sobre su espalda, empujándolo con todas sus fuerzas.

Suelta un quejido enfermizo, seguido de un grito de dolor. El guardia deja caer su arma y esta hace un sonido estrepitoso. Hideo la levanta y la coloca en su cinturón, a medida que se acerca hacia mí. Enseguida, comienzo a escuchar el sonido de más guardias acercándose por detrás.

La habitación de pánico debería estar al final de este corredor.

Avanzamos a toda prisa por el corredor enmarcado con la grilla. Por delante, se desvanece nuevamente en una neblina virtual, pero no hay tiempo para detenerse y pensar. Nos precipitamos hacia el punto ciego.

–Ya casi llegamos –digo. Pero cuando miro hacia mi lado, la figura verde de Hideo también desaparece de mi vista, tragada por la neblina.

Recorro mis manos sobre la pared, en busca de alguna puerta. *Hideo*, susurro por medio de nuestra conexión en el Link. No responde. ¿Acaso todo lo que nos conectaba se apagó al ingresar en esta zona?

Una presencia me hace extender la mano.

–¿Hideo? –murmuro.

Pero no es él. En cambio, una silueta metálica emerge de la neblina. *Zero*.

Jax. ¿Logró pasar tras ella? Seguro que sí. ¿Acaso él la...? La idea me provoca un estremecimiento, demasiado fuerte como para detenerse.

Me toma del brazo y me arroja hacia un lado. Vuelo por el corredor y me desplomo de espaldas contra el suelo. El impacto me deja sin aliento. Abro los ojos, dando bocanadas de aire como un pez fuera del agua. Sobre mí, Zero se alza entre la neblina, con su rostro enmascarado apuntando en mi dirección.

Trato de alejarme con manos y pies, presionando los dientes con fuerza, hacia la pared más cercana, intento alcanzar desesperadamente la puerta al final del corredor.

No lo lograremos.

Zero levanta un brazo y me apunta. Trato de alejarme en vano.

Mientras me muevo, otra figura se materializa a mi lado.

Hideo. Está retorcido en el suelo con sus ojos verdes por la grilla en dirección a Zero, entrecerrados por la ira. Sus manos lastimadas están cerradas con firmeza en forma de puños. Su voz emerge como un gruñido.

–No-la-toques.

Arremete contra Zero con todas sus fuerzas. Es un ataque sorpresa lo suficientemente fuerte como para arrojarlo hacia atrás, ocasionando que ambos caigan sobre el suelo.

–¡Apresúrate, Emika! –me grita Hideo.

Me levanto y recorro mi mano por la pared. *Vamos, vamos.*

Y así, la encuentro. La primera puerta. Luego, la segunda. Mis dedos se detienen al sentir una tercera puerta corrediza. La habitación de pánico.

Giro para mirar hacia el pasillo. A través de los parches de niebla emergen Hideo y Zero. Él tiene la ventaja por poseer una fuerza descomunal con su traje de metal; pero Hideo es mucho más rápido y le saca ventaja por las heridas que Jax le ocasionó. Hideo lo patea en el pecho, enviándolo levemente hacia atrás. Zero se recupera bastante rápido. Levanta una mano y sujeta a Hideo por el cuello, lo arroja hacia la pared. Luego levanta un puño y lo entierra en el estómago de Hideo.

Suelta un grito ahogado.

Busco a tientas la manija de la habitación de pánico hasta que mis dedos se cierran sobre ella.

–¡Hideo! –grito, al abrir la puerta con todas mis fuerzas. En el otro extremo del corredor, más guardias comienzan a aparecer en escena.

Hideo mira en mi dirección. Presiona los dientes, levanta la pierna hasta la altura de su pecho y patea a Zero tan fuerte como puede. Una vez, dos veces. La tercera, los dedos de Zero se sueltan levemente del cuello de Hideo, lo suficiente como para liberarse. Hideo cae al suelo y corre hacia mí.

Me extiendo y lo sujeto por el brazo cuando se acerca, arrastrándolo hacia el interior de la habitación de pánico. Cierro la puerta justo cuando Zero alcanza la entrada. Lo último que veo antes de deslizar la traba sobre la puerta, para encerrarnos, es el rostro escudado de Zero.

Y así, estamos dentro, con la puerta cerrada, trabada por una barra gruesa de metal.

Me dejo caer en el suelo y me alejo de la puerta. Del otro lado, se oyen sonidos de golpes secos; Zero, o sus guardias, están tratando de romperla, pero debemos estar detrás de muchas capas que hacen que sea imposible escuchar algo. Dentro de la habitación, una pared está recubierta por pantallas que muestran una serie de imágenes del laboratorio. Respiro con dificultad.

Hideo suelta un suave quejido detrás de mí. Volteo y lo veo recostado sobre una pared, con una mano aferrada a un lado de su cuerpo. Recién ahora noto la mancha roja oscura sobre su camisa.

Me arrodillo junto a él.

–Mierda –susurro, tocándole el brazo. Hace una mueca de dolor al mover con cuidado su mano para mostrarme la herida. Entre sus dedos temblorosos y manchados de sangre tiene un corte profundo, como si lo hubiera hecho una espada.

Zero no solo lo había golpeado con su puño. Seguro tenía algún arma filosa incrustada capaz de provocarle esta herida a Hideo.

–Aquí –susurro nuevamente, tratando de evitar que mi voz suene temblorosa, mientras me quito la chaqueta y la ajusto alrededor de la herida. A través del corte, comienza a salir una aterradora piscina de sangre.

Hideo suelta otro quejido de dolor mientras sujeto la chaqueta sobre la herida. Tiene la respiración entrecortada, y su rostro luce completamente pálido, embebido en sudor. Me agacho a su lado y sujeto su mano ensangrentada, abrumada por lo indefensa que me siento. Todo se desmorona.

Me toma un segundo registrar que Hideo me está susurrando.

–Lo siento –repite una y otra vez–. Lo siento. Realmente lo siento.

Mi sueño. Su voz tranquila, sus manos acercándome hacia él. Sostengo su mano con más fuerza y reposo mi cabeza sobre la suya, encogiéndome sobre su piel fría y sudada, antes de mirarlo nuevamente.

Sus ojos se encuentran con los míos. Están abrumadoramente oscuros.

–Solo quería...

–Lo sé –logro decir, aguantándome las lágrimas que amenazan con salir–. Concéntrate en respirar. Dame tiempo para ingresar a la mente de Zero.

Cierra los ojos, y deja que sus pestañas descansen sobre

sus mejillas. Revuelvo mis bolsillos en busca de los lentes que Jax me había entregado. Finalmente, tomo una de las cajas y la abro para encontrarme con unos lentes nuevos que me conectarán con Zero.

–Conéctate conmigo una vez que estés adentro –susurra Hideo cuando lo miro. Asiente con debilidad, pero con resolución. Le devuelvo el gesto. Uno de los lentes tiembla en la punta de mis dedos.

Si sale mal, todo está perdido.

Reviso mis herramientas para hackear sobre la palma de mi mano para asegurarme de que todavía siguen intactas en mi cuenta. Titubeo una última vez. Afuera, un golpe metálico contra la puerta hace que toda la habitación retumbe.

Hideo y yo intercambiamos una mirada silenciosa. Luego, me quito los viejos lentes y los reemplazo por los nuevos.

Un hormigueo se apodera de mí. *Ahora, rápido*, me digo a mí misma mientras tomo el cubo al instante. Antes de que el sistema pueda conectarse por completo con la mente de Zero, abro el cubo y lo dejo ejecutarse.

Estalla como una esfera a mi alrededor. La habitación de pánico se desvanece.

Me encuentro en medio de un campo negro. Se extiende en todas direcciones, una oscuridad tangible que opone resistencia a los límites de mi mente, amenazando con presionarme como el océano profundo sobre un buzo. Estoy lista. Quizás Jax y yo estuvimos equivocadas todo este tiempo. Nunca podré evitar que Zero tome el control.

Pero la esfera a mi alrededor se detiene y comienza a retrotraerse.

Al mismo tiempo, una simple puerta se materializa ante mí. De inmediato, comprendo que esa es la puerta que se dirige a la mente de Zero.

La mente de Zero. Está aquí. Puedo ingresar. Un aluvión de esperanzas comienza a apoderarse de mí. Busco a Hideo y le envío una invitación para conectarse.

No responde enseguida y, por un momento, temo lo peor. *Ya no está entre nosotros.*

Pero luego, acepta. Me abarca una oleada de emociones al verlo de pie junto a mí en este infierno. En el mundo virtual no luce herido, pero sus movimientos son un poco torpes, como si el dolor en la vida real afectara su conexión con el NeuroLink, lo que provoca que su avatar se vea intermitentemente.

–Conozco esta falla –dice Hideo, acercándose a la puerta–. Uno de nuestros ingenieros la encontró hace un tiempo y le encomendé a Kenn que se asegurara de que la arreglaran adecuadamente –entrecierra los ojos al decir el nombre de su antiguo amigo.

–Entonces te mintió –comento, y Hideo asiente con tristeza.

Por dinero, por la promesa de libertad, Kenn le había vendido la falla a Taylor.

–Tal vez todo esto le termine jugando en contra –agrega Hideo–. Y esta falla sea lo que nos termine salvando a todos.

Coloco una mano sobre la manija de la puerta.

–Esperemos que sea así –contesto.

La abro. Ambos damos un paso hacia atrás a medida que la puerta misma se desintegra en la nada, revelando detrás un primer vistazo al mundo de la mente de Zero; negro, como el espacio profundo.

Entro yo primero. Mis pies flotan sobre una gran extensión de la nada misma más allá de la puerta. Hideo me sigue un segundo después.

El primer cambio que noto en mí es que aquí me encuentro cubierta de pies a cabeza con una armadura negra. Hideo está vestido igual que yo. De hecho, luce tan similar a Zero del cuello para abajo que me siento incómoda al verlo de reojo.

Una invitación de Hideo aparece en mi vista.

¿Jugar Warcross?

La acepto.

La oscuridad a nuestro alrededor se mueve como una ola. La vista se nubla con un color gris y plateado antes de que un mundo virtual finalmente se materialice, un lugar retorcido creado luego de que la mente de Zero corrompiera la base de datos de mundos de Warcross del NeuroLink.

Hideo y yo nos encontramos sobre un puente de piedra, mirando una ciudad en ruinas que se extiende hacia arriba y hacia abajo, interminable, a nuestro alrededor. Todo está en constante movimiento; aparecen nuevas escaleras, mientras que otras se desmoronan, los puentes entre los edificios se forman y se desploman, las torres adquieren otra forma y colapsan. Orbes oscuros y brillantes flotan en el aire. Siento una necesidad urgente de tomarlos, como si fueran poderes, pero soy consciente de que son minas que debo evitar.

Mi traje también cambia y el equipamiento que suelo tener en un juego de Warcross aparece, al igual que mi morral y las cuerdas que cuelgan de mi cinturón.

Algunas figuras de sombras se mueven entre los edificios cambiantes.

Hideo me mira.

–No podemos cruzar por todo esto solo nosotros dos –me dice–. Necesitamos un equipo.

Una leve sonrisa aparece sobre mis labios.

–Tenemos un equipo.

VEINTINUEVE

Es posible que ya no pueda contactar a Hammie, Asher y Roshan. Han estado conectados conmigo antes; pero cuando despliego mi directorio, está completamente en blanco, lo cual me hace sentir un nudo en el estómago. Quizás no lograron salir de la arena sin ser conectados a la mente de Zero.

Luego, gradualmente, se llena. Una lista de nombres. Mi conexión en el interior de esta habitación de pánico es un poco más lenta debido a las gruesas capas de metal que nos rodean, pero se mantiene estable.

Encuentro a mis compañeros de equipo, cada uno con un resplandor verde suave, indicando que todos están en línea.

Asher es el primero en responder.

–*Ems* –su voz suena como un suspiro. Un momento después, acepta mi invitación y aparece en el puente junto a nosotros, con su avatar vestido con la misma armadura negra.

Una sensación de alivio se apodera de mí al verlo. Si bien sé que no podemos sentirlo, me acerco hacia él y lo envuelvo en mis brazos. Se queda sorprendido por mi movimiento repentino y luego ríe, sosteniéndome a un brazo de distancia.

–Hola, Capitán –lo saludo. Mueve su cabeza al verme.

–Siempre mi muchacha amateur –responde con una sonrisa.

Pronto, Hammie también se conecta, seguida de Roshan. A pesar de todo, están aquí. Saludo a cada uno, mientras intercambian saludos forzados con Hideo.

Asher baja la mirada, incómodo por su armadura y trata de comprender la ciudad cambiante a nuestro alrededor.

–¿Qué rayos es este lugar? –susurra.

–El interior de la mente de Zero –le respondo–. Debemos encontrar a Sasuke, así puedo entregarle esto –levanto los archivos que Jax me había dado, sus recuerdos e iteraciones que conseguimos de la biblioteca.

Los ojos de Hammie se topan con los de Hideo por un momento, con cautela, antes de posarse sobre mí.

–En la arena –me dice repentinamente– todo se detuvo; y cuando regresamos ustedes habían desaparecido. Todo el mundo allí luce como si estuvieran poseídos por un espíritu. Supongo que eso es lo que ocurrió técnicamente, ¿verdad?

Hideo me mira. Ni siquiera me había tomado un tiempo

para pensar cómo es que las personas fuera del instituto pueden estar reaccionando al control de Zero.

–El Tokio Dome entero es un mar de personas silenciosas –agrega Roshan. Sus labios están teñidos con cierto miedo y me pregunto si está pensando en Tremaine, atrapado bajo el control de Zero, mientras reposa en la camilla del hospital. Ninguna enfermera podrá cuidarlo si están congeladas en el lugar–. Salimos de la arena y regresamos a la casa de Asher, pero en el camino nos topamos con metros repletos de personas con la mirada perdida. Rutas enteras atestadas de sujetos parados junto a sus autos, moviéndose como máquinas –noto que el recuerdo le produce escalofríos–. Vimos a un anciano en la calle que no parecía verse afectado por los lentes. Quizás alguien cuyos lentes beta no recibieron la instalación del parche o ese poco porcentaje que jamás usó el NeuroLink. Zero debió haber ordenado a los demás a su alrededor que lo atrapen. Recuerdo haberlo visto rodeado por una multitud.

Un escalofrío me recorre al imaginar la situación.

–Entonces, no tenemos mucho tiempo –respondo–. Estas herramientas solo nos protegerán de la mente de Zero, pero eso no significa que existan otras formas de evadirlas. No habrá reglas en esto y nadie podrá pedir una falta. Solo tendremos una oportunidad en el juego de nuestras vidas.

Si Zero se las arregla para atraparnos, podría obtener el control de nuestras mentes, deambular dentro de ellas de la misma forma en la que nosotros lo estamos haciendo en la suya. Y, con el poder que tiene ahora, puede hacer lo que desee, como borrar partes de esta. Incluso, podría inmovilizarnos, dejándonos sentados en silencio mirando a la nada misma, igual que lo hizo con todo el mundo. Podría mantenernos de esa forma para siempre, hasta que muramos en el mundo real. Podría tragarnos enteros, si no somos cuidadosos.

Estoy avergonzada de que, incluso después de todo este tiempo, una parte de mí espere que los Jinetes se hagan a un lado. Después de todo, este no es un juego normal de Warcross. ¿Por qué alguien querría arriesgarse de esa forma conmigo? ¿Quién se pondría en riesgo a mi lado?

Asher comienza a silbar, mientras admira la ciudad cambiante. Cierto brillo aparece en sus ojos, la irresistible atracción a un desafío de su lado competitivo. Me había mirado de esa misma forma durante el Wardraft, cuando me eligió a pesar de no tener rango ni haber pasado ciertas pruebas.

–Bien –responde–. Ni en mis sueños querría dejar pasar esta oportunidad.

Hammie ni siquiera duda antes de golpearse el pecho dos veces, haciendo el saludo distintivo de Warcross.

–Estoy dentro –dice.

–Yo también –secunda Roshan, con los ojos fijos sobre mí.

Hideo me toca el hombro y señala con la cabeza el paisaje que nos rodea.

–Sabe que estamos aquí –dice, estudiando el cambio de las estructuras. Señala el cambio de la arquitectura–. ¿Ven cómo intenta bloquear los caminos más obvios con obstáculos? Debe estar escudándose.

Señala una puerta sobre un lado de una torre, sin escaleras que lleven hasta allí desde ningún sitio. Hay otras puertas en lugares extraños; debajo de escaleras, en los techos, puertas abiertas que no llevan a ningún lado más que a una pared de ladrillos. Puertas por doquier. Es vertiginoso, tal como lo quiere Zero.

Pero las manos de Hideo se detienen en dirección a una última torre. Apenas puedo ver una puerta solitaria sobre el techo plano, oculta casi en su totalidad por pilares. Orbes oscuros flotan sobre el borde de esa torre, la rodean con un patrón silencioso. Una escalera de piedra sube por un lado, desde la cima hasta el final del mismo puente en el que nos encontramos.

–Allí –señala Hideo–. Hay un camino hacia esa puerta, aunque está tratando de esconderlo. Puede ser nuestra entrada.

–¿Cómo lo sabes? –pregunta Roshan–. ¿Por qué Zero nos daría un camino hacia algo en primer lugar?

Hideo voltea hacia él.

–Porque –contesta– ese no es Zero. Es Sasuke pidiendo ayuda. Puedo reconocer su forma de pensar aquí, cómo diseña un camino entre todo este caos.

Miro hacia la puerta. Ahora la veo. Es el paisaje de dos mentes luchando entre sí.

–Entonces, ¿vamos por allí? –pregunta Asher, quien ya se encuentra planeando cómo lo haremos.

–Vamos por allí –confirma Hideo.

Un chasquido a nuestras espaldas me hace voltear. En la oscuridad, se materializa una figura que me recuerda a Zero, un ser con una armadura negra de pies a cabeza. Una segunda aparece a su lado, seguido de una tercera. Debe haber una docena de estos centinelas de seguridad que salen de las sombras hacia nosotros.

No parecen saber exactamente dónde estamos, pero se encuentran justo frente a nosotros. Conforme se agrupan y mueven más rápido, me largo a correr hacia la torre con las escaleras.

–¡Vamos! –grito.

Todos nos detenemos al mismo tiempo bajo el puente. Como el mundo a nuestro alrededor siente nuestros movimientos, un estruendo suena por encima, lo cual me hace levantar la cabeza, solo para encontrarme con una serie de nubes negras que se juntan entre las torres que desaparecen en el cielo. Algunos rayos se bifurcan entre ellas.

Uno de estos golpea un edificio delante de nosotros. Uno de los lados de la estructura estalla en mil pedazos, enviándolos hacia nuestra posición en el puente. Nos detenemos repentinamente a medida que los trozos de roca caen, bloqueándonos el camino hacia la torre y llenándolo de escombros por todos lados.

Si Sasuke es quien está creando estos caminos para nosotros, entonces Zero los está tratando de destruir.

–Retrocedan –grito, tomando una barra de dinamita de mi cinturón. Me acerco a toda prisa hacia la roca que obstruye el paso, enciendo la dinamita y la arrojo en esa dirección. Enseguida, comienzo a correr lo más rápido que puedo.

La explosión hace temblar el puente, causando que tropiece. Una nube de polvo y rocas se eleva por los aires luego de que el enorme peñasco de piedra se desintegra en mil pedazos. Entrecierro los ojos al ponerme de pie y corro para reunirme con mis compañeros de equipo. Al acercarme, emergen de una nube de polvo con los centinelas avanzando a paso firme por detrás. Dos de ellos se acercan a toda prisa.

–¡Muévete, muévete! –grita Roshan, haciéndome señas para que les siga el paso a los demás, quienes pasan corriendo sobre el puente. Se detiene enseguida, marcando un medio círculo con su pierna sobre el suelo al voltear para enfrentarse a las figuras que se acercan.

Levanta los brazos y los cruza delante de sí. Un escudo azul brillante se despliega frente a él. Arremete contra la primera figura, empujándola hacia atrás con todas sus fuerzas.

El centinela sale disparado al impactar contra el escudo de Roshan y se desploma con un sonido metálico al borde del puente, donde cae y desaparece. Roshan separa sus brazos y el escudo se transforma en dos, uno sobre cada brazo. Golpea uno de los escudos con más fuerza contra una segunda figura.

El golpe es tan fuerte que provoca que el centinela se desplome de inmediato, con el pecho partido, al caer sobre su espalda con un sonido seco.

Los escudos de Roshan desaparecen ni bien baja sus brazos y gira para alcanzarnos.

Al acercarnos a la base de la escalera de la torre, esta comienza a temblar. Mi vista deambula entre la cima de la torre y el principio de las escaleras. Allí, veo que un enorme trozo de roca cae de la base de la escalera y se rompe en mil pedazos. Comenzamos a oír más crujidos a lo largo de toda la escalera.

Nos detenemos inmediatamente frente a la base destruida. La escalera intacta se cierne sobre nuestras cabezas, demasiado lejos como para alcanzarla. Será imposible trepar por este lado. Continuamos mirando y la grieta sigue expandiéndose por el lado de la torre.

Hammie esboza una sonrisa al ver eso. Donde los demás ven una desventaja, ella ve un punto de apoyo.

–¿Puedes hacerlo? –le pregunta Asher. Incluso al decirlo, algunas de las grietas se ensanchan mientras que otras se achican, y algunas nuevas aparecen sobre la roca.

Hammie no lo duda.

–No hay problema.

–Iré contigo –le digo, desatando la cuerda de mi cinturón. Le arrojo un extremo y ella lo amarra alrededor de su cintura–. Una vez que lleguemos a la escalera, arrojaremos la cuerda.

–¿Qué es esto? ¿Otro reto? –me esboza una sonrisa antes de comenzar a subir por la torre. Sus dedos se entierran entre las grietas de la pared a medida que se abre camino hacia arriba–. Sabes que te venceré.

–¡Te dejaré ganar diez veces con tal de que podamos subir

por esta pared que está colapsando! –le grito, antes de seguirle el paso hacia arriba con la cuerda colgando entre nosotras.

Debajo de nosotras, Hideo voltea para ver a los centinelas que atraviesan el camino que había liberado sobre el puente; comienzan a correr hacia la base de la torre. Los enfrenta, toma una espada que colgaba a su lado y la hace girar frente a ellos. Asher y Roshan también se preparan.

Miro nuevamente hacia donde Hammie se encuentra trepando por encima de mí. Una de las grietas de la que se está sujetando de pronto comienza a cerrarse como una cremallera, casi le corta los dedos. Se suelta justo a tiempo y se deja caer.

Tomo uno de mis cuchillos y lo entierro en la hendidura de la cual me encuentro sujetada con todas mis fuerzas contra la pared. La cuerda entre ambas se tensa; casi me lleva con ella, pero mi cuchillo aguanta y Hammie se detiene varios metros debajo de mí. Instantáneamente, lucha por sujetarse de la pared hasta que encuentra otro punto de apoyo.

Sigo adelante. La escalera intacta aparece a la vista. Me acerco y doy un salto enorme hacia ella. Logro llegar con el torso, mis piernas cuelgan por el borde. Me sujeto hasta que mis dedos encuentran una hendidura sólida sobre la escalera y logro subir. Hammie aparece casi al instante.

Abajo, Hideo arremete contra el centinela más cercano y corta su cuerpo metálico a la mitad, lanzando una lluvia de chispas.

Hammie desata la cuerda de su cintura y la arroja hacia abajo. Envuelve sus brazos sobre mi cintura.

–Bien –les grito–. ¡Arriba!

Roshan es quien sube primero, seguido de Asher. Hammie y yo nos recostamos sobre las escaleras a medida que cada uno de ellos sube. Hideo es el último en subir. Se sujeta a la cuerda y apenas logra escapar de uno de los centinelas que lo toma por la pierna. Me inclino hacia abajo y sujeto su brazo para ayudarlo a subir.

Corremos a toda prisa por la escalera. De pronto, el mundo a nuestro alrededor comienza a temblar nuevamente. Algunos faros de un rojo escarlata se encienden en la cima de otras torres, extendiéndose por la ciudad en movimiento como focos de una prisión. Mantengo la atención en seguir trepando. Los escalones crujen bajo nuestros pies a medida que avanzamos.

Hammie es quien llega primero a la cima. La puerta se encuentra rodeada de un resplandor azul, un contraste muy llamativo con los alrededores.

La empuja, pero no se abre.

–Creo que necesitamos una llave, o algo –musita mientras intenta abrirla una vez más. Lo intentamos entre todos, pero la puerta no hace más que temblar. Miro hacia los escalones, algunos de los cuales se desmoronaron, y luego hacia la puerta. Hay dos pequeños huecos a cada lado.

Hideo se aleja de la puerta primero.

–Reconozco algunas de las piezas aquí –señala hacia los orbes oscuros que flotan en el aire y, al mirar de cerca, noto que destellan profundamente de color escarlata y zafiro.

De inmediato, sé lo que quiere decir. Estos son del juego que Sasuke una vez creó con Hideo, cuando iban al parque y se arrojaban huevos de plástico rojos y azules sobre el césped y corrían a toda prisa para recuperarlos. Cuando secuestraron a Sasuke. Remanentes de ese recuerdo están desparramados aquí ahora, distorsionados en una pesadilla.

Miro hacia los dos huecos en la puerta. Son ranuras en las que encajan los orbes, rememorando cómo Hideo y Sasuke alguna vez jugaron a este juego.

–Debemos recogerlos –dice Hideo–. Uno rojo, uno azul.

Hammie mira hacia los orbes oscuros que flotan. Señala con la cabeza el más cercano y, antes de que alguien pueda detenerla, se agacha sobre uno de los escalones y se deja caer por un lado, lanzándose al aire en un abrir y cerrar de ojos.

–¡Espera…! –comienza a gritar Hideo.

Ella toma uno de los más cercanos, gira en medio del aire y lo guarda en su bolsillo. A medida que cae, arroja su cuerda y la engancha sobre una de las grietas en la escalera. Comienza a mecerse como un péndulo debajo de la torre, deteniéndose justo por debajo de nosotros.

–Tengo uno –exclama.

Cada una de las luces rojas de pronto se dispara hacia nosotros, inundándonos de un destello escarlata. Una bocina ensordecedora comienza a sonar a lo largo de todo el lugar.

Era una trampa. Necesitamos los orbes para pasar por la puerta, pero entrar en contacto con ellos también alerta a Zero sobre nuestra posición exacta.

—¡Sube! —le grita Asher a Hammie, justo cuando vemos una oleada de centinelas amontonarse en la base de la torre.

Hammie no pierde el tiempo. Comienza a subir por la cuerda tan rápido como puede. Roshan baja por las escaleras de a dos escalones hacia ella, pero los centinelas se están moviendo tan rápido que estoy segura de que los atraparán antes de que Hammie pueda regresar a nosotros.

Miro a Hideo y le arrojo un extremo de mi cuerda. La sujeta. Enseguida, me balanceo hacia Hammie y Roshan. Pero los centinelas están acercándose demasiado rápido; los atraparán antes de que pueda llegar a ellos. Por debajo de mí, Roshan llega hasta Hammie y se coloca frente a ella para que pueda subir hacia el escalón solitario en el que se encuentra. Entrecierra los ojos al notar los centinelas que se avecinan y cruza los brazos. Su escudo se despliega.

Los centinelas golpean contra este. Roshan hace una mueca de dolor mientras los empuja hacia atrás, lo cual provoca que sus botas se entierren contra los escalones de piedra, tratando en vano de que lo arrastren hacia el borde. Hammie se pone de pie de un salto y regresa a toda prisa hacia nosotros.

El escudo de Roshan no puede soportar más golpes. El destello azul parpadea con un último golpe de los centinelas, antes de apagarse. Grito algo. Arremeten contra él.

—*¡Ey!*

Levanto la cabeza abruptamente al oír la voz de Asher. Se encuentra colgado de la escalera para tomar otro orbe. La mitad de los centinelas de seguridad cambian su rumbo hacia él, mientras los otros se detienen durante un segundo, dándole a Roshan tiempo suficiente para voltear y correr tras Hammie.

Paso a toda prisa junto a ellos para reunirme con Hideo en la cima. Roshan me mira.

–¿A dónde vas? –me grita.

No le respondo enseguida. En cambio, me detengo junto a Asher y me agacho para tomar una barra de dinamita de mi cinturón. La coloco sobre la escalera, justo frente a los centinelas.

–¡Muévete! –le grito a Asher, quien ve lo que estoy por hacer. Me marcho a toda prisa y él hace lo mismo, dejando que la dinamita estalle detrás de nosotros.

La explosión nos hace caer de rodillas. Al voltear, notamos que dejó un hueco tan grande en la escalera que detiene a los centinelas. Se juntan en el borde como una multitud; no pasará mucho tiempo antes de que crucen la brecha.

–¡Colóquenlas! –oigo que Asher grita. Hammie y Roshan toman los dos orbes y los insertan en las ranuras a cada lado de la puerta.

Mientras tanto, los centinelas comienzan a trepar, abriéndose paso entre el abismo en la escalera. Se dirigen a toda prisa hacia nosotros.

La puerta se abre. Hideo me sujeta del brazo. Los centinelas ya casi están sobre nosotros.

Hammie ingresa a la puerta, seguida de Roshan. Hideo me arroja por la entrada. A nuestro lado, uno de los primeros centinelas en alcanzarnos sujeta el brazo de Asher, con sus dedos de metal cerrados con todas sus fuerzas. Él patea al centinela en el pecho, lo hace perder el equilibrio y aprovecha para ingresar por la puerta. Volteo para notar que Hideo apenas logra ingresar y cierra la puerta con todas sus fuerzas justo cuando un centinela arremete contra esta.

Colapsamos en el suelo. Mi corazón late tan rápido que me llevo una mano al pecho, como si eso me ayudara a respirar.

–Bueno –logra decir Asher en un suspiro, mirándonos–. Eso fue diferente.

Hideo hace una mueca de dolor, reposando contra la puerta. Su rostro luce pálido como un fantasma, reflejando la vida real, ya que de seguro se está debilitando por la pérdida de sangre. Su cuerpo comienza a parpadear antes de estabilizarse nuevamente.

Me acerco hacia él y le toco el brazo. Se nos acaba el tiempo, y es su herida la que marca el *tic-tac*. Me esboza una pequeña sonrisa que se asemeja más a una mueca de dolor y, luego, señala con la cabeza hacia el nuevo lugar por el que ingresamos.

Hammie colapsa sobre Roshan, deja salir un largo suspiro. Puedo sentir mis manos temblando sobre mi regazo. Cuando giro para mirar alrededor, comprendo que aún estamos en un espacio blanco destellante, sin paredes ni techo. ¿Dónde estamos?

Mis pensamientos se ven interrumpidos por la respiración

de Asher. Volteo para verlo aferrando su brazo justo donde el centinela lo había sujetado. Cierra los ojos con fuerza.

–Ash –lo llama Hammie–. ¿Estás bien?

Asher no responde. Su brazo está temblando; todo color se desvanece de su rostro. De pronto, abre los ojos; su iris ya no tiene el color azul típico, sino que es reemplazado por un plateado inquietante.

El mundo blanco y vacío parpadea, reemplazado en un instante por un nuevo escenario. De pronto, nos encontramos todos en el interior de una casa con pasamanos de metal labrado, flores de Navidad y vidrios rotos desperdigados por todo el suelo de madera.

Trato de escapar instintivamente. Hammie comienza a acercarse a Asher pero la retengo.

–No lo toques –le advierto.

–¿Qué le ocurre? –pregunta Roshan. Hideo parece entender.

–Cuando ese centinela tocó a Asher, le dio acceso a Zero.

Zero quebró la encriptación de Asher e irrumpió en su mente. Debemos estar en un mundo construido en base a sus recuerdos.

Miramos horrorizados a medida que el mundo a nuestro alrededor comienza a reproducir uno de los recuerdos de Asher. El niño que baja por las escaleras no es él, sino su hermano, Daniel, inconfundible por su mechón de cabello castaño claro y sus penetrantes ojos azules. Cuando llega al final de la escalera, empuja a Asher sobre su silla de ruedas lo suficientemente fuerte como para hacerlo chocar contra la pared.

–¿A dónde diablos irás ahora? –le pregunta Asher. Luce más joven, como si esto hubiera ocurrido hace al menos ocho o nueve años.

Daniel no le contesta. En cambio, gira en dirección a la cocina. Al ver esto, la voz de Asher se llena de ira.

–¿Sabes qué? No me digas. No necesito saber todo sobre tu vida cuando obviamente a ti no te importa una mierda la mía.

Al oír eso, Daniel voltea. Es muy parecido a Asher, con el mismo fuego en su mirada.

–No necesitas que me importes –le dice–. ¿Acaso no recibes suficiente atención ya?

–Que simplemente ignores el divorcio no significa que no esté ocurriendo.

–¿Y qué estás haciendo tú? ¿Jugando Warcross en tu habitación?

Asher entrecierra los ojos, su expresión de pronto se torna más fría y dura.

–¿Qué haces tú que es mucho mejor? Quizás tengas algunos fans, pero mis victorias locales son lo que ponen un plato de comida en la mesa.

Esto parece afectar a Daniel con tanta precisión que Asher vacila, presionando sus labios como si supiera que ha ido demasiado lejos.

Daniel camina hacia Asher y coloca una mano sobre el reposabrazos de la silla de ruedas para inclinarse hacia su hermano.

–Nunca lo lograrás –dice–. Nunca lograrás escalar en nada allí. Sigue dándolo todo por ese juego inservible, como si honestamente pensaras que te llamarán como jugador amateur.

Asher no responde. Simplemente se aleja con su silla, forzando a que Daniel también se vaya, y le da la espalda a su hermano.

Quiero salir de este lugar ahora mismo; quiero quitarme los lentes y ver la habitación de pánico a mi alrededor en lugar de este retorcido lugar imaginario. No quiero saber que, en algún lugar de allí, Asher se encuentra sentado sobre su silla, completamente desprevenido de todo lo que ocurre a su alrededor.

Mi mano aún se encuentra sobre el hombro de Hammie. Luce tan tensa que parece que está por quebrar en llanto en cualquier momento. Hideo se levanta.

–Si lo quieren de regreso, debemos seguir avanzando.

Aparto la mirada de los ojos vacíos de Asher, le doy la espalda y, junto con los demás, avanzamos.

Pronto, cruzamos otra puerta que flota en el vacío blanco del lugar. Llego primera, coloco mi mano sobre la manija y la abro con cuidado. Ingreso seguida por los demás.

Llegamos a una calle atestada de gente y mojada por la lluvia en Tokio. Reconozco el lugar de inmediato; la estación de Shibuya, justo a un lado de la intersección a la que da la ventana de mi hotel. Junto a nosotros hay una estatua del perro Hachikõ, donde la gente se reúne para esperar a sus amigos. A nuestro alrededor, una multitud se mueve de un lado a otro.

Parpadeo, confundida por el cambio. Hay gente por todas partes, amontonada debajo de paraguas coloridos, con máscaras y sombreros, con sacos y botas, con sombras sobre sus ojos. Algunos autos salpican en los charcos de agua al pasar y, por encima de todo, brillantes anuncios publicitarios se elevan en lo alto mostrando gente sonriente con lociones y cremas.

Junto a mí, Hammie casi parece relajada ante esta vista. Yo también lo siento; es como si en verdad estuviéramos aquí, en lugar de la mente de Zero, caminando en una ilusión. Pero Hideo entrecierra los ojos e intercambia una mirada de alerta conmigo.

Roshan frunce el ceño ante la escena.

–Esto no está bien –dice.

Una vez que lo dice, comprendo qué es lo que también me molesta. La escena no es del todo precisa; algunas de las fachadas de las tiendas no se suponen que deban estar aquí, mientras que otras se encuentran en el orden incorrecto. Es como si Zero, o Sasuke, no lo pudiera recordar bien.

Pero lo que más sobresale es que nadie a nuestro alrededor dice una palabra. Lo único que podemos oír son sus pisadas, el andar de los autos y el estruendo de los anuncios publicitarios. Debe haber miles de personas aquí y ninguna dice una palabra.

Trago saliva. Hideo estira su brazo, pidiendo que nos acerquemos.

–Debemos estar cerca. Recuerdo esto –nos comenta, su mirada está fija sobre los anuncios–. Nuestros padres nos trajeron aquí una noche para comprar unas botas nuevas.

Ese tráiler –señala una pantalla gigante que se curva alrededor de una cafetería de dos pisos que ahora muestra el adelanto de una nueva película–. Tenía ocho años cuando salió esa película. Sasuke tenía seis.

Hideo tiene razón. Ya no es trabajo de la mente artificial de Zero. Estamos dentro de un recuerdo distorsionado en la mente de Zero, un fragmento retorcido que alguna vez le perteneció a Sasuke.

Roshan se para a mi lado mientras observamos a la gente que nos mira con sus rostros vacíos. Sus cabezas apuntan en nuestra dirección a medida que nos acercamos.

–Centinelas de seguridad –susurra.

Iguales a los que acabábamos de enfrentar, excepto que estos están disfrazados como compradores comunes y corrientes.

Hideo comienza a moverse con cuidado hacia nosotros.

–No dejen que ninguno de ellos los toque.

–¿Sabes a dónde se supone que debemos dirigirnos? –pregunto.

–Sí –señala con la cabeza un complejo de apartamentos justo al lado de la cafetería, donde un trabajador de la tienda entrega cupones para atraer clientes potenciales. A medida que nos movemos con cuidado entre la multitud, veo una pareja caminando tomados de la mano con dos niños pequeños; ambos miran con mucha atención el adelanto de la película en la pantalla de arriba.

Mi corazón se estremece al reconocerlos. Son Hideo y Sasuke.

Pasamos junto a ellos, pero no puedo ver sus rostros. Al mirar hacia adelante nuevamente, están caminando delante de nosotros, como si todo se hubiera reseteado. Es un recuerdo perpetuo, repetitivo.

Hammie choca conmigo por detrás. Volteo y la veo observando a la gente a nuestro alrededor.

–Alguien acaba de empujarme –susurra, apresurando su paso–. Zero está de cacería.

Luego de lo que ocurrió con Asher, Zero debe saber que el resto de nosotros está aquí en algún lugar. Extiendo una mano para Hammie y la miro directo a los ojos.

–¿Te tocaron?

–No, no lo creo –me responde, aunque se está frotando el codo–. Solo rozó mi manga, eso es todo.

Mi corazón comienza a acelerarse.

–¿Te rozó la manga? –le pregunto, pero Hammie aparta la vista y se concentra en algo entre la multitud más adelante. Abre los ojos por el miedo.

–Ey. *¡Ey!* –grita hacia la multitud, dejándonos atónitos a todos, y luego comienza a abrirse paso entre la muchedumbre.

–¡Hammie! –grita Roshan. Pero ella ya está en marcha, en dirección al complejo de apartamentos en la pendiente.

–Es mi mamá –dice sin aliento, volteando sobre su hombro con una expresión de asombro–. ¡Es mi mamá! ¡Justo allí! –voltea y señala a una mujer con un uniforme de la fuerza aérea, de piel oscura y rizos negros como los suyos–. ¿Qué está haciendo aquí? ¿Cómo sabe Zero cómo luce ella?

Comienzo a correr. Hideo también lo hace, aunque ambos sabemos que es demasiado tarde. Es imposible moverse tan rápido como Hammie sin que accidentalmente choquemos contra alguien. Más transeúntes nos miran; otra persona se inclina abruptamente hacia Roshan, forzándolo a esquivarla justo a tiempo.

¡Hammie!, quiero gritar, pero tengo demasiado miedo de llamar mucho la atención.

Finalmente la alcanzamos. Pero ella se encuentra parada en medio de la calle, con la mirada perdida y vacía, la postura forzosamente erguida, su expresión completamente en blanco. Sobre nosotros, el enorme anuncio se desvanece y lo reemplaza algo que solo puede ser uno de los recuerdos de Hammie.

Es de dos niñas, con sus cabellos rizados escondidos detrás de gorros de seda. La más joven de las dos está en la cama, riendo a carcajadas a medida que su padre trata en vano de ajustarle su gorra. La más grande –al parecer, Hammie– está más tranquila, sentada sobre una pequeña mesa cuadrada frente a alguien que debe ser su madre. Ambas están concentradas en una partida de ajedrez. Veo cómo la madre mueve sus piezas en solo segundos, mientras Hammie se queja y se frustra al luchar con sus propios movimientos.

–¿Por qué tienes que irte de nuevo mañana? –finalmente musita Hammie al perder su torre por un movimiento del alfil de su madre.

–Sí –su hermana más pequeña grita con una voz cantarina

desde la cama, al torcerse la gorra una vez más, su padre suelta un suspiro cariñoso–. ¿Por qué tienes que *irte*?

–Deja de repetir lo que digo, Brooke –le dice Hammie a su hermana, quien simplemente se ríe.

–No me iré por mucho tiempo –su madre se reclina sobre la silla y se cruza de brazos. Su uniforme de las fuerzas aéreas tiene varias medallas. Cuando Hammie finalmente decide un buen punto para colocar a su reina, su madre asiente en aprobación–. Son solo un par de semanas. Si quieren, incluso pueden venir a visitarme a la base.

Brooke comienza a quejarse a medida que su padre le endereza el gorro de seda. Hammie aparta la mirada de su madre.

–Pero acabas de regresar ayer –dice. Su padre levanta una ceja con rigidez.

–Hammie. Deja de hacer que tu mamá se sienta mal. Ya te preparé mucha tarea de álgebra para que te mantengas ocupada durante la próxima semana. Siempre puedo darte más. Ahora, esa es tu última queja, ¿entendido?

Hammie abre la boca y la cierra enseguida.

–Sí, señor –musita.

–Piensa que es algo bueno –agrega su madre, esbozándole una sonrisa burlona a Hammie–. Conmigo lejos, finalmente podrás ganar una partida de ajedrez. Quizás incluso seas un reto para cuando regrese.

Hammie se endereza y deja asomar una pequeña sonrisa y, de pronto, luce exactamente como la compañera de equipo que conozco. Esa chispa en los ojos de su madre parece alimentarla.

–Sí, te arrepentirás. En el próximo juego, tu rey será mío.

–Oh, ya estamos alardeando –su madre ríe con un sonido repleto de calidez–. Escucha, cada vez que juegues contra alguien, imagina que estás jugando contra mí. ¿Está bien? Eso avivará las llamas para que des lo mejor de ti.

La pequeña Hammie asiente.

–Demonios, sí, lo haré.

–*Hammie* –grita su padre desde la cama–. La boca. ¿Cuántas veces debo decírtelo? –su hermana estalla de la risa.

Hammie puede ser muy joven para entenderlo, pero sé lo que su madre está haciendo en realidad; recordarle que el juego las conecta, que la presencia de su madre está allí incluso cuando no está.

La escena cambia nuevamente hacia la mitad de la noche, en donde Hammie se encuentra sentada a la luz de una linterna frente a un pequeño tablero de ajedrez y juega en silencio, sola, con el ceño fruncido con determinación.

Finalmente, el recuerdo desaparece, reemplazado una vez más por las imágenes del avance de la película.

Hammie se queda congelada en su lugar.

Me toma demasiada fuerza de voluntad no acercarme y traerla con nosotros. Aparto mis ojos de ella, sintiendo que mi corazón se desgarra.

–Vamos –digo entre dientes, con la mano sobre el brazo de Roshan, quien tropieza levemente mientras caminamos, como si él también quisiera sujetarla, pero se fuerza a seguir adelante.

Hideo marcha a nuestro lado, girando y moviendo su cuerpo al abrirse paso entre la multitud. Cuando lo miro, noto que tiene una expresión completamente fría.

No debería haber traído a mi equipo aquí. No entendía cuán peligroso sería navegar en la mente de Zero.

Pero es demasiado tarde como para preocuparme por eso.

Finalmente, alcanzamos la entrada al complejo de apartamentos. La modelo nos sonríe con una expresión vacía. Sostiene un cupón para que lo tomemos, pero a diferencia de todos los que ingresan al complejo, me alejo y no me animo a tocarlo. Tampoco lo hacen Hideo y Roshan.

Su sonrisa desaparece. Luego, de pronto, levanta la voz. Es un llamado de atención.

Todos a nuestro alrededor comienzan a apresurarse hacia nosotros a un paso aterrador.

–Nos encontró –grita Hideo sobre su hombro–. ¡Rápido! –me toma por la muñeca y me jala hacia adelante. Roshan comienza a correr.

Una puerta en el otro extremo del piso comienza a destellar y corremos hacia ella. La gente detrás de nosotros nos sigue, aún sin expresión y en silencio.

Hideo alcanza la puerta y la abre. Ingresamos a toda prisa. Lo último que veo cuando volteo son los interminables rostros que se aproximan hacia nosotros. Luego, cierro la puerta, dejándolos afuera.

Estoy temblando. Hammie ya no está con nosotros. Asher tampoco. Y si no llegamos al final de esto pronto, si no reemplazamos la mente de Zero con la de Sasuke, quizás nunca más regresen.

Luego de la multitud extraña y silenciosa en Shibuya, esta calle luce tranquila y tenue, iluminada solo por algunas farolas y el resplandor dorado ocasional que emanan las casas aledañas.

Es la calle en la que viven los padres de Hideo, pero todo luce diferente por la noche, rodeados de una neblina sutil.

El aliento de Hideo se hace visible mientras contempla la casa.

–Esto fue antes de que papá plantara la pícea en el jardín frontal –dice con un tono suave–. La puerta también es de otro color.

Recuerdo eso. Cuando visité su casa, la puerta estaba pintada de un color rojo oscuro, pero en el Recuerdo que Hideo me había mostrado una vez de cuando era más joven, corriendo de regreso a su hogar, la puerta era azul. Ese es el color que tiene ahora.

Hideo vacila por un momento, como si tuviera miedo de acercarse. Esta es la pesadilla en la que está atrapado, al igual que la vez en la que Zero utilizó mi peor recuerdo en mi contra.

Roshan comienza a caminar hacia la casa.

–Emi –dice en voz baja–, tú y Hideo quédense atrás. Tengo mis escudos; será más seguro para ambos si lo hacemos así. No hay duda de que también hay centinelas aquí.

Hideo mueve la cabeza de lado a lado y da un paso hacia adelante.

–Mira, Emi –agrega, levantando una mano hacia la escena. Se despliega un menú en grilla–. Soy una pieza tan fundamental de esta escena que podré mezclarme con facilidad. Zero no me encontrará.

Nos encaminamos hacia la casa. Al acercarnos, podemos oír algunas voces desde el interior, el tono reconocible de la madre de Hideo y el murmullo grave de su padre. Hideo se acerca, abre la puerta e ingresamos.

Nos topamos con un lugar cálido y reconfortante, tan ordenado y limpio como lo recuerdo; excepto por las esculturas que el padre de Hideo haría para recordar a Sasuke. De hecho, aún hay fotografías de Sasuke en las paredes, retratos de él junto a Hideo y sus padres. Debe ser un recuerdo de cuando Sasuke todavía estaba en la casa.

–¡Hideo-*kun*!

Volteamos a la vez al oír la voz de la madre de Hideo retumbando en toda la habitación. Luce asombrosamente diferente a como lucía la vez que la vi en persona; esta vez, está radiante como el sol en lugar de impregnada de sombras, con buena postura y un penetrante brillo en sus ojos, acompañando una sonrisa alegre y enérgica. Resulta doloroso verla de esta forma, antes de la desaparición de Sasuke.

A mi lado, Hideo hace un gesto automático para dirigirse hacia ella, pero luego se contiene y se retracta. Cierra las manos en puños. Sabe que no es real.

El suelo debajo de nosotros tiembla por un momento. Roshan busca sostén contra la pared antes de intercambiar una mirada precavida con Hideo. Casi de inmediato, Hideo comienza a hacernos señas para que retrocedamos.

La madre de Hideo se detiene y frunce el ceño al notar la duda de su hijo.

–¿Qué ocurre? –pregunta, de acuerdo a la traducción. Mira hacia la cocina y hace un gesto con su mano para que se acerque–. Ven a ayudar a tu hermano.

Parpadeo. Al hacerlo, la madre de Hideo desaparece, como si nunca hubiera estado allí en primer lugar. Hideo mira a la persona que emerge de la cocina para notar que no es Sasuke, sino Zero. Su armadura negra brilla bajo la tenue luz a medida que cierne su cabeza levemente sobre nosotros. Por debajo, el suelo tiembla más fuerte.

Mira directo a Roshan, luego a Hideo, y por último a mí.

–Aquí están –dice, con una voz fría y profunda.

No debería ser capaz de vernos a través de nuestra encriptación a menos que nos toque; se supone que somos invisibles para él. Pero aquí está, o alguna representación de él, o alguno de sus agentes. Sea lo que sea, sabe que estamos aquí.

–La casa –de pronto murmura Hideo, justo cuando yo también lo comprendo. Esta vez, la trampa había sido la casa entera, y los tres nos expusimos ni bien pusimos un pie sobre ella.

Zero centra la atención en su hermano. Y luego, arremete contra nosotros.

Roshan se mueve antes de que yo pueda hacerlo. Levanta sus brazos en forma de cruz y despliega un escudo azul resplandeciente para protegerlo a él y a Hideo. Zero choca contra este, ocasionando que el escudo se divida a la mitad. Toma a Roshan por el cuello y lo arroja contra la pared.

Roshan se queda sin aliento mientras intenta levantarse. Me dirijo hacia ellos para apartar a Zero, pero Hideo me toma de la muñeca.

–Sasuke –grita con furia y aspereza en su voz–. *Detén esto.*

Zero mira a Hideo.

–Sé por qué están aquí. Sé lo que están buscando –dice mientras suelta a Roshan, quien cae al suelo y se lleva las manos al cuello.

Corro a su lado, pero Roshan me levanta la mano, advirtiéndome que me mantenga alejada. Ya se está deteniendo, sus ojos blancos y sin emoción. Su mano cae lentamente a su lado. Al verlo, el mundo a mi alrededor parpadea levemente con un recuerdo.

Es uno de Roshan esperando en un cuarto de hospital en donde Tremaine se encuentra descansando, conectado a cientos de cables. Roshan reposa su cabeza sobre las manos, con los codos hundidos en la cama. Tiene su rosario entre sus manos, con las cuales frota cada esfera turquesa inconscientemente. Sus rizos oscuros son un desastre y denotan la evidencia de sus dedos ansiosos moviéndose entre ellos.

Miro a Tremaine. Su herida es tal como la recuerdo, su cabeza envuelta en varias capas de gasa. Cerca, en la sala de estar aledaña, los otros Jinetes y Demonios están finalizando la noche y se dirigen hacia la escalera de salida.

El recuerdo es de la noche luego de haberme ido del hospital, cuando fui a ver a Hideo.

El cuarto está tranquilo, excepto por el pitido de un monitor. Cuando miro más de cerca a Roshan, noto que sostiene un papel arrugado en su puño. Es una lista de fechas garabateadas de prisa, todas fijadas a partir de este día, una tras otra; visitas de seguimiento, una cirugía adicional y terapia física. Quizás son puntos de referencia para el tratamiento de Tremaine, fechas en las que Roshan planea estar en esta sala.

Al principio, pienso que Tremaine sigue inconsciente; pero luego abre los labios agrietados levemente. Roshan levanta la vista por detrás de sus manos y lo mira a los ojos, detrás de las vendas. Los dos se miran e intercambian una sonrisa irónica. Ahora veo cuán inflamados y rojos están los ojos de Roshan, y las ojeras que los acompañan.

–Aún estás aquí –logra decir Tremaine.

–A punto de irme en cualquier momento –le contesta Roshan, aunque noto que no lo dice en serio–. Las sillas son lo más incómodo que probé en mi vida.

–Tú y tu culo sensible –a pesar de todo, Tremaine aún conserva su habilidad de poner los ojos en blanco–. Solías quejarte de mi cama en los dormitorios de los Jinetes, también.

–Sí, era una mierda. Si alguna vez hubo una razón para que abandonaras a los Jinetes, era por esa maldita cama.

Hay una pausa.

–¿Dónde está Kento? –pregunta finalmente Tremaine.

Al oír eso, Roshan se reclina hacia atrás, soltando suavemente el rosario.

–En un vuelo a Seúl con dos de sus compañeros de equipo –le contesta–. Necesita llegar a tiempo para un desfile en su honor. Desea que te mejores pronto.

Tremaine solo responde con una tos, lo que lo hace cerrar los ojos por el dolor. Luego de otro largo silencio, Roshan coloca nuevamente sus codos sobre la cama.

–Emi te dijo que te mantuvieras alejado de los archivos del instituto –le recuerda.

–No fue eso lo que me delató –explica Tremaine–. Choqué con una estúpida planta en el corredor y la maceta se cayó y se rompió. Cosas que pasan.

–Sí, bueno, uno solo puede lidiar con un agujero en la cabeza tantas veces antes de no lograrlo –añade Roshan, frunciendo el ceño y bajando la vista. No habla, pero puedo sentir la ira entre sus dientes presionados con fuerza y sus manos juntas con firmeza.

–¿En qué estás pensando? –pregunta Tremaine con voz tranquila. Roshan sacude la cabeza de lado a lado.

–Pienso que te debo una disculpa –le contesta.

–¿Por qué diablos *tú* me debes una disculpa?

–Por haberte pedido que ayudaras a Emi en primer lugar. Estaba preocupado de que fuera sola, de que tuviera que lidiar con todo por su cuenta. No debería haber plantado esa idea en tu cabeza.

Tremaine suelta un largo suspiro.

–Si no me lo hubieras dicho, lo habría hecho de todas formas. ¿Crees que un cazador se mantendría alejado de la recompensa de su vida? Vamos. No te des tanto crédito.

Los ojos de Roshan se humedecen nuevamente y los refriega con una de sus manos con rapidez.

–¿De verdad quieres saber lo que estoy pensando? Pienso en cómo todo el mundo ya se fue y yo sigo aquí, a tu lado como un idiota. Los médicos dicen que ya estás estable; me dijeron que me fuera a casa. ¿Qué estoy esperando? No lo sé.

Tremaine simplemente lo mira. No puedo descifrar qué es lo que pasa por sus ojos pálidos, pero cuando habla, no puede mirar a Roshan a los ojos.

–¿Sabes qué es lo que estoy pensando realmente? –musita–. Pienso en cómo, si fueras tú el que estuviera recostado en esta camilla en lugar de mí, toda tu familia estaría aquí. Tu hermano y su esposa duquesa con su bebé. Tu hermana. Tu madre y tu padre. Todos tus primos y sobrinos, cada uno de ellos. No quedaría espacio para nadie más. Todos habrían volado juntos en un avión privado y estarían encerrados aquí, esperando con preocupación hasta que salieras caminando por esa puerta.

Vacila por un segundo, como si tuviera miedo de seguir.

–Sé que ahora estás con Kento. Sé que es mejor que yo en todo sentido. Pero pienso que, si bien no hay nadie en mi familia dispuesto a hacer eso por mí, si bien eres la única persona aquí, no podría importarme menos; probablemente tú seas todo mi maldito mundo.

Esboza una leve sonrisa en el silencio subyacente, acompañada con una expresión claramente avergonzada.

–Sabes, esta es la parte de mi discurso en la que me gustaría ir directo hacia ti o retirarme de la habitación con un broche de oro, pero estoy atado a esta estúpida cama, por eso queda un poco raro. ¿Sabes qué? Olvida lo que dije. Solo estaba...

Roshan se extiende y toma la mano de Tremaine, presionándola con fuerza. No dice ni una palabra por un largo momento pero, de alguna forma, este silencio de satisfacción parece ser lo más indicado para oír.

–Sabes, no te superé –murmura finalmente Roshan.

–Yo tampoco –responde Tremaine. Voltea su cabeza levemente, es todo lo que puede hacer, y cierra los ojos justo en el momento en que Roshan se inclina sobre él y lo besa.

El recuerdo se desvanece, como si todo lo que acababa de ver hubiera pasado en solo un segundo. Roshan se queda sentado contra la pared con la mirada en blanco.

Zero ya sabe lo que estamos haciendo y a dónde intentamos ir. Incluso, plantó este final falso aquí, utilizando este juego en nuestra contra para cazarnos. Sabía que Hideo vendría aquí, a su vieja casa.

Giro en dirección a Zero, con los ojos llenos de furia. Él simplemente me mira por detrás de su casco opaco, estudiándome en silencio antes de regresar su atención a Hideo. Aunque para mi sorpresa, no lo toca.

En cambio, voltea hacia mí y me embiste.

Hideo corre a toda prisa en mi dirección. Llega antes que Zero, presiona los dientes y se prepara justo frente a mí, listo para atacar a su hermano. Zero se detiene antes de que Hideo pueda alcanzarlo. Nuevamente, parece apartarse de él, como si hacer contacto con Hideo pudiera tener el mismo efecto venenoso que la mente de Zero controlándonos.

–Tócala y te mataré –gruñe Hideo.

–No matarás a Sasuke –responde Zero con su voz fría.

–Tú no eres Sasuke.

El suelo a nuestros pies se agrieta una vez más. Pierdo el equilibrio y caigo sobre mis rodillas. Ante mis ojos, una línea enorme divide todo el suelo. Trato de ponerme de pie y arrojarme hacia Zero, un último intento de atraparlo.

Pero es demasiado tarde. El suelo cede y todos caemos en la oscuridad.

TREINTA Y UNO

No tengo idea de dónde estamos. La oscuridad abarca todo y lo único que puedo oír es la respiración de Hideo desde algún lugar cerca de mí. Respira con aspereza ahora y, cuando habla, suena más débil.

–¿Hideo? –susurro, y luego lo repito más fuerte–. ¿Hideo?

No responde enseguida. Por un espeluznante momento, pienso que Zero de alguna forma también lo capturó y que mi nueva teoría está completamente mal. Hideo dejará de hablar. Puede que ya se encuentre mirando sin emoción a la nada en esta oscuridad.

O, quizás, en la vida real, está muriendo. Desangrándose.

Estamos los dos atrapados en esta habitación de pánico con los guardias de Zero afuera de nuestra puerta. En cualquier momento, pueden romperla y atraparnos, sentir sus ásperas manos tomarme por los brazos y arrastrarme por los pies. Sentiría el cañón frío de una pistola real presionada sobre mi cabeza.

De pronto, Hideo susurra algo.

–Emika

–Estoy aquí –le contesto de inmediato.

Deja salir un suspiro de alivio.

–Lo siento –murmura–. Debería haber sabido que nos tendería una trampa en un lugar al que sabía que yo los llevaría.

Gradualmente, la abrumadora oscuridad a nuestro alrededor comienza a disminuir. Al principio, solo puedo ver el suelo justo bajo mis pies. Luce como pavimento agrietado. Luego, figuras borrosas a nuestro alrededor pasan de formas simples a árboles esqueléticos, de paredes oscuras a edificios agobiantes. Mis ojos deambulan hacia lo alto a medida que el mundo comienza a aparecer ante mis ojos.

Luce como una ciudad a medio terminar.

Los rascacielos con sus interiores vacíos, desprovistos de luz. Las calles con el pavimento destruido. Las calles son una versión fantasma de Tokio, sin la multitud que había visto en la ilusión anterior de Shibuya. Algunos carteles de neón cuelgan desde las fachadas de las tiendas y centros comerciales. Los edificios tienen ventanas, pero a través del vidrio, solo veo habitaciones vacías con paredes arruinadas. Las pinturas sobre la pared están sin terminar. Al mirarlas más de cerca, puedo ver que representan escenarios de la vida pasada de Zero. Hay un cuadro que parece parte de su antigua casa, excepto que luce como un mero boceto con algunos manchones de pintura por encima. Hay un retrato de familia, pero ningún rostro dibujado.

Es el mismo centro de la mente de Zero, una versión vacía de los recuerdos de Sasuke, un millón de fragmentos con sus corazones destrozados.

Zero se materializa frente a nosotros, su figura oscura casi invisible contra el fondo negro mantiene el rostro escondido e impenetrable. Junto a él, lo acompañan docenas, cientos de los centinelas de seguridad, todos parados en las puertas de los edificios, azoteas y esquinas, mirándonos en silencio.

–Están perdiendo el tiempo –dice Zero con un suspiro. Su voz resuena en todo el lugar.

–Si estás tan seguro de eso, entonces ¿por qué quieres detenernos? –le pregunto.

Inclina la cabeza levemente hacia un lado con un gesto burlón, y me ignora, centrando su atención en Hideo.

–¿No es irónico ver tu creación en las manos de otro? ¿De verdad pensaste que siempre estaría bajo tu control?

Prácticamente puedo ver sus palabras golpear a Hideo directo en el pecho. Hace una mueca de dolor, con los ojos fijos sobre la figura con armadura que lleva la voz de su hermano.

–Sasuke, por favor –le dice.

Zero da un paso hacia nosotros. Todo el lugar tiembla con cada movimiento suyo.

–Estás buscando a alguien que ya no existe.

Hideo continúa mirándolo, lo busca desesperadamente.

–Puede que no seas quien fuiste alguna vez, pero aun así te crearon en el cuerpo de mi hermano. Sabes mi nombre y sabes quién te hizo esto. Debo creer que una parte de ti aún recuerda todo –su voz se torna más áspera–. El parque en el que solíamos jugar. Los juegos que solíamos inventar. ¿Recuerdas la bufanda azul que te regalé? ¿La que solía acomodar alrededor de tu cuello?

Zero se pone más rígido, pero cuando vuelve a hablar, su voz no cambia.

–¿Es un desafío?

Al decir eso, el mundo tiembla nuevamente; y luego gemas de color escarlata y zafiro aparecen a nuestro alrededor, flotan en medio del aire como esferas de poder, el paisaje reflejado en su superficie. Los centinelas se tensan, volteando hacia nosotros, listos para atacar.

Una sensación de escalofríos se apodera de mí. Otra obra de Sasuke; no hay razón para que Zero se moleste en jugar este juego con nosotros. Pero su control parece estar debilitándose a medida que los centinelas de Zero continúan aumentando.

Un sonido ensordecedor nos rodea. Miro hacia Hideo, quien se encuentra agachado con las manos presionadas en puños. Debajo de sus pies, el suelo se transforma en un ser vivo, un bloque de concreto en movimiento que se abre y se cierra como mandíbulas, emanando, con cada movimiento, un haz de luz roja desde su interior.

No es real, me recuerdo a mí misma, de la misma forma en que lo hago siempre que ingreso a un mundo de Warcross; pero esta vez, no es del todo cierto. No estamos en un lugar virtual aleatorio. Estamos dentro de la mente más poderosa del mundo.

Hay un segundo insoportable de silencio.

Luego, todos los centinelas corren hacia nosotros a una velocidad imposible.

Cada instinto en mi interior se activa. Tomo mi última barra de dinamita y la arrojo frente a nosotros. Explota, arrojando a nuestros atacantes hacia atrás. Pero por detrás, vienen cientos más de ellos. *Miles*. Corren hacia nosotros.

No tenemos oportunidad. Aun así, hago un nudo rápido en la cuerda de mi lanza cable y se la arrojo a Hideo; la sujeta casi sin mirarme. La arroja por el aire y se engancha sobre un foco de luz, hacia donde se eleva justo a tiempo, antes de que los centinelas estén sobre él.

Me marcho en la dirección opuesta. A medida que el primer centinela se acerca y arremete contra mí, esquivo su ataque y me dirijo al edificio más cercano. Una vez allí, coloco mi pie sobre el alféizar de la ventana y comienzo a trepar hasta llegar al segundo piso. Allí, logro ubicarme sobre la marquesina.

Zero está allí, esperándome. Golpea su puño contra una de las dos vigas que sostienen la marquesina. Esta explota en mil pedazos. Pierdo el equilibrio y caigo al suelo, donde Zero me sujeta por el cuello.

Hideo llega antes de que pueda notarlo. Se lanza contra Zero, arrojándole algunos puñetazos con sus manos, pero él los esquiva con facilidad. Lanza una de las gemas escarlata contra Hideo; un haz de luz sale despedido desde su mano. Empuja a Hideo hacia atrás y cae de espaldas contra una pared.

Hideo se levanta, pateando los hombros de su hermano. Esto obliga a Zero a soltar su cuello, y Hideo logra ponerse de pie y arremeter contra su hermano. La ira en su mirada es similar a la que tenía durante las sesiones de boxeo, y en el momento en que vio a Taylor a los ojos por primera vez.

Me acerco a la primera esfera de poder que puedo encontrar. Es una bola de neón amarilla.

¡Hideo! –grito. Me mira por un breve momento y luego la activo.

Una luz enceguecedora se traga por completo el lugar. Incluso con los ojos cerrados y mis manos cubriéndome el rostro, siento la necesidad de seguir cerrando aún más los ojos para cubrirme del destello. Baña todo a nuestro alrededor de un blanco puro.

Zero se detiene por un momento. No puede quedar enceguecido por algo como esto, no lo creo, sino que debe estar reaccionando a la abrumadora eliminación de datos; como si todo en su visión se hubiera tornado blanco por un momento.

Luego la luz se desvanece con la misma velocidad con la que apareció. Hideo no pierde el tiempo. Ya se encuentra arremetiendo contra Zero. Él levanta un brazo y captura a su hermano, pero Hideo toma ventaja del movimiento y, en lugar de usar el peso de Zero en su contra, se arrodilla y lo lanza por el aire.

Zero se pone de pie al cabo de un segundo, girando sobre su espalda con un movimiento muy ágil. Embiste a Hideo, lo sujeta del cuello y lo presiona contra la pared.

–Eres un tonto por haberlo intentado –le dice Zero, su voz profunda retumba a nuestro alrededor y en mi mente. Suena entusiasmado, pero por debajo de todo esto hay cierto rastro de furia; no, de algo más, algo que suena a desesperación–. ¿Por qué no vuelves a casa? Tienes todo el dinero del mundo ahora, ¿verdad? Deja en paz todo esto y ocúpate de tus padres.

Hideo lucha contra la mano metálica alrededor de su cuello sin decir nada. Simplemente mira fijo el casco negro opaco.

Apunto uno de mis cuchillos hacia él y lo arrojo tan fuerte como puedo.

El cuchillo golpea el casco y lo hace estallar en mil pedazos.

Pero Zero solo se desvanece y reaparece a unos metros de nosotros. Luce completamente tranquilo.

–Sería más fácil para ti, sabes –dice–. No quieres herir a tus padres, ¿cierto? ¿A tu pobre madre, lenta y descuidada? ¿A tu padre, enfermo y débil? No quieres causarles ningún daño, ¿no es verdad?

Y comprendo que esas no son las palabras de Zero en absoluto. Son las de Taylor, y las puedo reconocer solo por las preguntas burlonas. Son el tipo de cosas que le debió haber dicho a Sasuke alguna vez, amenazar a su familia para evitar que se escapara.

Hideo mira fijo a Zero con los dientes presionados con fuerza.

–No lastimarás a nadie –dice, furioso–. Porque no eres real.

De alguna forma, Hideo no se queda en blanco al igual que el resto; aún está aquí, alerta y consciente. Desploma a Zero contra el suelo, donde lo golpea en el rostro.

Zero se desvanece y reaparece otra vez. Me acerco a él, solo para comprender que puede desaparecer una y otra vez. ¿Cómo se supone que atraviese su armadura e instale toda la información de Sasuke en él? Es imposible. Miro desesperada a Hideo a medida que varios de los centinelas de Zero lo alcanzan. Un grito se asoma por mi garganta.

Para mi sorpresa, lo rodean. No lo tocan en absoluto. Es como si dejaran a Hideo para que Zero se encargue de él.

Pero en mi confusión, dejo que uno de los centinelas se acerque demasiado a mí. No reacciono con mucha rapidez. Extiende su mano y me toma por la muñeca.

Suspiro. Su mano se siente tan fría que parece estar hecha de hielo. Por detrás, oigo el grito de Hideo.

–*¡Emika!*

Volteo, con los dientes presionados con fuerza y pateando su casco negro. Mis botas atraviesan el vidrio. De inmediato, se evapora.

Me presiono la muñeca con fuerza. El frío de su agarre subyace, expandiéndose dentro de mí hasta llegar a mi mente, tornando mi visión más borrosa en los bordes. Sacudo la cabeza. El mundo a mi alrededor cambia nuevamente a medida que corro.

Parpadeo. ¿Dónde estoy? La ciudad lucía como una versión vacía de Tokio, pero de pronto me encuentro en un entramado de calles que me recuerdan a Nueva York. Paso por Times Square ahora, pero no es ese lugar en absoluto; ninguna de las luces se encuentran encendidas, y no hay transeúntes en las calles. Justo a mi lado hay una parte de Central Park.

No tiene sentido, pienso para mí misma, mientras corro hacia Zero. Sasuke probablemente nunca ha estado en Nueva York antes. La disposición de la ciudad no tiene sentido, ya que Central Park no se encuentra para nada cerca de Times Square.

Este es *mi* hogar; *mis* recuerdos.

Comprendo, tambaleándome, que los centinelas de seguridad de Zero se infiltraron en mi mente, de la misma forma en la que lo hicieron con mis compañeros de equipo; ese agarre frío sobre mi muñeca fue él accediendo a mi mente.

Miro a mi alrededor en busca de Hideo, lista para llamarlo, pero ahora todo se transforma en la ciudad de Nueva York. En el Central Park, veo una figura caminando. *Hideo. Zero.* Comienzo a correr tras ella.

Al acercarme, me detengo enseguida. La figura no es Hideo ni Zero. Es mi padre.

–Papá –susurro. Está aquí y estoy en casa.

Comienzo a correr hacia él. Es él, todo así lo indica; su traje hecho a medida y su cabello peinado de forma elegante luego de una tarde de concierto en el Carnegie Hall. Está caminando con una pequeña niña en un vestido de tul mientras le canta una parte del concierto. Incluso desde aquí, puedo oír las notas que tararea, fuera de tono pero llenas de vida, acompañadas por el canto de una pequeña niña. Casi puedo sentir el aroma de la bolsa de maní confitado que ella lleva en la mano, sentir la brisa que los envuelve.

¿Dónde estaba antes? La ilusión de alguna ciudad sin terminar. ¿Y esto? Obviamente esto es real y está ocurriendo ahora.

Hay una alerta dentro de mí que se apaga, tratando de decirme que esto no está del todo bien. Pero la ignoro a medida que me acerco a papá. Es otoño, razón por la cual las hojas están cayendo, y mi papá aún sigue con vida, camina de la mano conmigo por el parque. El sonido de su risa alegre es tan familiar que siento un intenso estallido de felicidad recorrer todo mi cuerpo. Mis pasos se aceleran.

Pero nunca parece estar cerca de mí, no importa qué tan rápido camine. Comienzo a correr, pero siento como si estuviera arrastrando los pies en melaza. La leve advertencia en mi cabeza continúa sonando incansablemente. *Esto ocurrió hace mucho tiempo*, comienzo a comprender gradualmente; el paseo por el parque, el sonido de la risa de papá, el aroma al maní confitado.

No es ahora.

Demasiado tarde, recuerdo lo que les ocurrió a los demás, los recuerdos que los habían rodeado en el instante en que los tocó uno de los centinelas de seguridad de Zero y acabaron con sus mentes infiltradas. No es real, y acabo de caer en la misma trampa. Comienzo a respirar con mayor dificultad, a sentirme ahogada, con problemas para desviar mis pensamientos hacia algo más. En algún lugar en la distancia oigo la voz de Hideo, llamándome.

Haber venido hasta aquí solo para perecer aquí, cuando estábamos tan cerca. Haber dejado este rompecabezas sin terminar, con la puerta cerrada. Mi mente se agita entre otras opciones, pero una neblina comienza a inundarla, y puedo verme a mí deteniéndome, seguida de una extraña sensación de… insensibilidad.

¿Era esto lo que Sasuke sintió el último día de su experimento? ¿Cuando renunció a su alma y mente? ¿Cuando sintió cómo todo rastro humano en su interior estalló en mil pedazos solo para convertirse en datos?

Desde algún lugar delante de mí, una figura se acerca. Es Zero, oculto detrás de su armadura, quien se detiene a menos de un metro de mí. Me estudia por un momento.

Lo hiciste mucho más difícil para ti, me dice.

Mucho. Más. Difícil. Mi mente se esfuerza por procesar cada palabra. Ahora soy parte del algoritmo, parte de la mente de Zero y del NeuroLink.

Parte de la mente de Zero.

Espera. Una chispa ilumina la neblina que me recubre. Pienso en lo que le ha estado ocasionando a todo el mundo y en lo que les ha hecho a Asher, Hammie y Roshan; se había fusionado con el algoritmo, con el NeuroLink, y eso significa que sus mentes se convirtieron en parte de esa información. Cuando apaga la mente de otra persona, es porque *su* mente se infiltró y tomó el control.

Pero la información en el NeuroLink, de acuerdo a lo que Hideo me había dicho una vez, puede ir en dos direcciones.

Durante nuestra pelea, Zero evitó tocar a Hideo a propósito. Casi como si le tuviera miedo. Tal vez no quiere ver lo que hay allí; ecos de su juventud, de su relación y sus recuerdos felices, o de sus padres y de lo que ocurrió con ellos desde su desaparición. Tiene miedo de absorber todo eso, de la misma forma en la que alguien tiene miedo de descargar algún archivo por miedo a que sea un virus.

El rompecabezas encaja a la perfección. Zero no sabe que tengo las viejas iteraciones de Sasuke en mi cuenta. Si su mente invade la mía, entonces también absorberá todos esos archivos entre sus datos.

No tengo mucho tiempo; me estoy desvaneciendo a toda prisa, como si me estuviera quedando dormida. Tengo la leve sensación de que, en la vida real, me he desplomado sobre el suelo de la habitación de pánico, de la misma forma en la que lo estoy haciendo ahora frente a Zero en el mundo virtual. El suelo se siente frío y metálico. Con mis últimas fuerzas, tomo los archivos de Sasuke que tenía guardados.

Aparecen frente a mí, esta vez no con la forma de un cubo de datos, sino como una bufanda azul.

Zero se pone tenso. Puede verlo todo en mi mente, lo que significa que también puede ver la bufanda. Me las arreglo para esbozar una pequeña sonrisa. Demasiado tarde, ya sabe lo que he descargado en él.

Tomo la bufanda entre mis manos. Levanto los brazos lentamente ante él, como si estuviera bailando en aguas profundas y, tal como en un sueño, la extiendo hacia Zero. Coloco la bufanda alrededor de su cuello. Y, a medida que lo último que queda de mí se desvanece, puedo sentir los datos de Sasuke mezclándose con la mente de Zero, haciéndose parte de esta.

Su rostro oculto es lo último que veo. Si bien no tiene ninguna expresión, puedo sentir su ira a través del Link.

Ladrona.

No, contesto con mi último pensamiento. *Soy una cazadora de recompensas.*

TREINTA Y DOS

Zero se queda congelado, como si no fuera más que un cascarón metálico vacío. Un suspiro extraño sale de él y comprendo, por primera vez, que nunca lo había oído respirar así. En ese suspiro, no oigo la voz profunda, furiosa y sin alma que solía oír de Zero.

Oigo a un niño.

–*¿Ni-chan?*

¿Hermano? La traducción aparece en mi visión. Luego, Hideo se encuentra junto a mí, de rodillas mientras me esfuerzo por girar mi cabeza para poder mirarlo. Tiene los ojos fijos sobre Zero.

Él también suspira. Un indicio de reconocimiento destella en sus ojos.

–¿Sasuke? –pregunta.

–No te ves como Hideo.

La voz que suena es la de un niño pequeño, con los ojos fijos sobre la figura de Hideo agachado sobre el robot sin vida. ¿Cuándo apareció? Zero no está en ningún lado. Una bufanda azul está envuelta alrededor del cuello del niño y, al dar varios pasos hacia adelante, veo un huevo de plástico colorido en su pequeña mano.

Es una versión pequeña de Sasuke, una primera iteración suya, de su *verdadero* él.

Un escalofrío recorre a Hideo al verlo. No quita los ojos de Sasuke a medida que su hermano se acerca con indecisión hacia él, con una expresión de sospecha hacia el joven que está parado por delante.

–Sasuke –repite Hideo, con cierto temblor en su voz–. Soy yo.

De todas formas, Sasuke baja la cabeza, aún con dudas. No parece comprender que es producto de los datos, el fantasma de un recuerdo, y tampoco Hideo parece notarlo. En este momento, él está aquí.

–No luces como él –repite Sasuke, aunque continúa acercándose–. Mi hermano es solo un poco más alto que yo y usa una chaqueta blanca.

Recuerdo lo que Hideo llevaba puesto el día de la desaparición y era, de hecho, esa chaqueta blanca que menciona.

Ahora, Hideo frota una mano sobre sus ojos, soltando una risa vacía. Tiene las mejillas húmedas.

–¿Recuerdas lo que llevaba puesto?

–Claro. Recuerdo todo.

–Sí –otra risa temblorosa emana de Hideo, llena de angustia–. Claro que sí.

–Si eres mi hermano, ¿por qué eres tan alto?

Hideo sonríe a medida que el niño se detiene frente a él.

–Porque he estado buscándote por mucho tiempo y, en algún momento, crecí.

Sasuke parpadea, como si esto disparara una especie de recuerdo en él. Luego cambia nuevamente y, de pronto, ya no es el niño pequeño que desapareció en el parque, sino un adolescente más alto y delgado, quizás de once o doce años, el mismo que había visto en las grabaciones. Aún lleva la bufanda, pero la grasa de bebé en sus mejillas desapareció. Busca la mirada de Hideo mientras está parado allí, tratando de comprender todo.

–Creí que te habías olvidado de mí –dice. Su voz está en una etapa intermedia entre aguda y grave, temblorosa y rasposa–. Te esperé, pero nunca viniste a buscarme.

–Lo siento, Sasuke-*kun* –susurra Hideo, como si las palabras lo hubieran atravesado como un cuchillo.

–Intenté salir a buscarte, pero me encerraron. Y ahora no sé dónde estoy –frunce el ceño–. No recuerdo nada, Hideo. Es demasiado difícil.

Siento que mi corazón colapsa al verlo. Es una mente en

funcionamiento, congelada para siempre en datos, pero no puede recordar las cosas como una persona real, ni siquiera puede pensar exactamente como una. Es un fantasma, atrapado para siempre en un bucle, condenado a existir en un estado de limbo permanente.

–Te buscamos por todos lados –le comenta Hideo. Está llorando y no se preocupa por secarse las lágrimas–. Desearía... desearía que lo hubieras sabido.

Sasuke inclina la cabeza hacia Hideo de una forma que he llegado a conocer muy bien. Es un gesto que ha perdurado, incluso cuando el resto de su humanidad fue desterrada. Extiende un brazo para pasar sus dedos sobre las cejas de su hermano.

–Tienes los mismos ojos –dice–. Aún estás preocupado.

Hideo baja la cabeza y deja salir una risa entre las lágrimas. Luego, él también extiende un brazo, toma a su pequeño hermano entre sus brazos y lo envuelve en un cálido abrazo.

–Lamento mucho haberte perdido –susurra–. Lamento mucho todo lo que te hicieron –sus palabras se interrumpen una y otra vez entre llantos–. Lamento no haber podido salvarte.

Sasuke abraza a su hermano por el cuello con más fuerza. No dice nada. Tal vez, no puede, dado que es un conjunto de datos. Ya alcanzó los límites de lo que puede hacer.

El tiempo parece detenerse. Finalmente, cuando Sasuke se aleja, vuelve a transformarse, esta vez en una versión adolescente más alta y delgada. Tiene ojeras debajo de sus ojos y ya no lleva la bufanda.

Pero reconoce a su hermano.

–*Ni-san* –dice, parándose y mirando a la figura inclinada delante de él. Hideo levanta la vista–. Creaste el NeuroLink por mí.

–Todo lo que hice fue por ti –le contesta Hideo.

Si no hubiera sido por la desaparición de Sasuke, el NeuroLink puede que nunca habría existido. Y si no fuera por el NeuroLink, Sasuke no estaría parado aquí como un fantasma en la máquina. Es un bucle extraño.

El joven Sasuke vuelve a desaparecer y, finalmente, en su lugar, reaparece la única versión que yo conocí: Zero, recubierto por su armadura negra de pies a cabeza, en silencio y frío. Se encuentra parado junto al robot destruido y sin vida con el que Hideo había estado luchando.

Verlo me hace estremecer. Puede que hayamos sido capaces de reunirlo con Sasuke, pero sus decisiones están fuera de mi control y son enteramente suyas. No tengo idea de qué es lo que hará en este punto. ¿Sasuke continuará lo que Zero ha estado persiguiendo sin descanso? ¿La inmortalidad y el control total? Quizás sí, lo cual haría que todo esto haya sido en vano.

–¿Qué harás? –le pregunta Hideo con voz tranquila.

Zero no responde enseguida. Está dudando y, en esa duda, puedo ver las diferentes versiones de su vida pasada mezclarse dentro de él, llenando cada parte del vacío que ha tenido por tanto tiempo. Ya no parece saber qué es lo que quiere.

–Si no tengo forma física –dice finalmente–, ¿sigo siendo real?

Al mirarlo, algo extraño ocurre. Mi padre aparece ante mí, con su traje negro familiar y sus zapatos pulidos, acompañando su manga de tatuajes coloridos. Su cabello brilla bajo la luz.

No es él, claro. Es el NeuroLink que, de alguna manera, crea la alucinación delante de mí, usando partes de los recuerdos que tengo para formar una versión de él.

Me mira, deteniéndose justo delante de mí, con una sonrisa extravagante que recuerdo muy bien. Es como si realmente estuviera aquí, como si nunca hubiera muerto.

–Hola, Emi –me dice.

Hola, papá. Mi visión se nubla por las lágrimas, lágrimas *reales*, de esas que puedo sentir deslizarse sobre mi rostro.

Su sonrisa se suaviza.

–Estoy muy orgulloso de ti.

No son palabras reales. Son palabras simuladas por un sistema que agrupa lo que sabe de mi padre para crear a su fantasma. Pero no me importa. No me preocupo por eso. En lo único que me puedo concentrar es en la figura que se encuentra parada delante de mí, como si nunca se hubiera ido a ningún lado, con sus manos dentro de sus bolsillos de una manera muy casual. Quizás, si me marcho de aquí, vendrá conmigo y será como si siempre hubiera estado aquí.

–Prometo que te extrañaré por siempre –le susurro.

–Prometo que te extrañaré por siempre –repite. Quizás es lo único que el sistema puede hacer.

Se mantiene alejado de mí, y yo, alejada de él. Y antes de

poder decir algo más, antes de poder preguntarle si se quedará, desaparece. Así, en un abrir y cerrar de ojos.

Si me hubieran preguntado antes si la realidad virtual podría cruzarse con la realidad, habría dicho que no. Es obvio para mí lo que es real y lo que no lo es, lo que debería ser y lo que no.

Pero hay un punto en el que esta línea comienza a ser más borrosa y es justo en donde me encuentro ahora, esforzándome para ver matices más grises. Quizás es aquí en donde Taylor también perdió su rumbo, en donde intentó buscar algo noble y terminó en la oscuridad.

Real. Mi padre era real, al igual que Sasuke ahora, aunque no tenga forma física. Es real por la forma en la que Hideo lo mira, porque lo amaron y lloraron por él, porque amó y lloró por otros.

–Una vez me preguntaste qué desearía, si pudiera hacerlo –le dice finalmente Zero a su hermano–. ¿Lo recuerdas?

–Desearía que estés de regreso –le responde Hideo, asintiendo. Se detiene y mira en mi dirección antes de regresar la vista a Hideo.

–No, no es así –contesta–. El mundo ya se ha transformado por el pasado. Ya ha cambiado. Pero asegúrate de que sea para mejor.

–¿Te volveré a ver? –le pregunta Hideo. En su voz, lo noto perdido; noto al niño que creció con un mechón de cabello plateado por la culpa y el dolor.

Y es en ese momento en el que entiendo que, al final, todos queremos lo mismo.

Más tiempo.

Sasuke se transforma una vez más. El casco negro opaco se desvanece, capa por capa, para revelar un rostro, el mismo que vi la primera vez que me uní a los Blackcoats. Es como mirar a Hideo a través de un espejo, una visión de lo que Sasuke habría sido. Se queda mirando a su hermano por un largo tiempo.

Aguanto la respiración, preguntándome qué hará ahora.

Levanta la mano una vez. A nuestro alrededor, el mundo comienza a colapsar, los edificios, el suelo y el parque se tornan dígitos y datos. Un código que está siendo eliminado.

Exhalo. De pronto, siento que recobro el control de mi cuerpo, el entumecimiento frío que había invadido mi mente desaparece.

Sasuke ha elegido desmantelar lo que Zero estaba creando.

Luego, finalmente, desaparece de la vista. Hideo hace un movimiento hacia adelante, como si de alguna manera pudiera hacer que su hermano se quede aquí, pero Sasuke no reaparece. El mundo virtual a nuestro alrededor, el cielo oscuro y la ciudad en ruinas sin terminar también se desvanecen, y al cabo de unos segundos, estamos de regreso en la habitación de pánico, solos.

Cada centímetro de mi cuerpo se siente dolorido y despierto, y me pregunto si todo el resto del mundo lentamente se está despertando también, si Hammie, Asher y Roshan están frotándose la cabeza mientras se quejan del dolor. Quizás ni siquiera recuerden todo lo que ocurrió. Todo esto se siente más como una pesadilla que como la realidad.

Respiro hondo. Mis brazos y piernas me pertenecen una vez más y un hormigueo recorre todo mi cuerpo, como si hubiera estado durmiendo por mucho tiempo. El mundo virtual desapareció por completo, y ahora estoy desorientada, nuevamente en el mundo real. Cerca de mí, Hideo está quieto sobre una pared, con el rostro pálido y lleno de lágrimas.

Me arrastro hacia él y poso una mano sobre su rostro.

–Oye –susurro.

Voltea débilmente hacia mí. Con toda la energía que gastó y con todo lo que debemos enfrentar ahora, parece estar sucumbiendo ante un enorme peso. Sus ojos pasan de un estado de inconsciencia a otro.

–Estás aquí –logra decir y luego cierra los ojos, en un alivio de cansancio.

–*Hideo* –le digo mientras trato de sostener su cabeza a medida que disminuye su respiración.

Un golpe del otro lado de la puerta me hace girar la cabeza en esa dirección. Entre lágrimas, veo la puerta abrirse de repente, inundando el lugar con una luz artificial. Mi mano se coloca de inmediato frente a mis ojos para escudarlos. La electricidad en el edificio fue restaurada.

Un grupo de figuras vestidas de negro ingresan al lugar. Al principio, parecen ser los guardias de Zero, quizás bajo algún tipo de control, pero luego veo algunas placas de identificación sobre sus mangas. No son los guardias de Zero, sino la policía, liberados del control del algoritmo. Debe haber una docena de ellos. Sus gritos son ensordecedores. No puedo ni siquiera contar cuántas armas tienen levantadas hacia nosotros, recubriéndonos con un manto de puntos rojos.

–¡Está herido! –me oigo gritar, con voz áspera y lágrimas en el rostro–. Tengan cuidado; *¡está herido!*

La policía rodea su cuerpo débil y, en un abrir y cerrar de ojos, los paramédicos ingresan al recinto para tomarle el pulso a Hideo. Los oficiales me ponen de rodillas y me esposan las manos detrás de la espalda. No opongo resistencia. Lo único que puedo hacer es mirar cómo recuestan y levantan el cuerpo de Hideo, y desaparece tras la luz enceguecedora de afuera de la habitación de pánico. Mis brazos y piernas se sienten adormecidos cuando me ponen de pie y me sacan de la habitación hacia el corredor. Logro ver a una muchacha con el cabello plateado entre la masa de uniformes, sus ojos grises voltean en mi dirección. Pero Jax ya no está más aquí, y no estoy segura de si es una alucinación o no. Mis ojos deambulan por la escena.

La policía está en todas partes, con sus ojos vibrantes y vivos, con movimientos y pensamientos propios. *Mis* pensamientos son míos. Y, si bien todo el mundo me está hablando, gritando sus preguntas justo en mi cara, lo único que puedo oír es lo que ocurre en mi mente.

Lo logramos.

Me aferro a eso y me dejo llevar por el corredor fuera del edificio. El pensamiento es suficiente por ahora; principalmente, porque es mío.

CIUDAD DE CHIYODA

Tokio, Japón

TREINTA Y TRES

Huellas digitales.

Interrogatorios.

Más cámaras de las que vi en toda mi vida.

Paso las siguientes semanas con un millón de actividades, deambulando a través de ellas como si estuviera viviendo en otra realidad. Las noticias –que Hideo había estado usando el NeuroLink para controlar la mente y la voluntad de las personas, alterar sus opiniones y prevenir que hicieran lo que querían– han impactado en el mundo como una tormenta. Los noticieros muestran imágenes de Hideo esposado, aún debilitado por su herida, mientras se lo llevaba la policía.

Las portadas de la prensa sensacionalista muestran el rostro estoico de Hideo entrando y saliendo de los tribunales. Miles de sitios muestran imágenes de la red de mentes que el algoritmo generaba y controlaba, de la información que Henka Games había estado almacenando y la forma en la que habían estado estudiando las mentes de los criminales e inocentes.

Kenn también es arrestado, junto con Mari Nakamura. El NeuroLink se apaga cuando las autoridades comienzan a investigar cada rincón de las instalaciones de Henka Games. Los medios han intentado contactarme todos los días, tratando de obtener más información para seguir juntando las piezas de este complejo rompecabezas. Pero no hablo con ninguno de ellos. Solo le doy mi testimonio a la policía.

Se siente extraño estar en un mundo en el que el NeuroLink ya no es accesible; lo que significa que ya no hay más imágenes superpuestas, íconos coloridos o rostros virtuales ni símbolos flotando sobre los edificios, ni líneas doradas sobre el suelo para guiarte. Todo luce más crudo y gris; incluso, más tangible.

Y aun así…

A pesar de haber visto y sabido todo lo que estaba mal con el NeuroLink, lo echo de menos. Hideo había creado algo que cambió nuestras vidas, a menudo, para mejor. Era una creación que probablemente me salvó la vida. Y aun así, aquí estoy.

Quizás debería sentirme como una heroína. Pero no lo hago. Siempre es más fácil destruir que crear.

}{

El verano llegó con todas sus fuerzas el día en el que finalmente me encuentro ante la Corte Suprema de Justicia de Japón.

Es una estructura imponente formada por bloques rectangulares de concreto, la cual durante las últimas semanas tuvo los jardines de la entrada repletos de personas, todas entusiasmadas por ver a alguien conocido. El ambiente está impregnado de una humedad pesada. Al bajar del auto, las cámaras de los espectadores se vuelven locas. Simplemente, mantengo la calma, con lentes de sol sobre mi rostro.

Hay una sola razón por la que estoy aquí hoy. Es para oír el testimonio de Jax.

Dentro, el espacio es enorme y tranquilo, lo único que lo llena es el zumbido grave de las voces. Me siento en silencio al frente de la cámara principal. Es extraño encontrarme en un lugar tan ordenado luego de todo lo que ocurrió. Delante de mí, se encuentran los quince jueces de la Corte Suprema, sentados con expresiones austeras al frente de la cámara. Están también los miembros de la audiencia, una mezcla inusual de embajadores y representantes de casi todos los gobiernos del mudo. Luego, estoy yo. Algunos pocos miembros de Henka Games. La más importante es Divya Kapoor, la nueva presidenta de la compañía. El directorio no perdió tiempo para asignar una nueva líder.

Me encuentro junto a Tremaine. Aún está en recuperación y tiene la cabeza envuelta en una gaza, pero sus ojos son tan penetrantes como siempre al asentirme con la cabeza. No decimos nada. No hay nada que no sepamos.

Sigo mirando y me topo con una muchacha de cabello corto y blanco que llevan esposada al frente de la cámara. Tiene los labios rosados, en lugar de su color oscuro habitual y, sin el arma en su cintura para juguetear, solo le queda presionar su mano repetidamente una sobre otra. No mira en nuestra dirección. En cambio, su mirada varía hacia donde se encuentra Hideo con sus abogados, casi al frente del recinto.

Yo también lo miro. Puede que esté esposado, pero así y todo, su traje luce impecable; si no estuviéramos en la Corte Suprema a punto de oír su sentencia, creería que estamos en su oficina o proponiendo un brindis a todo el mundo, con sus secretos enterrados en lo profundo de sus ojos.

Pero hoy, permanece en silencio. Jax está a punto de declarar en su contra y revelar todo lo que los Blackcoats sabían sobre el algoritmo que los hizo perseguirlo.

Pensar en ello me hace apartar los ojos de él. Luché toda mi vida para arreglar las cosas, pero ahora que estamos finalmente aquí, ahora que la justicia se encargará de todo, de pronto siento que no he arreglado nada. Nada de esto se siente bien. Taylor, quien había causado todo esto, ya está muerta. Jax, que nunca supo tener otra vida, irá a prisión por los asesinatos para los que fue entrenada desde niña. Zero, el último remanente de Sasuke Tanaka, el niño secuestrado, se desvaneció. He derribado al NeuroLink, el epicentro de la modernidad, el pilar de toda mi juventud.

Y Hideo, el niño que se convirtió en el hombre más poderoso del mundo por querer recuperar a su hermano, quien causó todos los males por las razones correctas, está sentado aquí, listo para enfrentar su destino.

El testimonio comienza. Jax habla con un tono de voz controlado a medida que las preguntas comienzan, una tras otra.

¿Dana Taylor era tu madre adoptiva? ¿Cuántos años tenías cuando te adoptó?

¿Cuál era tu relación con Sasuke Tanaka?

¿Qué tan seguido hablaba de Hideo Tanaka?

Incluso ahora, permanece tranquila. Supongo que luego de todo lo que tuvo que atravesar, un juicio es lo menos emocionante para ella.

Finalmente, una de las juezas le pregunta sobre Hideo.

¿Qué planeaba hacer Hideo con el NeuroLink?

Jax lo mira directamente. Él la mira a ella. Es como si entre ambos estuviera el fantasma de Sasuke flotando en el aire, el mismo niño que había afectado por completo sus vidas. Las palabras que alguna vez Jax gritó desesperada durante nuestro escape en el instituto regresan a mí con claridad. No puedo descifrar qué emociones la afectan ahora mismo, en este contexto, si es odio, ira o arrepentimiento.

–El algoritmo de Hideo nunca tuvo como objetivo controlar a toda la población –dice Jax. Su voz se oye en todo el lugar desde el frente de la cámara.

Un murmullo comienza a desparramarse entre la multitud. Parpadeo, asombrada, e intercambio miradas con Tremaine para asegurarme de haber oído con claridad. Pero él luce tan desconcertado como yo.

–Los Blackcoats eran quienes querían abusar del Neuro-Link –continúa Jax–, para volverlo una máquina capaz de lastimar a las personas, de volverlos en su propia contra o contra los demás. Ese siempre fue el objetivo de los Blackcoats y Taylor se dedicó a asegurarse de que lo lográramos. Ustedes saben lo que ella nos hizo a mí y a Sasuke Tanaka –vacila por un segundo y se aclara la garganta–. Hideo Tanaka utilizaba el algoritmo para buscar a su hermano perdido.

La oigo, confundida, incapaz de procesar lo que está diciendo. Jax no está aquí para asegurarse de que Hideo sea castigado por haber fallado en proteger a su hermano. Ella está aquí para proteger a Hideo con su testimonio en contra de los Blackcoats.

–¿Y esa siempre fue su intención? –preguntan los jueces.

–Sí, su Señoría.

–¿Nunca, en ningún momento, utilizó el algoritmo en contra de la población general con el objetivo de hacerles daño?

–No, su Señoría.

–Entonces, ¿en qué momento, específicamente, el algoritmo se convirtió en un arma maliciosa?

–Cuando los Blackcoats se lo robaron a Hideo y le instalaron sus propias modificaciones al sistema.

–¿Y puede mencionar los nombres de los miembros de los Blackcoats que eran directamente responsables de este plan? –pregunta uno de los jueces.

Jax asiente. Y, mientras Tremaine y yo escuchamos en silencio, comienza a listar los nombres. Cada uno de ellos.

Taylor.

Los técnicos del Instituto Tecnológico de Innovación que sabían de sus proyectos.

Los trabajadores que ayudaron a Taylor a realizar sus experimentos, que habían secuestrado a Jax y a Sasuke, robándoles sus vidas.

Los demás miembros de los Blackcoats dispersos por todo el mundo; otros hackers, mercenarios, todo aquel que hubiera trabajado con ella bajo el mando de Taylor.

Los nombra a todos.

Mi mente se sacude. Miro a Jax nuevamente. Si bien Sasuke no está aquí, puedo sentir su presencia en la habitación, como si el niño desaparecido hubiera, finalmente, encontrado su voz en la historia de Jax.

Luego de una sentencia sin igual dictada hoy por la Corte Suprema de Justicia de Japón, el fundador de Henka Games, Hideo Tanaka, ha sido absuelto de todos los cargos de conspiración y homicidio agravado. Lo encontraron culpable del asesinato no premeditado de segundo grado de la doctora Dana Taylor, así como también del uso ilegal de su creación, el NeuroLink, en la investigación por la búsqueda de su hermano. Las autoridades locales allanaron hoy el Instituto Tecnológico de Innovación de Japón, pero no se encontraron varios de los objetos mencionados en el testimonio, entre los cuales se encontraría la armadura descripta con sumo detalle por las testigos Emika Chen y Jackson Taylor. El traje no ha sido recuperado.

–THE TOKIO DIGEST

TREINTA Y CUATRO

Pasaron dos semanas desde la sentencia a Hideo.

Se sintieron como una eternidad, ahora que el NeuroLink ya no está en funcionamiento. La gente se levanta e ingresa a Internet de la forma en la que solía hacerlo antes de que los lentes de Hideo acapararan el mundo. No hay capas cuando quiero obtener direcciones, no hay traducciones cuando me habla alguien en otro idioma. Hay una ausencia en nuestras vidas que es muy difícil de describir. Aun así, la gente parece ver mejor el mundo ahora.

A medida que el día comienza a mezclarse con el atardecer, preparo mi patineta eléctrica para encontrarme con

Asher, Roshan y Hammie. Sin el NeuroLink, debo fiarme de viejas técnicas, como taparme el rostro con capuchas, gorras y lentes oscuros. Hay millones de reporteros siguiéndome. Si fuera más lista, iría en auto.

Pero de todas formas subo a la patineta y me encamino hacia la ciudad. Siento como si perteneciera aquí, el viento sobre mi rostro, con el equilibrio perfecto gracias a años de andar sola en las calles atestadas de la ciudad. A mi alrededor se eleva Tokio, la Tokio *real*, con trenes sobre sus puentes y rascacielos que se elevan hacia las nubes, y algunos templos que descansan en medio de vecindarios ruidosos. Sonrío al ver todo pasar. Mi estadía en Tokio puede estar llegando a su fin, pero no sé hacia dónde quiero ir luego. Tras haber pasado estos meses abrumadores aquí, comencé a sentir el lugar como si fuera mi hogar.

Tengo suerte de que nadie me detenga en mi trayecto al jardín que se encuentra en un vecindario tranquilo en el distrito Mejiro. Hay poca gente, pero ningún ojo entrometido. Me bajo de la patineta, la levanto sobre mi hombro y me quedo mirando la entrada simple pero elegante que se eleva sobre una pared blanca, toda bañada de tonos rosados por el atardecer. Enseguida, ingreso.

Es un lugar hermoso, con un estanque enorme lleno de peces koi rodeado de árboles cuidadosamente podados y rocas, puentes de arco y una pequeña cascada. Cierro los ojos y respiro hondo, impregnándome de la esencia a pino y flores.

Una voz se dirige a mí. Abro los ojos y miro en esa dirección.

Una pequeña pagoda se eleva en el otro extremo del jardín y, esperando junto a su base, se encuentran Roshan, Hammie y Asher, compartiendo algunos refrescos. Me saludan con las manos. Esbozo una sonrisa radiante y me encamino en su dirección. Mis pasos se aceleran hasta que los alcanzo, deteniéndome de golpe.

–Hola –le digo a Roshan, quien me devuelve la sonrisa.

–Hola –me contesta, y mis compañeros de equipo me envuelven en un abrazo.

Me recuesto sobre ellos, sin decir una palabra. Luego de todo lo que ha pasado desde que mi vida cambió por completo, esta es la mejor parte de todo.

Al cabo de unos minutos, los cuatro nos encontramos sentados en hilera sobre el borde de piedra de la pagoda, mirando hacia el estanque de peces koi, con los pies colgando sobre el agua. El sol se pone por completo, dejando que el color anaranjado y dorado del cielo adquiera un tono más suave de púrpura y rosa.

–Eso es todo, entonces –dice Asher, rompiendo el silencio. Mira hacia donde tiene su silla algunos metros atrás–. No más campeonatos de Warcross. No más NeuroLink.

Trata de decir eso de una forma liberadora, pero vacila y permanece en silencio. El resto de nosotros, también.

–¿Qué harás ahora? –le pregunto, y se encoge de hombros.

–Supongo que nos llegarán muchas propuestas de películas, entrevistas y documentales –no luce para nada emocionado.

Roshan se inclina hacia atrás y recorre una mano entre sus rizos negros.

–Por mi lado, regresaré a Londres –dice, con un tono igual de abatido–. Estará bien volver a ver a mi familia, pasar tiempo con ellos, tranquilo. Luego trataré de pensar qué es lo que quiero hacer.

–Pero oí que Tremaine irá contigo –agrega Hammie, dándole un empujón tan fuerte que lo hace perder el equilibrio.

Una pequeña sonrisa aparece en los labios de Roshan. Trata de esconderla mirando hacia el estanque.

–No es del todo seguro todavía –dice, pero lo único que hace Hammie es esbozar una sonrisa aún más grande y picarlo con los dedos en las costillas. Resopla una vez, incómodo, mientras nosotros reímos.

Hammie se inclina hacia adelante para estudiar los peces koi que nadan debajo de nosotros.

–Yo iré a Houston –dice–. Y retomaré la vida antes de Warcross.

Asher le da un pequeño empujoncito.

–¿Y? –agrega, y ella le guiña el ojo con timidez.

–Y haré alguna que otra visita a Los Ángeles. Sin ningún motivo.

Él sonríe al oír eso.

La vida antes de Warcross. Pienso en el pequeño apartamento en el que solía vivir con Kiera en Nueva York, la lucha diaria. La mayoría de los cazadores de recompensas estarán buscando trabajo ahora también; ya no hay necesidad de capturar a los apostadores ilegales de Warcross o de ingresar al Dark World. Siempre habrá criminales, pero volverán a operar en la Internet regular. Y en la vida real.

¿Qué voy a hacer *yo*? ¿Regresar a Nueva York? ¿Cómo volveré a tener una vida normal? Me imagino inscribiéndome en una universidad, completando una solicitud de trabajo, trabajando en una oficina. Es una imagen extraña y surreal.

–Nosotros no éramos Warcross –digo, principalmente para mí misma.

–No –secunda Roshan. Hay una larga pausa–. Fue solo algo que hicimos.

Y tiene razón, claro. No habría sido nada sin ellos, sin nosotros, para hacer que importe. Sin nosotros, era simplemente un juego.

–Pero no cambiará esto –agrega Roshan, señalándonos a los tres–. Lo saben, ¿cierto? Estamos conectados para siempre ahora.

Levanta su botella de vidrio, proponiendo un brindis. Hammie se une, seguida de Asher. Yo también levanto la mía.

–Por los buenos amigos.

–Por apoyarnos entre nosotros.

–Por seguir juntos, aunque haya un apocalipsis.

–Por nuestro equipo.

Brindamos. El sonido resuena por todo el jardín hasta desvanecerse en el cielo.

}{

Cuando regreso a mi hotel por la noche, hay un mensaje escrito esperándome en mi mesa de noche. Lo observo por un segundo antes de tomarlo y llevarlo bajo la luz. Es un número de teléfono que dejó el conserje del hotel, seguido de un mensaje que me indica que llame allí.

Reviso mi teléfono nuevamente. En la tranquilidad del jardín y junto a mis compañeros de equipo, no lo había mirado para nada. Me doy cuenta de que tengo varias llamadas perdidas de ese mismo número. Lo marco y camino hacia la ventana, con el teléfono sobre mi oreja.

La voz de una mujer resuena al otro lado de la línea.

–¿Señorita Chen? –dice.

–¿Quién habla? –respondo.

–Soy Divya Kapoor, la nueva presidenta de Henka Games.

Me paro más derecha al oír su nombre. Es la mujer que había visto en la Corte Suprema.

–¿Sí? –hay un silencio breve y avergonzado al otro lado de la línea.

–Señorita Chen, como representante de Henka Games me gustaría pedirle disculpas por todo lo que ha ocurrido. Como sabe, los actos de Hideo no fueron revelados a nadie en la compañía, por lo que estoy tan sorprendida como el resto del mundo por sus alegatos. Fue gracias a su ayuda que evitamos una completa catástrofe. Estamos en deuda con usted.

La oigo detenidamente. No pasó mucho tiempo desde que ingresé a Henka Games sintiéndome una completa forastera.

–¿Me llama solo para pedirme disculpas en nombre de

Henka Games? –pregunto, y de inmediato me siento avergonzada. No quería que las palabras sonaran tan acusatorias. Supongo que algunas cosas nunca cambian.

–Hay algo más –añade Divya. Vacila por un segundo antes de continuar–. Estamos en proceso de eliminar todas las fallas del NeuroLink. Pero también estamos buscando una forma de reconstruirlo.

Reconstruirlo.

–Hay muchas cosas que dependen del NeuroLink –continúa–. Derribarlo por completo no solo no es una opción que la economía global pueda soportar, sino también que es imposible. Esta tecnología no desaparecerá por completo, ni siquiera luego de lo ocurrido. Alguien más se hará cargo.

Trago saliva a medida que la escucho describir las diferentes áreas conectadas al sistema. Solo en Tokio, miles de negocios en torno al NeuroLink se han cerrado. Empresas que crean y venden bienes virtuales. Servicios educativos. Universidades. Eso ni siquiera incluye todos los negocios que dependen del juego de Warcross mismo, los cuales desaparecieron por completo sin el NeuroLink. Pero eso no es todo lo que Divya está diciendo.

Una vez que la tecnología fue creada, no puede ser destruida. Lo que Hideo construyó seguirá existiendo. Alguien más inventará una nueva realidad virtual y aumentada que tenga las mismas funciones que el NeuroLink original. Incluso, más que este. Otra persona *llenará* el vacío que dejó el NeuroLink.

La pregunta es quién. Y qué hará con él.

–Necesitamos reconstruir el sistema, pero, como sabe, no podemos hacerlo igual al anterior. Esta vez, estará bajo la supervisión del gobierno y de la gente. Todo será transparente, con completa honestidad.

–¿Y qué tiene que ver conmigo? –pregunto, y Divya respira hondo.

–La llamo para preguntarle si estaría interesada en ayudarnos a formar un equipo. Queremos encontrar sus fallas, quitar los defectos y transformarlos en algo mejor. Y usted… Bueno, fue gracias a usted que pudimos encontrar todas esas fallas en primer lugar.

Reconstruir el NeuroLink. Reconstruir Warcross.

Mi meta principal había sido detener a Hideo y eso significaba desactivar el NeuroLink. Mi vida cambió por completo gracias a Warcross y ya me acababa de despedir de mis compañeros de equipo, lista para regresar a los Estados Unidos sin ninguna idea de qué hacer.

Pero pensándolo bien…

El solo hecho de que el sistema tuviera fallas no significaba que no valiera la pena que exista. Como todo, es una herramienta que depende de aquellos que la utilizan. Mejoró millones de vidas. Y quizás, ahora, con la mente correcta por detrás y el trabajo a consciencia que trae la experiencia, podemos hacer una mejor versión del NeuroLink.

Todo problema tiene solución. Pero luego de cada solución, aparece un nuevo desafío a vencer, un nuevo reto a superar. Uno no se detiene luego de resolver una sola cosa. Puedes seguir avanzando, encontrar un nuevo camino, un nuevo destino, intentando dar lo mejor de ti para crear algo superior. Destruir algo no es el final; hacer algo grandioso, o mejor, hacer algo *correcto*, sí lo es. O quizás no existe tal cosa como un objetivo final en absoluto. Uno logra algo y luego cambia, listo para completar lo siguiente. Uno continúa resolviendo un problema tras otro hasta cambiar el mundo por completo.

Hasta este momento, los objetivos de mi vida se han limitado a detener el mal. Y ahora se me está presentando la oportunidad de participar en el otro lado de la solución: la creación.

Al notar mi larga pausa, Divya se aclara la garganta.

–Bien –dice, con un tono respetuoso y aún arrepentido–, le daré algo de tiempo para que lo piense. De estar interesada, no dude en contactarme directamente. Estamos listos para comenzar cuanto antes con usted. Y si no está interesada, lo entendemos. Ha hecho más que todo el resto.

Intercambiamos algunas palabras de despedida y cuelga, dejándome sola en mi habitación con el teléfono a mi lado, mirando el paisaje nocturno a través de mi ventana.

El teléfono suena nuevamente. Miro hacia la pantalla.

Lo pongo en altavoz y una voz familiar llena el aire. En otro momento, fue una voz que me llenaba de miedo. Pero ahora…

–Y bien –dice Zero–. ¿Qué dirás?

Sonrío.

–¿Estabas escuchando todo?

–Estoy en todos lados al mismo tiempo –contesta–. No es difícil oír conversaciones de teléfono.

–Lo sé. Solo tendrás que aprender a respetar algunos límites.

–Aun así, estás contenta de que lo haya oído –replica–. Lo noto en tu voz.

Suena igual que antes; pero con ciertos rastros humanos en sus palabras. Esa parte protegida por la mente de Sasuke.

Luego de que la policía allanara el instituto y nos rescataran a Hideo y a mí de la habitación de pánico, luego de que el traje de Zero desapareció y todas las noticias comenzaron a hablar de lo sucedido, algunos rumores comenzaron a circular por Internet diciendo que, ocasionalmente, una figura con armadura aparecía en las cuentas de las personas. Que alguien estaba dejando un rastro enigmático, una firma con un cero en su interior. Que Jax, cuando tiene acceso a una computadora o teléfono, habla con alguien que no existe.

No hay nada que confirme todo esto, claro. La mayoría cree que se puede tratar de algún bromista de Internet o un hacker novato.

Pero *yo* sé la verdad. Como datos, como información que viaja entre cables y electricidad, Zero –Sasuke– vive.

–Deja de psicoanalizarme –le contesto.

–No lo estoy haciendo –hace una pausa–. Sabes que tienes mi apoyo si elijes unirte a ella.

–Puede que lo necesite.

–¿Y bien? –este es Sasuke, listo, curioso y amable–. ¿Qué le dirás, entonces?

Una pequeña sonrisa aparece en mi rostro; poco a poco se convierte en una sonrisa radiante. Al abrir la boca para responder, lo hago con firmeza y seguridad.

–Lo haré.

TREINTA Y CINCO

La entrada principal a los cuarteles generales de la policía metropolitana de Tokio está atestada de gente esta mañana, igual que hace ya varias semanas. Al ingresar con mi auto, la gente voltea y comienza a juntarse alrededor, con sus cámaras y atención sobre mí. Observo el mar de rostros. Están todos aquí porque hoy es el día en el que trasladan a Hideo para comenzar su condena.

Todo el mundo está aquí, esperando alguna novedad. Aún no ha habido ningún anuncio oficial sobre su sentencia.

Los micrófonos apuntan en mi dirección una vez que la puerta del auto se abre, llenando de gritos el ambiente.

Mantengo la cabeza gacha mientras mis guardaespaldas empujan a la muchedumbre para abrirme el paso. No levanto la cabeza hasta estar dentro del edificio. Allí, hago una leve reverencia a un oficial y lo sigo hacia el elevador.

Al bajar, una persona me recibe.

–Chen-*san* –dice, inclinando la cabeza al saludarme. Le devuelvo el gesto–. Por favor, sígame. Hemos estado esperándola.

Me lleva por un corredor hacia una habitación de interrogatorio con una ventana de vidrio. Del otro lado de la pared hay una docena de oficiales, todos con el rostro severamente mirando hacia adelante. Es como si estuvieran vigilando al criminal más peligroso del mundo. Quizás tienen razón, ya que, a través de la ventana, veo una figura familiar esperando sola junto a la mesa. Hideo.

Inclinan la cabeza al verme y abren la puerta para dejarme entrar. Una vez dentro, levanta la vista y esboza una pequeña sonrisa que me hace sentir calidez en todo el cuerpo.

No me había dado cuenta de cuánto lo extrañaba.

La habitación es bastante pequeña y sencilla. Una pared tiene la ventana de vidrio que veía desde afuera, y la otra es una pantalla negra enorme que se extiende del suelo hasta el techo. En el centro de la habitación hay una mesa con dos sillas. Hideo está sentado en una de esas sillas ahora.

–Hola –le digo, sentándome frente a él.

–Hola –responde.

Toda la situación me recuerda a la vez que lo conocí en

Henka Games, cuando solo era una cazadora de recompensas novata, ansiosa y torpe. Hideo luce tan elegante como siempre; estoy frente a él, preguntándome qué estará pensando.

Esta vez, en cambio, unas esposas plateadas mantienen sus manos juntas. La herida que tiene sobre un costado del cuerpo sigue sanando, ya que, por debajo de su camisa, puedo ver las vendas delatoras. Ya no estoy vestida con mis jeans rotos y mi sudadera negra, sino con un traje propio hecho a medida y bien cuidado. Hammie me había ayudado a peinarme el cabello, formando un rodete en la parte superior. Es una versión idéntica a nuestra primera reunión.

También hay otras diferencias que importan. Él luce cansado, pero con los ojos alerta, su expresión es mucho más abierta de lo que jamás vi en él.

Nos miramos a los ojos. Nota el cambio en mi apariencia, pero no dice nada al respecto.

–No pensé que vendrías a verme –dice, en cambio.

–¿Por qué? –le pregunto y esboza una sonrisa, un poco tímida y alegre.

–Creí que ya habías regresado a los Estados Unidos.

Hay algo roto en sus palabras que me hace sentir tristeza. Recuerdo la forma en la que me miró en la habitación de pánico, lo que murmuró cuando creyó estar pronunciando sus últimas palabras. Recuerdo sus brazos alrededor de su pequeño hermano, sus palabras entre lágrimas. *Lamento no haber podido salvarte*.

Ahora, luego de todo lo que ha atravesado, está negado a

creer que podríamos volver al principio. Está listo para recibir su castigo.

Me aclaro la garganta antes de hablar.

–¿Vuelves a tu casa hoy?

Asiente. Hideo puede estar condenado a prisión, pero no hay forma de que la policía retenga a alguien de su estatus en una prisión regular, con toda la atención y disrupción que eso ocasionaría. Al igual que todas las figuras prominentes del mundo, cumplirá su sentencia bajo arresto domiciliario, con un pequeño grupo de policías a su alrededor y el gobierno vigilando cada uno de sus movimientos.

Hideo mueve la cabeza de lado a lado y, por un momento, mira distraídamente hacia la ventana, perdido en sus pensamientos. No necesito decir nada para saber que está pensando en su hermano.

–Nunca fuimos el uno para el otro, sabes. No hay versión de nuestra historia que no hubiera estado condenada desde el principio.

–Si tuviera que hacer todo esto de nuevo, Hideo, aún tendría que cazarte.

–Lo sé.

Permanezco en silencio por un segundo.

–No significa que no siga sintiendo cosas por ti.

Voltea para estudiarme, y en lo único en lo que puedo pensar es en cómo sería el mundo si Taylor nunca hubiera estado tan interesada en su hermano. Si mi padre no hubiera muerto tan joven y yo no hubiera estado tan desesperada por conseguir dinero. ¿Cómo es que esta cadena de eventos terminó conmigo sentada aquí frente a Hideo, con los roles de poder invertidos, y la pregunta "¿Qué habría pasado?" en el aire?

–Lo siento, Emika –dice–. En verdad.

Y el rastro en sus ojos, la mueca de dolor que intenta ocultar, me indican que está siendo sincero.

Respiro hondo.

–La señora Kapoor me llamó. La nueva presidenta de Henka Games. Reconstruirán el NeuroLink y me invitaron a participar del proyecto. Acepté su oferta.

Al principio, no puedo descifrar cómo se siente Hideo con la noticia. ¿Sorprendido? ¿Resignado? Quizás siempre supo que el NeuroLink no podía morir por completo, que alguien más tomaría las riendas en algún momento. No sé cómo se siente saber que ese alguien terminaría siendo yo.

Solo me mira.

–Es muy lista al elegirte a ti. Sabes tanto de él como alguien que ha trabajado en el desarrollo del sistema.

–Me solicitaron que arme un equipo para reconstruir el NeuroLink.

–¿Ya lo has armado?

–No viene aquí solo para verte.

Silencio. Levanta una ceja con escepticismo.

Asiento sin decir una palabra.

–Emika, me acaban de condenar por lo que hice. Tú misma me querías capturar.

–Eso no significa que no crea que hiciste algo maravilloso –me inclino sobre la mesa y miro hacia la pantalla negra que cubre toda una pared–. *Reproducir video*.

Hideo voltea hacia la pantalla, y esta se enciende.

Es una secuencia de videos, noticias y recuerdos de los últimos años.

Hay un fragmento de un documental sobre una anciana atrapada en un cuerpo que no le responde que fue capaz de utilizar el NeuroLink para comunicarse con su familia. Hay una entrevista en la que los reporteros viajan a zonas azotadas por la guerra, en donde jóvenes refugiados utilizan los lentes para continuar con las lecciones de la escuela o hablar con parientes lejanos. Hay imágenes del interior de un hospital que Hideo visitó una vez, en donde los niños pueden pasear por corredores que lucen como mundos fantásticos y no solo como simples pasillos blancos; sus habitaciones llenas de criaturas mágicas que los hacen reír. Los pacientes con Alzheimer tienen la posibilidad de depender en las grabaciones del NeuroLink para recuperar la memoria. La gente atrapada en un edificio en llamas, que puede utilizar el sistema de grilla del NeuroLink para encontrar la salida. Los videos son incontables.

Hideo los mira sin decir nada. Quizás siempre tenga un peso sobre sus hombros, la culpa de que se ha equivocado, la pérdida de su hermano. Pero no aparta los ojos de los videos y, cuando finalizan, no dice nada.

–Hideo –le digo, con gentileza–, cambiaste el mundo para

siempre con la creación del NeuroLink. Y, si bien nadie es perfecto, no significa que no podamos escucharte. Sé alguien mejor. Hay millones de cosas buenas para hacer y pueden hacerse con responsabilidad, a consciencia y con respeto, sin llevarse lo maravilloso del mundo.

Me mira.

–No sé si merezco ser parte de todo esto –dice finalmente.

Niego con la cabeza ante su respuesta.

–No significa que no serás vigilado de cerca. O escoltado con cuidado. No serás capaz de trabajar directamente en nada, o escribir código, o formar parte oficialmente de la compañía. Habrá muchas reglas. Te lo aseguro –lo miro a los ojos–. Pero conoces el NeuroLink mucho más que todos nosotros. Antes de que fuera del mundo, era tuyo. Por eso, aún creo que tu palabra tiene valor, que podemos beneficiarnos con tu conocimiento y ayuda.

La chispa en los ojos de Hideo es una que reconozco de sus primeras entrevistas. El resplandor del creador, esa magia que lo mantiene a uno despierto por la noche, con los ojos bien abiertos, llenos de potencial y promesas.

–Una vez mencionaste que estabas cansado de los horrores que ocurren en el mundo –continúo–. Bueno, yo también. Aún podemos encontrar la manera de combatirlos, de la forma correcta. Y podemos encontrarla juntos.

Hideo no dice nada por un largo tiempo. Luego, sonríe. No es su sonrisa secreta o sospechosa. Sino que es todo lo que habría deseado. Una sonrisa genuina, honesta, llena de calidez, como el pequeño niño que alguna vez fue, sentado bajo la luz de una lámpara en la tienda de reparación de computadoras de su padre, ensamblando algo que cambiaría todo para siempre. Es la sonrisa que yo solía tener cuando mi padre me saludaba y me mostraba cómo hilvanar delicados hilos, uno por uno, en la cola de un vestido. La misma sonrisa que tenía cada vez que me sentaba frente a mi computadora en el hogar de crianza, sintiendo que tenía el control total de mi vida por primera vez.

Quizás, podemos encontrar la manera de salir adelante, en la misma página. Podemos encontrar la manera de estar juntos.

Me inclino hacia adelante en esta versión idéntica de nuestro primer encuentro. Mi mirada firme encuentra la suya.

–Entonces, tengo un trabajo para ofrecerle –le digo–. ¿Le agradaría saber más?

Emika Chen aceptó el puesto de presidenta de Henka Games. Ha destinado la mayor parte de su fortuna a un crédito dedicado a financiar inventos realizados por jóvenes mujeres en situación de vulnerabilidad... Chen fue vista de la mano con Hideo Tanaka al salir de un restaurante local a principios de la semana pasada, disparando los rumores sobre su posible romance.

–REVISTA TOKIO LIFESTYLE

AGRADECIMIENTOS

Si *Warcross* fue el hijo fácil, *Wildcard* es aquel que siempre termina en la oficina del director. A lo largo de muchas noches, me quedé despierta hasta tarde, casi hasta el amanecer, para darle forma a esta historia. Terminó siendo un libro del cual estoy completamente orgullosa, pero que nunca podría haber realizado sin la ayuda de un gran equipo de personas brillantes.

Kristin Nelson siempre fue la primera persona en la que pensé para todos mis libros, pero en especial para *Wildcard* y *Warcross*. Nunca olvidaré cuán entusiasmada estuviste y lo alentadora que fuiste por estos libros desde el primer día y, dado todo lo que significa la historia de Emika para mi corazón e interés, nunca podría estar más agradecida contigo. Gracias por creer en mí.

A mis increíbles editores, la inigualable Kate Meltzer, Jen Besser y Jen Klonsky; gracias por disponer de toda su sabiduría y sus comentarios brillantes, por guiarme entre las aguas turbias de este libro, y por ser personas tan amenas para trabajar. Anne Heausler, realmente no sé lo que haría sin tu mirada atenta y tu guía. ¡Te dedico a ti la escena del yate!

Como siempre, a Putnam Children's, Puffin y Penguin Young Readers por ser un equipo soñado hecho realidad. Theresa y Wes, gracias por la portada asombrosa de *Wildcard*; Marisa Russell, Shanta Newlin, Erin Berger, Andrea Cruise, Dana Leydig, Summer Ogata, Felicity Vallence y Vanessa Carson, ¡estoy eternamente agradecida por todo lo que hacen!

Kassie, no puedo agradecerte lo suficiente por estar a mi lado y apoyar esta saga desde el principio. Soy tan afortunada de poder trabajar contigo.

A Tahereh Mafi, una de mis personas preferidas en el mundo: fuiste la primera en leer *Wildcard* y me alentaste en los momentos que lo necesitaba. A Sabaa Tahir y nuestras charlas de pedicura diabólicas, ¡donde me ayudaste a descifrar el arco argumental entero de Zero! Siempre asociaré los salones de uñas con tu brillantez. A Amie Kaufman: cada vez que necesito un hombro sobre el cual reposar, siempre estás allí. Y, por supuesto, a Leigh Bardugo, feroz como su nombre, por inspirar el cabello plateado de Jax y su labial negro. Zero hackearía cualquier sistema por ti.

A Primo, mi compañero de historias y el mejor esposo, que siempre fue el primero en poner un ojo sobre esta saga y que sabe más sobre ella que cualquier otra persona. A mi familia y amigos, por todo su cariño y apoyo.

Finalmente, a mis lectores. Ustedes me inspiran a diario. Hagan cosas grandiosas y desafíen al mundo.

FAN

Bandos enfrentados que harán temblar el mundo

¿Crees que conoces todo sobre los cuentos de hadas?

EL ÚLTIMO MAGO - *Lisa Maxwell*

RENEGADOS - *Marissa Meyer*

EL HECHIZO DE LOS DESEOS - *Chris Colfer*

Protagonistas que se atreven a enfrentar lo desconocido

EL FUEGO SECRETO - *C. J. Daugherty Carina Rozenfeld*

JANE, SIN LÍMITES - *Kristin Cashore*

HIJA DE LAS TINIEBLAS - *Kiersten White*

Dos jóvenes destinados a descubrir el secreto ancestral mejor guardado

ASY...

En un mundo devastado, una princesa debe salvar un reino

LA REINA IMPOSTORA - *Sarah Fine*

LA CANCIÓN DE LA CORRIENTE - *Sarah Tolcser*

REINO DE SOMBRAS - *Sophie Jordan*

Una joven predestinada a ser la más poderosa

EL CIELO ARDIENTE - *Sherry Thomas*

CINDER - *Marissa Meyer*

La princesa de este cuento dista mucho de ser una damisela en apuros

¡QUEREMOS SABER QUÉ TE PARECIÓ LA NOVELA!

Nos puedes escribir a **vrya@vreditoras.com**

con el título de esta novela en el asunto.

Encuéntranos en

COMPARTE

tu experiencia con
este libro con el hashtag

#wildcard